ANWB Taalgids

Deens

Hans Hoogendoorn
Elisabeth Jonker-Jensen

ISBN 978 90 18 02964 7

Deze uitgave werd met de meeste zorg samengesteld. De juistheid van de gegevens is mede afhankelijk van het werk van derden. Indien dat deel van de inhoud onjuistheden blijkt te bevatten, kan de ANWB daarvoor geen aansprakelijkheid aanvaarden.

COLOFON

Productie:	ANWB Media
Uitgever:	Janneke Verdonk
Redactiecoördinatie:	Mariëlle van der Goen, Tekstbureau Omdat, Hilversum
Vertaalwerk herziening:	SVIN, Groningen
Kaart:	Softmap, Utrecht
Ontwerp omslag:	Vorm Vijf, Den Haag
Ontwerp binnenwerk:	Vorm Vijf, Den Haag
Illustraties:	Hilbert Bolland, Breda / Hubert Bredt, Amsterdam
Opmaak:	Koen ten Have, psholland.nl

Redactie: ANWB Media
Geert van Leeuwen
Postbus 93200
2509 BA Den Haag
anwbmedia@anwb.nl

Onze redactie is u bij voorbaat zeer dankbaar voor alle op- en aanmerkingen en suggesties ter verbetering van de kwaliteit van deze taalgids.

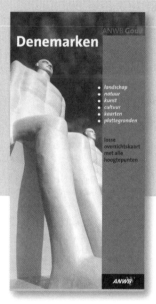

Inhoud

INLEIDING

6 Hoe gebruikt u deze taalgids?
6 Uitspraakregels, woordenlijsten
7 Inleiding tot het Deens
8 Enkele taaleigenaardigheden

KORTE GRAMMATICA

10 Zelfstandige naamwoorden
10 Lidwoorden
10 Meervoud
10 Tweede naamval
11 Bijvoeglijke naamwoorden
11 Aanwijzende voornaamwoorden
11 Persoonlijke voornaamwoorden
11 Bezittelijke voornaamwoorden
12 Werkwoorden
12 Enkele hulpwerkwoorden

UITSPRAAK

13 Algemene regels
15 Klemtoon
15 Uitspraak van het alfabet

ALGEMENE UITDRUKKINGEN

17 Dagelijkse woorden en zinnen
18 Voorzetsels, voegwoorden enz.
19 Enkele bijvoeglijke naamwoorden
19 Taalproblemen
20 Begroetingen
21 Contacten leggen
22 Op bezoek
23 Gelukwensen
23 Telwoorden, rekenen
25 De tijd
26 Data, seizoenen, (feest)dagen
28 Het weer

AAN DE GRENS

31 Pascontrole
32 Douane

OP DE WEG

33 Vervoermiddelen
34 Een auto huren
35 Vragen onderweg
37 Parkeren, bekeuringen
38 Liften

OPENBAAR VERVOER

41 Bus en tram
42 Trein, S-bane
44 Vliegtuig
47 Boot
48 Taxi

TANKEN, PECH, ONGEVALLEN

49 Bij het tankstation
50 Reparaties
51 Onderdelen van de auto
57 Onderdelen van de (motor)fiets
58 Aard van de beschadiging
59 Een ongeval op de weg

OVERNACHTEN

61 Onderdak zoeken in Denemarken
62 Bij de receptie van het hotel
64 Gehandicapten
65 Inlichtingen, service, klachten
68 Kamperen buiten de camping
68 Bij de receptie van de camping
71 Faciliteiten
73 De uitrusting
75 Onderdelen van tent en caravan

ETEN EN DRINKEN
77 Soorten eet- en drinkgelegenheden
78 Gesprekken met het personeel
79 Enkele losse uitdrukkingen
79 Een Deense menukaart
90 Wijze van bereiden
91 Dranken

UITGAAN
93 Wat is er te doen?
94 Bioscoop en theater
95 Discotheek en nachtclub
96 Flirten en romantiek
100 Uit met de kinderen

PROBLEMEN IN DE STAD
101 De weg vragen
103 Er is iets gebeurd / Bij de politie

MEDISCHE HULP
107 Hulp vragen
108 Bij de arts/tandarts
111 Ziekteverschijnselen
112 Bij de apotheek
113 Ingewanden
115 Lichaamsdelen
116 Beenderen, gewrichten, spieren, organen
117 In het ziekenhuis

118 Deense Spreekwoorden en gezegden

BANK, POST, TELEFOON, INTERNET
119 Bij de bank
121 Op het postkantoor
122 Telefoneren
124 Het Deense telefoonalfabet
125 Internet

SPORT EN RECREATIE
127 Aan het strand, in het zwembad
129 Watersport

131 Paardrijden
131 Een fiets huren
132 Wandelen, klimmen
132 Golf
133 Voetbal
133 Andere sporten
134 Ontspannen

WINKELEN
135 De weg vragen
135 Gesprekken met het winkel-personeel
141 Kleuren, variëteiten
141 Maten, gewichten, hoeveelheden
141 Levensmiddelen, groenten, fruit, enz.
143 Drogisterijartikelen
146 Kleding en schoenen
149 Fotograferen en filmen
151 Boeken, tijdschriften, schrijfwaren
153 Juwelen en horloges
155 Munten en postzegels
155 Opticiën
156 Rookartikelen
156 Wasserette en reiniging
157 Kapper
158 Schoonheidssalon
158 Elektronica
158 Speelgoed

TOERISME
159 Op het verkeersbureau of VVV-kantoor
161 Museumbezoek
163 In kastelen, kerken, enz.

WOORDENLIJST
165 Nederlands - Deens
225 Deens - Nederlands

252 In Denemarken gangbare afkortingen

HOE GEBRUIKT U DEZE TAALGIDS?

Er is waarschijnlijk geen genre boeken waarvan het nut zo vaak in twijfel getrokken is als taalgidsen. Menig conferencier heeft op de planken de draak gestoken met de naar zijn mening talrijke nutteloze zinnen. De gebruikers lijken er anders over te denken. Zoveel nutteloze zinnen staan er echt niet in en veel zinnen die op het oog overbodig lijken, kunnen opeens zeer zinvol zijn wanneer u onverwacht in een bepaalde situatie terecht komt. Zelfs zonder enige voorkennis kunt u zich in veel gevallen toch aardig verstaanbaar maken. En bent u wel in de taal ingeburgerd, dan blijkt een taalgids een aardige aanvulling op uw studieboeken.

Het lijkt ons nuttig dat de zinnen waarmee u een gesprek opent, kort zijn. Van die gedachte zijn we ook uitgegaan bij het samenstellen van deze serie. Negen van de tien vreemdelingen die u aanspreekt, zullen u onmiddellijk als buitenlander herkennen en alleen al daarom verwachten zij niet dat u met prachtige volzinnen aankomt. Kennis van zo veel mogelijk woorden, zelfstandige of bijvoeglijke naamwoorden waarmee u uw wensen kenbaar maakt, gaat bij ons boven allerlei toevoegingen die de zinnen onnodig lang maken.
U zult zien dat we steeds de Nederlandse zin (**vet** gezet) laten volgen door de Deense (in het blauw) en daarna door een regel waarin we de uitspraak zo goed mogelijk weergeven. Het grote probleem is natuurlijk het antwoord dat de aangesprokene zal geven. In veel gidsen heeft de samensteller al meteen een pasklaar antwoord bedacht, maar het zou wel erg toevallig zijn wanneer u nu net dat voorgebakken antwoord krijgt. Veel van die 'terugpraatzinnen' (herkenbaar aan het driehoekje ◄ dat eraan vooraf gaat) zult u in onze taalgids dan ook niet vinden. Liever geven we een flink aantal woordenlijstjes waarin u vast wel wat woorden terugvindt die u ook herkent in de waterval van Deense woorden die over u wordt uitgestort zodra u zelf uitgesproken bent.

UITSPRAAKREGELS, WOORDENLIJSTEN

Deze taalgids is onderverdeeld in een aantal hoofdstukken die even zovele situaties weergeven die u op reis kunt tegenkomen: de grenscontrole, de reis door het land, het onderdak, het bezoek aan een bank of postkantoor, medische en technische hulp, het winkelen, sport en recreatie. Bij elk onderwerp geven we wat korte achtergrondinformatie en tips, gevolgd door de eerste zinnen waarmee u het gesprek kunt openen.

De correcte uitspraak weergeven op een voor iedereen begrijpelijke wijze (dus niet in het maar door weinigen beheerste fonetisch schrift) is erg moeilijk. Daar komt nog eens bij dat enkele typische eigenschappen van het Deens (zoals de `Deense stoot', een klank die wij niet kennen) moeilijk in letters zijn weer te geven. Het blijft behelpen en u zult merken dat u alleen door goed luisteren de uitspraak echt onder de knie krijgt.

Behalve aan zinnen hebt u natuurlijk ook veel aan lijsten met woorden.

Bij elke rubriek treft u wel een aantal woordenlijstjes Nederlands-Deens aan, meestal hebben ze betrekking op een voorafgaande zin. Verder ziet u achterin deze gids een bruikbare algemene woordenlijst, voornamelijk met werkwoorden en bijvoeglijke naamwoorden. Bovendien hebben we een aantal alledaagse woorden en uitdrukkingen (die u eigenlijk uit het hoofd zou moeten leren) bijeengebracht op de achterzijde van het omslag. In omgekeerde richting (Deens-Nederlands) vindt u korte woordenlijstjes achter de 'terugpraatzinnen', een aantal lijsten met opschriften en een flinke lijst met namen van gerechten, steeds weer bij het desbetreffende onderwerp. Veel gebruikte afkortingen vindt u in een afzonderlijke lijst helemaal achterin. Echt Deens leren kunt u met dit gidsje natuurlijk niet. Maar u kunt zich ermee redden in bepaalde aangename en onaangename zaken en u kweekt veel `goodwill' wanneer u door het leren van wat korte Deense zinnetjes laat merken dat u belangstelling hebt voor de Denen en hun taal.

INLEIDING TOT HET DEENS

Het Deens is een Germaanse taal. De Germaanse taalfamilie maakt deel uit van de grote groep van Indo-Germaanse talen, waartoe bijna alle talen in Europa behoren. Ergens in het hoge Noorden moet ooit het Oer-Germaans zijn ontstaan en daaruit ontwikkelden zich in de loop der eeuwen subgroepen. In Scandinavië vormde zich, lang voor het ontstaan van de drie koninkrijken een Oer-Noordse taal, het Norrøne. Verder naar het zuiden ontstond de middeleeuwse vorm van het Duits en daaraan ontsproten de Noordzeetalen: het Fries en het Nederlands. Invasies vanaf het vasteland verdreven het Keltisch van de Britse eilanden en zo ontstond het Engels, een mengelmoes van Noord-Duitse dialecten, een scheutje Fries en na de Normandische invasie een flinke dosis Frans.

Het Norrøne was de taal van de eerste vikingen. De meesten waren afkomstig uit het Noorse fjordengebied en hun dialect werd de moeder van de moderne talen IJslands en Føroyisch (de taal van de Færøer). Op het Scandinavische schiereiland bleef het oude Noors gehandhaafd; verder weg ontstonden Deens en Zweeds als duidelijk afzonderlijke talen. Toen in de 14de eeuw heel Noorwegen onder Deens bestuur kwam, verdeense de Noorse taal bijna volledig. Alleen in het fjordengebied kon de oude taal als dialect blijven voortleven. Pas in de vorige eeuw herleefde de interesse voor het oude Noors, dat nu als Nieuw-Noors voortleeft, en werd het verdeenste Noors van de hogere klassen gezuiverd.

Het Deens dat in het zuiden van Zweden (Deens gebied!) werd gesproken, verloor terrein nadat in 1659 Zuid-Zweden bij de rest van Zweden werd gevoegd. Toch is het Zuid-Zweedse dialect nog altijd nauw verwant aan enkele Oost-Deense dialecten, met name het Bornholms.

Al in een heel vroeg stadium verruilden, onder de invloed van het Latijn (het Noorden werd pas na het jaar 1000 gekerstend), de Scandinaviërs hun typische streepjesschrift (de 'runen') voor het Latijnse alfabet. De vooraanstaande positie die het eiland Sjælland (Seeland) innam op politiek en literair gebied, heeft ervoor gezorgd dat dit dialect zich kon ontwikkelen tot het Standaard-Deens. Het touwtrekken om het graafschap Sleeswijk heeft ervoor gezorgd dat er in Zuid-Sleeswijk (Duitsland) nog een kleine Deense minderheid is, zoals er in Noord-Sleeswijk (Denemarken) nog tienduizenden Duitstaligen wonen. Deens is ook de tweede ambtelijke taal, naast de landstaal, van de autonome delen van het koninkrijk: Groenland en de Færøer.

ENKELE TAALEIGENAARDIGHEDEN

Het zal u niet verbazen dat een taal die zo nauw aan de onze verwant is, weinig afwijkende kenmerken vertoont. We zouden eigenlijk alleen kunnen wijzen op het nogal formele taalgebruik van de Denen, maar dat heeft meer te maken met de volksaard dan met de taal zelf. Opmerkelijk is ook dat Denen bij een verzoek dikwijls al bij voorbaat dank zeggen terwijl wij volstaan met 'alstublieft' ('Een tafel voor twee a.u.b.' wordt bij Denen al gauw 'Een tafel voor twee, dank u').

De echte problemen hebben te maken met spelling en uitspraak. We noemden hierboven al even dat merkwaardige verschijnsel dat wordt aangeduid als 'de Deense stoot', een kortstondig dichtklappen van de stemspleet. Die 'stød' is niet fonetisch weer te geven, u kunt hem alleen aanleren door goed te luisteren. Verder zult u merken dat er flinke verschillen bestaan tussen spelling en uitspraak. Veel Denen vragen zich dan ook af of de spellingsregels niet eens op de helling moeten. Ook Denemarken heeft zoiets als ons 'groene boekje' (de Woordenlijst der Nederlandse Taal) en bij elke nieuwe druk laait de pennenstrijd over de spelling weer hoog op.

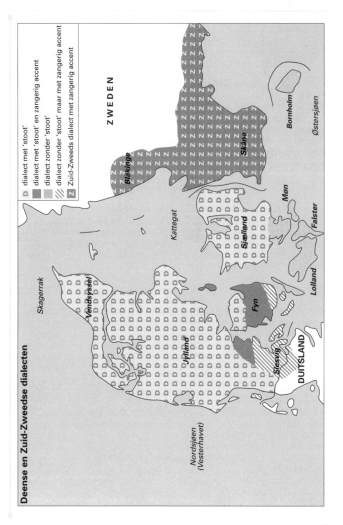

Deense en Zuid-Zweedse dialecten

Legenda:
- ▣ dialect met 'stoot'
- ▨ dialect met 'stoot' en zangerig accent
- ▨ dialect zonder 'stoot'
- ▨ dialect zonder 'stoot' maar met zangerig accent
- ☒ Zuid-Zweeds dialect met zangerig accent

ZWEDEN

Bornholm

Østersjøen

Kattegat

Blåkinge

Skåne

Møn

Skagerrak

Vendsyssel

Sjælland

Falster

Jylland

Fyn

Lolland

Slesvig

DUITSLAND

Nordsjøen
(Vesterhavet)

Korte grammatica

ZELFSTANDIGE NAAMWOORDEN

Het Deens kent twee geslachten: **fælleskøn**= niet-onzijdig (**fælles** = gemeenschappelijk (m/v), **køn** = geslacht) en **intetkøn** = onzijdig (**intet** = niets). Er zijn geen regels die ons kunnen leren welke woorden **intetkøn** en welke **fælleskøn** zijn.
U kunt dit alleen door ervaring te weten komen. In de woordenlijsten in dit gidsje staat steeds het geslacht vermeld (*f* voor niet-onzijdig, *o* voor onzijdig en zonodig de meervoudsaanduiding *mv*), tenzij dit al uit het zinsverband blijkt.

LIDWOORDEN

Voor niet-onzijdige woorden (fælleskøn) is het **onbepaald** lidwoord **en**, voor onzijdige woorden (intetkøn) **et**. Voorbeeld: **en** vej = een weg, **et** hus = een huis.
Een merkwaardig fenomeen, kenmerkend voor alle Scandinavische talen, is het slutartikel. In plaats van het **bepaald** lidwoord (de, het) gebruikt men een achtervoegsel:
-**en** voor niet-onzijdige woorden, -**et** voor onzijdige woorden.
Voorbeeld: vej**en** = de weg, hus**et** = het huis.

MEERVOUD

In het algemeen wordt het meervoud gevormd door de uitgangen -e of -er (-r na een toonloze e). In de bepaalde vorm (de) wordt er nog een achtervoegsel (-ne) aangeplakt.
Voorbeeld:

veje	wegen	huse	huizen
vejene	de wegen	husene	de huizen
studenter	studenten	træer	bomen
studenterne	de studenten	træerne	de bomen

TWEEDE NAAMVAL

De tweede naamval van het zelfstandig naamwoord (die bij ons alleen nog voorkomt in ouderwetse vorm: 's mans hoed) wordt gevormd door toevoeging van een s:

en mands hat	de hoed van een man
mandens hat	de hoed van de man
mænds hatte	de hoeden van mannen
mændenes hatte	de hoeden van de mannen

BIJVOEGLIJKE NAAMWOORDEN

Net als in het Nederlands richt het bijvoeglijk naamwoord zich naar het zelfstandig naamwoord waarbij het hoort. Bij niet-onzijdige woorden wordt **in het enkelvoud** de grondvorm gebruikt, bij onzijdige woorden krijgt de grondvorm het achtervoegsel -t.
In het meervoud komt er voor beide geslachten een -e achter de grondvorm.
Voorbeeld: en god vej = een goede weg, et godt hus = een goed huis,
gode veje = goede wegen, gode huse = goede huizen;
maar: de gode veje = de goede wegen, de gode huse = de goede huizen.

AANWIJZENDE VOORNAAMWOORDEN

De vorm van het aanwijzend voornaamwoord wordt bepaald door het geslacht van het zelfstandig naamwoord. `Deze/dit/die' wordt aangegeven met den (**niet-onzijdig**), det (**onzijdig**), de (**meervoud**), maar ook met denne, dette, disse (**dit/deze hier**) wanneer men met enige nadruk spreekt:

deze jongen	**den** dreng	dat huis	**det** hus
deze jongen (hier)	**denne** dreng	dit huis (hier)	**dette** hus
deze jongens	**de** drenge	deze huizen	**de** huse
deze jongens (hier)	**disse** drenge	deze huizen (hier)	**disse** huse

PERSOONLIJKE VOORNAAMWOORDEN

	onderwerp	*lijdend voorwerp*	*meewerkend voorwerp*
ik	jeg	mig	mig
jij	du	dig	dig
hij	han/den/det	ham/den/det	ham/den/det
zij	hun/den/det	hende/den/det	hende/den/det
wij	vi	os	os
jullie	I	jer	jer
U	De	Dem	Dem
zij	de	dem	dem

N.B.: De vormen han/ham en hun/hende worden gebruikt voor **personen**. Voor dieren en dingen gebruikt men den/det.

BEZITTELIJKE VOORNAAMWOORDEN

In het Deens wordt de vorm van het bezittelijk voornaamwoord bepaald door **het geslacht (en getal) van het zelfstandig naamwoord**.

	niet-onzijdig	*onzijdig*	*meervoud*
mijn	min	mit	mine
jouw	din	dit	dine
zijn	hans/sin/dens	hans/sit/dets	hans/sine/deres

haar	hendes/sin/dens	hendes/sit/dets	deres/hendes/sine
ons/onze	vor/vores	vort/vores	vore/vores
jullie	jeres	jeres	jeres
Uw	Deres	Deres	Deres
hun	deres	deres	deres

N.B.: Hans/hendes wordt gebruikt voor het bezit van een ander, sin/sit/sine voor het eigen bezit:

manden skriver sit navn = de man schrijft zijn (eigen) naam
manden skriver hans navn = de man schrijft zijn naam (de naam van een ander).

WERKWOORDEN

De onbepaalde wijs eindigt op een -e of een betoonde klinker en kan worden voorafgegaan door het woordje at (vgl. het Engelse `to'): at danse = dansen, at tale = spreken, at bo = wonen.

De onvoltooid tegenwoordige tijd wordt gevormd door een -r achter de onbepaalde wijs te voegen. Dit geldt voor **alle** persoonsvormen: jeg danser   han taler   vi bor

De verleden tijd en het voltooid deelwoord:
De zwakke werkwoorden vormen hun verleden tijd en voltooid deelwoord door:
1. -(e)de en -et achter de stam: danse   danse**de**   danse**t**
2. -te en -t achter de stam: tale   tal**te**   tal**t**
De meeste werkwoorden behoren tot groep 1.

De sterke werkwoorden hebben in de verleden tijd geen toevoeging achter de stam; meestal verandert echter de klinker:

hj**æ**lpe	hj**a**lp	hj**u**lpet
bide	bed	bidt
drikke	drak	drukket

Op deze algemene regel zijn overigens tal van uitzonderingen.

ENKELE HULPWERKWOORDEN

	onbep. wijs	*o.t.t.*	*v.t.*	*volt.dlw.*
zijn	være	er	var	været
hebben	have	har	havde	haft
kunnen	kunne	kan	kunne	kunnet
zullen/moeten	skulle	skal	skulle	skullet
behoren	burde	bør	burde	burdet
mogen	måtte	må	måtte	måttet
willen	ville	vil	ville	villet

N.B.: ik ben geweest = jeg **har** været

Uitspraak

ALGEMENE REGELS

We schreven hierboven al dat de uitspraak van het Deens moeilijk is. Vertrouw niet op uw eventuele kennis van het Noors of Zweeds, het lijkt er niet op. We noemden al die 'stoot', waaraan het Deens dat enigszins kefferige toontje te danken heeft. Verder zijn er nog de lastige uitzonderingen, de harde plofklanken, de tweeklanken en de drie bij ons onbekende extra klinkers. Zonder de pretentie volledig te zijn, laten we hieronder de uitspraakregels voor het Deens volgen. Als voorbeelden gebruiken we meestal plaatsnamen. De cursief gezette lettergrepen krijgen de klemtoon. Voor enkele klanken, die niet in het Nederlands voorkomen, zijn speciale tekens gebruikt. Deze zijn bij de betreffende klanken weergegeven.

We beginnen met de **klinkers**, waarvan er dus drie bij ons onbekend zijn:

a   klinkt vóór een l, n, s of t als iets dat tussen een a (in 'vat') en een e (in 'vet') in ligt, en vóór of na een r als a (in 'want'); bij de uitspraakweergave in deze gids gebruiken we voor de eerstgenoemde vorm het teken (â): Danmark (**Dân**mark).

e   als in het Nederlands een stomme e (in 'de') of een beklemtoonde (in 'thema'); de beklemtoonde klinkt net iets langer dan bij ons: Hedeby (**hee**-δe-buu).

i   meestal een ie, kort (in 'fiets') of lang (in 'vier'): Vilsund (**Wiel**-soon), Viborg (**Wie**-borg); voor een g, k, n of m lijkt hij meer op de i (in 'wil'): Himmerland (**Him**-mer-lân), tenzij de g een uitgang is, in welk geval de i kort wordt en de g nauwelijks hoorbaar is: mandlig (**mân**-lie).

o   is kort (als in 'pot') in Mors, maar kan ook lang zijn (als in 'oor'): Lohals (**Loo**-hâls).

u   als een korte Nederlandse oe (in 'doen'): Kastrup (**Kâ**-stroep); aan het eind van de lettergreep wordt hij iets langer: Hurup (**Hoee**-roep); voor een g, k, m en n klinkt hij meestal als een korte, doffe o.

y   als een Duitse ü of een Nederlandse uu (in 'duur'): Fyn (Fuun), Valby (**Wâl**-buu); in sommige gevallen als een u (in 'dus'): Lyngby (**Lung**-buu).

Let op dat het Deens geen dubbele klinkers kent. Twee gelijke klinkers komen nog wel voor in persoons- en plaatsnamen: de aa is de oude spelling waarvoor in 1948 de å (zie hierna) in de plaats is gekomen, de ii en de uu zijn te beschouwen als langgerekte klinkers (Friisenborg = **Friej**-sen-borg). Twee verschillende klinkers worden afzonderlijk uitgesproken: Troense (**Tro**-en-se).

æ	klinkt iets opener dan de e in 'vet' in: kort in Præstø (**Prêst**-eu), iets langer in Værløse (**Wêêr**-leu-se); we geven dit dus weer met het teken ê.
ø	vervangt de vroegere ö; hij is een korte u (als in 'dus') tussen twee medeklinkers in: Løkken (**Luk**-ken) of een lange eu (als in 'deur') aan het begin van een lettergreep: Helsingør (**Hel**-sing-eur); nog iets langer (als de eu in 'keus') wordt hij aan het eind van een lettergreep: Nysø (**Nuu**-seu).
å	vervangt de vroegere aa; hij klinkt als een doffe oo aan het eind van een lettergreep: Åbenrå (ô-ben-**rô**) of een korte o (als in 'pot') wanner hij vooraan of in het midden staat: Århus (**ôr**-hoes); we geven de klank in dit boekje weer met ô.

Belangrijk is het te weten dat de drie laatstgenoemde letters (æ, ø en å) in het Deense alfabet een geheel eigen plaats innemen en wel helemaal achteraan, na de z. In de alfabetische opsommingen in dit gidsje is daarmee rekening gehouden.

Soms beïnvloeden klinker en daaropvolgende medeklinker elkaar. Zo ontstaan **tweeklanken**, uitzonderingen op de hierboven en hieronder gegeven regels:

ag/av	klinken als auw: Slagille (**Slauw**-liel-le), København (Keu-ben-**hauwn**), maar er zijn uitzonderingen: in veel gevallen klinkt ag als ag met een zachte g, zoals Agersø (**âgher**-seu), en av als èw wanneer er een uitgang -et volgt: Vesterhavet (**We**-ster-hâ-wet).
eg/ej	klinken als eij: Lejre (**leij**-re).
ev	klinkt als eeuw: Herlev (**her**-leeuw).
ig	aan het eind van een lettergreep klinkt als ie; zie ook onder i hierboven.
iv	klinkt als iew: Skive (**skie**-we).
og/ov	klinken als ouw: Hov (houw, wordt ook gespeld als Hou), Brovst (brouwst).
yv	klinkt als uuw: syv (suuw).

Moeilijk zijn de twee volgende, weinig voorkomende tweeklanken: **æv** (klinkt als èw) en **øw** (klinkt als euw).

De **medeklinkers b, f, h, k, l, m, n, p, r** en **s** klinken ongeveer als in het Nederlands, al zijn er subtiele verschillen: de h wordt niet uitgesproken voor een j of v, de k en de p klinken aan het begin van een lettergreep harder dan bij ons, de l wordt minder dik uitgesproken (vóór in de mond) en de r is altijd een gebrouwen r.

Een dubbele medeklinker wordt altijd hoorbaar dubbel uitgesproken, bijv. in Løkken en Hjørring (**luk**-ken, **jur**-ring). Met wat oefening hebt u dit snel onder de knie. De medeklinkers **c, q, x, w** en **z** horen alleen thuis in leenwoorden en vreemde woorden. In tegenstelling tot het Noors worden leenwoorden in het Deens niet altijd volledig aan de eigen spellingsregels aangepast: chauffør (Deens), sjåfør (Noors).

De overblijvende medeklinkers zijn voor ons de moeilijkste:

d	klinkt aan het begin van een woord als bij ons. Maar volgt er een d op een l, n of r of staat er een d voor een s, dan wordt de d niet uitgesproken: Jylland (**juul**-lân), Vrads (wras) en zo nodig wordt de desbetreffende klinker verdubbeld: Randers (**ran**-ners), Kolding (**kol**-ling). Dan is er nog de d in het Nederlands

onbekende 'zachte' d (in dit gidsje weergegeven door het teken ð), die wordt uitgesproken als de Engelse th in 'this' of 'rather': Odense (**o**-ðen-se). Deze zachte d komt nooit voor aan het begin van een woord en slechts na een klinker. Staat hij aan het eind van een woord of een lettergreep, wordt hij bijna onhoorbaar uitgesproken: Hillerød (**hil**-le-reu(ð)), Bedsted (**be**(ð)-ste(ð)).

g   klinkt als de Engelse g (in 'goal'), de Franse g (in 'garde') of de Duitse (in 'gut'), waarvoor we geen Nederlands equivalent hebben; de Hollandse harde g bestaat in ieder geval niet, en als we Gentofte weergeven met **ghen**-tof-te, dan moet u voor die gh dus een voor ons vreemde klank lezen; na een r wordt de g minder goed hoorbaar en hoe de g klinkt in een tweeklank (ag, eg, ig, og) hebben we hierboven al aangegeven.

t   klinkt even zacht als bij ons, maar aan het begin van een lettergreep lijkt hij op de harde Engelse t in 'tea'; Groningers zullen er weinig moeite mee hebben en als u weet hoe zij 'Martinitoren' uitspreken, hebt u de klank al aardig te pakken. Maakt de t deel uit van de uitgang -et (zie het slutartikel hierboven), dan lijkt hij meer op een d: huset (**hoe**-sed).

v   klinkt als een zachte w: Vejle (**wêj**-le); zie ook de tweeklanken hierboven.

KLEMTOON

In de regels en kolommen in de volgende hoofdstukken waarin de uitspraak wordt weergegeven, hebben we de lettergrepen waarop de klemtoon valt **vet** gezet.
Bij samengestelde woorden wordt per woorddeel de klemtoon aangegeven.

UITSPRAAK VAN HET ALFABET

A	â	P	pee
B	bee	Q	koe
C	see	R	êr
D	dee	S	ês
E	ee	T	tee
F	êf	U	oe
G	ghee	V	wee
H	hoo	W	**dob**beltwee
I	ie	X	êghs
J	joð	Y	uu
K	koo	Z	sêt
L	êl	Æ	ee
M	êm	Ø	eu
N	ên	Å	oo
O	oo		

Gråbrødretorvet	De Franciscanenmarkt
(i København)	(in Kopenhagen)
1 et roligt sted	een rustig plekje
2 under den gamle platan	onder de oude plataan
3 hyggelige façader	leuke geveltjes
4 kunsthandelen	de kunsthandel
5 bænken	de zitbank
6 ung lykke	pril geluk
7 mor og barnevogn	moeder en kinderwagen
8 lidt mad og drikke	een hapje en een drankje
9 hunden snuser	de hond snuffelt

DAGELIJKSE WOORDEN EN ZINNEN

ja	ja	jå
nee	nej	nêj
misschien	måske	mô**skee**
alstublieft (verzoek)	vær så venlig (at)	wêr sô **wen**li (at)
alstublieft (aanreiken)	værsågod	wêrs**gho**
dank u wel	mange tak	**mång**e tak
hartelijk dank	tusind tak	**toe**sen tak
geen dank	selv tak, det var så lidt	sêl tak, dee war sô lit
neemt u mij niet kwalijk	undskyld	**on**skuul
het spijt mij	det gør mig ondt	dee gheur mêj ont
waar?	hvor?	woor
waar is/zijn ...?	hvor er ...?	woor êr ...
wanneer?	hvornår?	woor**nôr**
wat?	hvad?	wa?
hoe?	hvordan	woor**dân**
hoeveel?	hvor meget?	woor **mê**jet?
welk(e)?	hvilket/hvilken/hvilke?	**wil**ket/**wil**ken/**wil**ke
wie?	hvem?	wem
waarom?	hvorfor?	woor**for**
hoe heet dit?	hvad kaldes dette?	wå **kâl**les **det**te?
wat betekent dit?	hvad betyder det?	wå be**tuu**ôer dee
het is ...	det er ...	dee êr ...
het is niet ...	det er ikke ...	dee êr **ik**ke ...
er is/er zijn ...	der er ...	dêr êr ...
er is/zijn geen ...	der er ingen/intet ...	dêr êr **ing**en/**in**tet ...
is/zijn er ...?	er der ...?	êr dêr ...
is/zijn er geen ...?	er der ingen/intet ...?	êr dêr **ing**en/**in**tet ...?

al	allerede	**ål**lereðe
achter	bagved	**bâ(gh)**wee(ð)
altijd	altid	**âl**tie(ð)
beneden	nede, nedenunder	**nee**ðe, **nee**ðenonner
boven	oppe, ovenpå	**op**pe, **ouw**enpô
buiten	ude, udenfor	**oe**ðe, **oe**ðenfor
daar	der	dêr
dadelijk	om lidt	om lit
dichtbij	tæt ved	têt we(ð)
dan	så	sô
door	gennem, ved	**ghen**nem, wee(ð)
en	og	ouw
graag	gerne	**ghêr**ne
hier	her	hêr
iemand	nogen	**noo**en
in	i	ie
links	til venstre	til **wên**stre
met	med	me(ð)
na	efter	**êf**ter
naar	til	til
naast	ved siden af	we(ð) **sie**ðen å
niemand	ingen	**ing**en
niet	ikke	**ik**ke
nooit	aldrig	**al**drie(gh)
of	eller	**êl**ler
omhoog	op, opad	ôp, **ôp**a(ð)
omlaag	ned, nedad	neeð, **nee**ðå(ð)
onder	under	**oon**ner
op	på	pô
over	over, om	**ouw**er, ôm
rechts	til højre	til **hui**re
sinds	siden	**sie**(ð)en
spoedig	snart	snaart
thuis	hjemme	**jêm**me
tot	til, indtil	til, **ien**til
tijdens	under	**oon**ner
tussen	imellem	ie**mel**lem
van	fra	fra
voor	til	til
zonder	uden	**oe**ðen

beter	bedre	bêðre
bezet	optaget	**opt**âet
dicht (gesloten)	lukket	**look**ket
dichtbij	tæt ved	têt wee(ð)
duur	dyr(t)	duur(t)
gemakkelijk	nem(t)	nêm(t)
goed	god(t)	gho(ð)/ghôt
goedkoop	billig(t)	**biel**lie(t)
heerlijk	dejlig(t)	**dêj**lie(t)
jong	ung(t)	oong(t)
juist	rigtig(t)	**rie(gh)**tie(t)
koud	kold(t)	kôl(t)
langzaam	langsom(t)	**lang**som(t)
leeg	tom(t)	tôm(t)
lelijk	grim(t)	ghrim(t)
licht (niet donker)	lys(t)	luus(t)
licht (niet zwaar)	let	lêt
moeilijk	vanskelig(t)	**wân**skelie(t)
mooi	smuk(t)	smook(t)
nieuw	ny(t)	nuu(t)
open	åben(t)	ôben(t)
oud	gammel(t)	**gham**mel(t)
slecht	dårlig(t)	**dôr**lie(t)
slechter	værre	**wêr**re
snel	hurtig(t)	**hoer**tie(t)
ver	langt væk	langt wêk
verkeerd	forkert	for**keerd**
vol	fuld(t)	foel(t)
vrij	fri(t), ledig(t)	frie(t), **lee**die(t)
warm	varm(t)	warm(t)
zwaar	tung(t)	toong(t)

TAALPROBLEMEN

Ik spreek geen Deens
Jeg taler ikke dansk
jêj **tâ**ler **ik**ke dânsk

Ik spreek maar een beetje Deens
Jeg taler en lille smule dansk
jêj **tâ**ler een **liel**le **smoe**le dânsk

Ik versta u niet
Jeg forstår Dem ikke
jêj for**stôr** dêm **ik**ke

Kunt u dat nog even herhalen?
Vil De godt lige gentage det?
wil die ghôt **lie**je **ghen**tå dee

Het Deens is niet moeilijk/gemakkelijk
Dansk er ikke vanskeligt/nemt
dânsk êr **ik**ke **wân**skeliet/nêmt

Ik ben Nederlander/Nederlandse
Jeg er hollænder
jêj êr **hôl**lênner

Hoe zeg je dit in het Deens?
Hvordan siger man det på dansk?
woor**dan sie**jer mån dee pô dânsk

Dit kan ik niet lezen
Det kan jeg ikke læse
dee kå jêj **ik**ke **lê**se

Kunt u het spellen/opschrijven?
Vil De stave det/skrive det op
wil die **stâ**we dee/**skrie**we dee **ôp**

Kunt u wat langzamer praten?
Vil De tale lidt langsommere?
wil die **tâ**le lit **lang**sommere

Spreekt u Duits of Engels?
Taler De tysk eller engelsk?
tâler die tuusk **êl**ler **êng**elsk

Ik ben buitenlander/buitenlandse
Jeg er udlænding
jêj êr **oe**ðlênning

Ik ben Belg/Belgische
Jeg er belgier
jêj êr **bel**ghieer

Hoe spreek je dit uit?
Hvordan udtales det?
woor**dan oe**ðtâles dee

Het gaat mij te snel
Det går for hurtigt for mig
dee ghôr for **hoer**tiet for mêj

Kunt u dit voor mij vertalen?
Vil De oversætte det for mig?
wil die **ouwer**sêtte dee for mêj

BEGROETINGEN

Goedemorgen	Godmorgen	gho**môr**ren
Goedenmiddag	Goddag	gho**då**
Goedenavond	Godaften	gho**åf**ten
Goedenacht/welterusten	Godnat/sov godt	gho**nåt**/**souw** ghôt
Welkom	Velkommen	**wel**kômmen
Dag! (bij het weggaan)	Farvel	vâr**wel**
Tot ziens	På gensyn	pô **ghen**suun
Tot straks	På gensyn om lidt	pô **ghen**suun ôm **lit**
Tot morgen	På gensyn i morgen	pô **ghen**suun ie **môr**ren
Goede reis	God rejse	gho **rêj**se

20

Dit is de heer/mevrouw ...
Det er hr./fru ...
dee êr hêr/froe ...

Hoe maakt u het?
Hvordan går det?
woor**dan** ghôr dee

◄ **Uitstekend, dank u**
Udmærket, tak
oeðmêrket, tak

Hallo! Hoe gaat het? (onder vrienden/jongeren)
Hej! Hvordan går det?
hêj! woor**dan** ghôr dee

◄ **Hoe is uw naam?**
Hvad hedder De?
wå **hee**ðer die

Mijn naam is ...
Jeg hedder ...
jêj **hee**ðer ...

Dit is mijn ...
Det er min ...
dee êr mien ...

man	mand	mån
vrouw	kone	**koo**ne
zoon	søn	seun
dochter	datter	**dât**ter
vader	far	vaar
moeder	mor	moor
vriend	ven	wên
vriendin	veninde	wên**in**ne

◄ **Waar komt u vandaan?**
Hvor kommer De fra?
woor **kom**mer die **fra**

Ik kom uit Nederland/België
Jeg kommer fra Holland/Belgien
jêj **kom**mer fra **Hôl**lan/**Bel**ghieen

◄ **Hebt u een goede reis gehad?**
Har De haft en god rejse?
har die haft een gho **rêj**se

◄ **Doet u de groeten aan ...**
Hils ...
hiels ...

CONTACTEN LEGGEN

◄ **Zal ik u de stad laten zien?**
Skal jeg vise Dem byen?
skå jêj **wie**se dem **buu**en

◄ **Zullen we vanavond uitgaan?**
Skal vi gå ud i aften?
skå wie ghô oeð ie **af**ten

Ja, dat is leuk/Nee, dank je
Ja tak/Nej tak
jå tak/nêj tak

◄ **Zal ik je afhalen?**
Skal jeg hente dig?
skå jêj **hen**te dêj

◄ Spreken we af voor het hotel/bij de camping?
Skal vi mødes ved hotellet/ved campingpladsen?
skå wie **meu**δes wee(δ) hotellet/wee(δ) **kam**pingplåssen

Ja, om ... uur
Ja, klokken ...
jå, **klok**ken ...

Laat me met rust!
Lad mig være i ro!
lâ mej **wê**re ie roo

Daar ben ik niet van gediend
Det bryder jeg mig ikke om
dee **bruu**δer jêj mej ikke ôm

OP BEZOEK

Woont hier ...?
Bor ... her?
boor ... hêr

◄ Nee, die is verhuisd
Nej, han er flyttet
nêj, hån êr **flut**tet

Weet u zijn nieuwe adres?
Ved De hans nye adresse?
weeδ die hâns nuu a**dres**se

◄ Ja, komt u binnen
Ja, kom indenfor
jå, kom innen**for**

◄ Hij/zij is momenteel niet thuis
Han/hun er ikke hjemme i øjeblikket
hån/hoen êr **ik**ke **jêm**me ie **uie**blikket

Wanneer komt hij/zij terug?
Hvornår kommer han/hun hjem?
woor**nôr kom**mer hån/hoen jêm

Kan ik een boodschap achterlaten?
Kan jeg efterlade en besked?
kå jêj **êf**terlåδe en be**skee**(δ)

◄ Gaat u zitten
Sæt Dem ned
sêt dem **nee**(δ)

Mag ik hier roken?
Må jeg ryge her?
mô jêj **ruu**(gh)e hêr

◄ Natuurlijk/Liever niet
Naturligvis/Helst ikke
nå**toer**liwies/hêlst **ik**ke

◄ Wilt u iets drinken?
Vil De have noget at drikke?
wil die ha **nô**et at **drik**ke

Op uw gezondheid!
Skål!
skôl

Op de uwe!
Skål!
skôl

◄ Blijft u eten?
Vil De blive og spise?
wil die **blie**we ouw **spie**se

Eet smakelijk
Værsågod
wêrsgho

Bedankt voor het eten/de koffie/de thee
Tak for mad/kaffe/te
tak for må(δ)/**kâf**fe/tee

Het is tijd om te gaan
Det er på tide at sige farvel
dee êr pô **tie**δe at sie vår**wel**

Bedankt voor de gastvrijheid/het lekkere eten
Tak for idag/i aften/den dejlige mad
tak for ie**dâ**/ie **af**ten/den **dêj**lieje mâð

Gefeliciteerd ...	Tillykke ...	til**luk**ke ...
met uw verjaardag	med fødselsdagen	mê(ð) **feus**sels**dâ**en
met uw huwelijk	med bryllupsdagen	mê(ð) **brul**loeps**dâ**en
met de geboorte	med den nyfødte	mê(ð) den **nuu**feute
met uw herstel	med Deres helbredelse	mê(ð) **dê**res **hêl**breðelse
Het allerbeste!	de bedste ønsker!	die **bê**ste **eun**sker
Succes!/Veel geluk!	Held og lykke!	hêl ouw **luk**ke
Sterkte!	Ha' det godt!	hå dee ghôt
Veel plezier!	God fornøjelse!	ghoo for**nui**else
Van harte beterschap	God bedring	ghoo **be**ðring

Zie voor de wensen met de feestdagen onder de kop 'Feestdagen'.

Ik ben 25 jaar oud	**We zijn met zijn vieren**
Jeg er femogtyve år	Vi er fire personer
jêj êr **fêm**ouwtuuwe ôr	wie êr **fie**re pêr**soo**ner

In het Deens maakt men voor getallen tussen 49 en 100 nog gebruik van het eeuwenoude 20-delig stelsel, terwijl wij in tientallen rekenen. Het zal wel even duren voor u daaraan gewend bent. Bovendien heeft men in de loop der tijden de oorspronkelijke uitdrukkingen flink ingekort:

50 = *halvtreds*, een afkorting van 'halvtredsindstyve': halverwege 3 (ofwel 2 1/2) maal 20

60 = *treds*, een afkorting van 'tresindstyve': 3 x 20

70 = *halvfjerds*, een afkorting van 'halvfjerdsindstyve':
halverwege 4 (ofwel 3 1/2) maal 20

80 = *firs*, een afkorting van 'firsindstyve': 4 x 20

90 = *halvfems*, een afkorting van 'halvfemsindstyve': halverwege 5 (ofwel 4 1/2) maal 20.

0	nul	nool
1	en/et	een/eet
2	to	too
3	tre	tree
4	fire	**fie**re
5	fem	fêm
6	seks	sêks
7	syv	suuw
8	otte	**ô**te
9	ni	nie
10	ti	tie
11	elleve	**êl**we
12	tolv	tôl
13	tretten	**trêt**ten
14	fjorten	**fjôr**ten
15	femten	**fêm**ten
16	seksten	**sêj**sten
17	sytten	**sut**ten
18	atten	**ât**ten
19	nitten	**nit**ten
20	tyve	**tuu**we
21	enogtyve	**een**ouw**tuuwe**
22	toogtyve	**too**ouw**tuu**we
30	tredive	**trê**δwe
40	fyrre	**fur**re
50	halvtreds	hâl**trees**
60	tres	trees
70	halvfjerds	hâl**fjêrs**
80	firs	fiers
90	halvfems	hâl**fêms**
100	hundrede	**hoen**re(δ)
101	hundredeogen/et	**hoen**re(δ)een/eet
123	hundredeogtreogtyve	**hoen**re(δ)treeouwtuuwe
200	tohundrede	**too**hoenre(δ)
500	femhundrede	**fêm**hoenre(δ)
1000	tusind	**toe**sen
1500	femtenhundrede	**fêm**tenhoenre(δ)
2000	totusind	**too**toesen
10.000	titusind	**tie**toesen
100.000	hundredtusind	**hoen**re(δ)toesen
1.000.000	en million	en mil**joon**

1/2	en halv	een hål
1/3	en tredjedel	en **tree**δjedeel
1/4	en kvart, en fjerdedel	en kwart, een **fjêr**redeel
3/4	trekvart, tre fjerdedele	tree**kwart**, tree **fjêr**redeele
5%	fem procent	fêm pro**sent**
1ste	første (1.)	**feur**ste
2de	anden/andet	**ân**nen/**ân**net
3de	tredje	**tree**δje
10de	tiende	**tie**enne
100ste	hundredste	**hoen**reδste

2 x 4 = 8	to gange fire er otte	too **ghan**ge **fie**re êr **ôt**e
6 : 2 = 3	seks divideret med to er tre	sêks diewie**deer**et mêδ to êr tree
4 + 6 = 10	fire plus seks er ti	**fie**re ploes sêks êr tie
8 - 3 = 5	otte minus tre er fem	**ôt**e **mie**noes tree êr fêm

DE TIJD

drie uur
tre
tree

kwart over twee
kwart over to
kwart **ouw**er too

half vier
halvfire
hâlfiere

kwart voor vier
kvart i fire
kwart ie **fier**e

vijf over drie
fem minutter over tre
fêm mie**noet**ter **ouw**er tree

vijf voor drie
fem minutter i tre
fêm mie**noet**ter ie tree

25

tien voor half vier	**tien over half vier**	**15.23 uur**
ti minutter i halvfire	ti minutter over halvfire	femten treogtyve
tie mie**noet**ter ie **hâl**fiere	tie mie**noet**ter **ou**wer **hâl**fiere	**fêm**ten **tree**ouw**tuu**we

morgen	i morgen	ie **môr**ren
overmorgen	i overmorgen	ie **ouwer**môrren
gisteren	i går	ie **ghôr**
eergisteren	i forgårs	ie **fôr**ghôrs
overdag	om dagen	ôm **dâ**(gh)en
's nachts	om natten	ôm **nât**ten
's morgens	om formiddagen	ôm **fôr**middâen,
	om morgenen	ôm **môr**rennen
's middags	om eftermiddagen	ôm **êf**termiddâen
's avonds	om aftenen	ôm **âf**tennen
vanmorgen	i morges, til morgen	ie **môr**res, til **môr**ren
vanmiddag	i eftermiddags, i eftermiddag	ie **êf**termiddâs, ie **êf**termiddâ
vanavond	i aften	ie **af**ten
vannacht (afgelopen)	sidste nat	**sie**ste nât
vannacht (komend)	i nat	ie nât
zomertijd	sommertid	**sôm**mertieð
plaatselijke tijd	lokal tid	lo**kâl** tieð
(om) hoe laat ...?	hvad tid ...?	wâ tieð ...
om ... uur	klokken ...	**klok**ken ...
middernacht	midnat	**mie**ðnât

De klok/dit horloge loopt voor/achter
Dette ur/armbåndsur går for stærkt/for langsomt
deette oer/**arm**bônsoer ghôr for stêrkt/for **lang**sômt

Welke datum is het vandaag?
Hvilken dato er det i dag?
wilken **da**to êr dee ie dâ

2010	totusindogti	**too**toesinouwtie
vorig jaar	sidste år	**sie**ste ôr
volgend jaar	næste år	**nê**ste ôr
voorjaar/lente	forår *o*	**fôr**ôr
zomer	sommer *f*	**sôm**mer
najaar/herfst	efterår *o*	**êf**terôr
winter	vinter *f*	**win**ter
januari	januar	**ja**noeâr
februari	februar	**fe**broeâr
maart	marts	marts
april	april	å**priel**
mei	maj	mâj
juni	juni	joenie
juli	juli	**joe**lie
augustus	august	auw**ghoest**
september	september	sep**tem**ber
oktober	oktober	ok**to**ber
november	november	no**wem**ber
december	december	de**cem**ber

BIJZONDERE DEENSE FEESTDAGEN

Naast de gebruikelijke christelijke feestdagen kent men in Denemarken een aantal herdenkingsdagen:

16 april	verjaardag van de koningin
4e vrijdag na Pasen	*Store Bededag* (Grote Biddag)
5 juni	*Grundlovsdag* (Dag van de Grondwet)
11 juni	verjaardag van prins Henrik
23 juni	*Sankt Hans* (Sint Hans, midzomerfeest)
1e zondag na 1 november	*Allehelgensdag* (Allerheiligen)
24 december	*juleaften* (Kerstavond; sluiting van veel bedrijven om ca. 12 uur; vaak blijven zij tot 2 januari dicht)

Witte Donderdag en Goede Vrijdag zijn officiële feestdagen.

Meer informatie over Deense feestdagen vindt u op www.anwb.nl.

Den Haag, 25 mei 2010	Haag, den 25. maj 2010	Håg, den **fêm**ouwtuuwenne mâj **too**toesinouwtie
op 25 mei a.s./j.l.	den 25. maj d.å.	den **fêm**ouwtuuwenne mâj **det**te ôr
anderhalf jaar	halvandet år	hålannet ôr
halfjaar	et halvt år	eet hålt ôr
maand	måned	**mô**ne(δ)
2 weken (14 dagen)	to uger (fjorten dage)	too **oe**(gh)er (**fjôr**ten **dâ**(gh)e)
week	uge	**oe**(gh)e
Nieuwjaar	nytår	**nuut**ôr
Driekoningen	trekonger	tree**kông**er
Witte Donderdag	skærtorsdag	skê**tôrs**då
Goede Vrijdag	langfredag	lang**free**då
Pasen	påske	**pô**ske
Dag van de Arbeid	første maj-dagen	**feur**ste mâj-då(gh)en
Hemelvaartsdag	kristi himmelfartsdag	**kri**stie **him**melvaartsdâ
Pinksteren	pinse	**pin**se
Allerheiligen	allehelgensdag	**ål**le**hêl**(gh)ens**dâ**
Kerstmis	jul	joel
Oudejaarsavond	nytårsaften	**nuut**ôrs**af**ten

Prettige Kerstdagen en Gelukkig Nieuwjaar!
Glædelig jul og godt nytår!
ghlêδeli joel ouw ghôt nuutôr

zondag	søndag	**seun**då
maandag	mandag	**mân**då
dinsdag	tirsdag	**tiers**då
woensdag	onsdag	**oons**då
donderdag	torsdag	**tôrs**då
vrijdag	fredag	**free**då
zaterdag	lørdag	**leur**då
zon- en feestdagen	søn- og helligdage	seun- ouw **hel**liedâe
werkdagen	hverdage	**wêr**dâe
dagelijks	dagligt	**da**(gh)liet

HET WEER

Wat voor weer krijgen we vandaag?
Hvordan bliver vejret i dag?
woor**dân** blier **wê**ret ie **dâ**

◄ **Het blijft mooi/slecht weer**
Det bliver ved med at være godt/dårligt vejr
dee blier wee(δ) mê(δ) at **wê**re ghôt/**dôr**liet wêr

Vergeleken met Nederland is de temperatuur in Denemarken bijna hetzelfde, maar in de zomermaanden zijn er meer zonuren. Bestaande uit ca. 400 eilanden en het schiereiland Jylland (Jutland) is Denemarken omgeven door zee waardoor er over het algemeen meer wind is dan in Nederland. U kunt het weerbericht van het Deens Meteorologisch Instituut in het Engels of Duits bekijken op www.dmi.dk.
Meer informatie over het Deense klimaat vindt u op www.anwb.nl.

◀ **Het wordt beter/slechter weer**
Vi får bedre/dårligere vejr
wie fôr **bê**ôre/**dôr**liere wêr

◀ **Een temperatuur van 15° (onder nul)**
En temperatur på 15° (under nul)
een tempera**toer** pô **fem**ten **ghra**ôer (onner nool)

◀ **Ik heb het weerbericht niet gehoord**
Jeg har ikke hørt vejrmeldinger
jêj har **ik**ke heurt **wêr**mêllingen

◀ **We krijgen regen/hagel/sneeuw**
Vi får regn/hagl/sne
wie fôr rêjn/hawl/snee

◀ **Het gaat vriezen/dooien**
Det bliver frostvejr/tøvejr
dee **blier frôst**wêr/**teu**wêr

De lucht betrekt, het gaat regenen/onweren/stormen
Himlen er overskyet, der kommer regn/tordenvejr/storm
himlen êr **ou**werskuuet, dêr **kôm**mer rêjn/**tôr**denwêr/storm

De wind steekt op/gaat liggen
Vinden tager til/tager af
winôen târ **til**/târ â

Het is vandaag warm/koel/drukkend/koud
I dag er det varmt/køligt/trykkende/koldt
ie **dâ** êr dee warmt/**keu**liet/**truk**kenne/kôlt

De zon schijnt weer/niet, de hemel is onbewolkt/bewolkt
Solen skinner igen/ikke, himlen er klar/overskyet
soolen **skin**ner ie**ghen/ik**ke, **him**len êr klaar/**ouwer**skuuet

bliksem	lyn o	luun
donder	torden f	**tôr**den
dooi	tø f	teu
gladheid	glatføre o	**ghlât**feure
hitte	hede f	**hee**ôe
hogedrukgebied	højtryksområde o	**hui**truks**om**rôôe
klimaat	klima o	**klie**mâ
lagedrukgebied	lavtryksområde o	**lauw**truks**om**rôôe

ALGEMENE UITDRUKKINGEN

luchtdruk	lufttryk *o*	**looft**truk
mist	tåge *f*	**tô**(gh)e
motregen	støvregn *f*	**steuw**rêjn
neerslag	nedbør *f*	**nee**ðbeur
noordenwind	nordlig vind *f*	**noor**lie win
onbestendig	ustadigt	**oe**stâdiet
oostenwind	østlig vind *f*	**eust**lie win
opklaringen	opklaringer *fmv*	**ôp**klaringer
regenbui	regnbyge *f*	**rêjn**buu(gh)e
regenwolken	regnskyer *fmv*	**rêjn**skuuer
schemering (avond)	skumring f, tusmørke *o*	**skoom**ring, **toes**meurke
schemering (ochtend)	daggry *o*	**dâ(gh)**ghruu
stormwaarschuwing	stormvarsel *o*	**stôrm**warsel
veranderlijk	vekslende	**wêks**lenne
vorst	frost *f*	frôst
weersverwachting	vejrudsigt *f*	**wêr**oeðsi(gh)t
westenwind	vestlig vind *f*	**wêst**lie win
wind	vind *f*	win
wisselend bewolkt	vekslende skydække *o*	**wêks**lenne **skuu**dêkke
wolkbreuk	skybrud *o*	**skuu**broe(ð)
ijs	is *f*	ies
ijzel	isslag *o*	**ies**slå(gh)
zeewind	søvind *f*	**seu**win
zuidenwind	sydlig vind *f*	**suu**ðlie win

DEENSE ETIQUETTE

Bij het kennismaken of afscheid nemen geeft men elkaar een hand; zoenen is niet gebruikelijk. Goede vrienden en familie omarmen elkaar en drukken daarbij de wangen tegen elkaar. Er wordt onderscheid genaakt tussen *du* en *De* (net zoals in het Nederlands tussen 'jij' en 'u'). U kunt het best beginnen met de De-vorm te gebruiken en dan maar af te wachten of uw kennissen zelf overgaan op de du-vorm of u vragen hen te tutoyeren. Tegenwoordig gebeurt dit al gauw, vooral onder jongeren.

Men maakt nog onderscheid tussen getrouwde vrouwen en ongetrouwde: een gehuwde vrouw wordt met *Fru* aangeduid, een ongehuwde met *Frøken*.

Als u bij mensen thuis bent uitgenodigd, neemt u een bloemetje mee. Bij het binnenkomen zullen zij u welkom heten. U zegt dan *Takk for indbydelsen* (bedankt voor de uitnodiging). Ook is het gebruikelijk na het bezoek even te bellen of een kaartje te sturen om nogmaals te danken voor de gastvrijheid met *Tak for sidst!*

PASCONTROLE

◀ **Mag ik uw paspoort/autopapieren/groene kaart zien?**
Må jeg se Deres pas/bilpapirer/grønne kort?
mô jêj see **dê**res **pås**/**biel**på**pie**rer/**greun**ne kort

Alstublieft
Værsågod
wêrsghoo

◀ **Uw pas/visum is verlopen/niet geldig**
Deres pas/visum er udløbet/ikke gyldigt
dêres pås/**wie**soom êr **oe**ôleubet/**ik**ke **ghuul**diet

◀ **Uw paspoort verloopt binnenkort**
Deres pas udløber snart
dêres pås **oe**ôleuber snaart

◀ **Hoe lang blijft u in Denemarken?**
Hvor længe bliver De i Danmark?
woor **lêng**e blier die ie **Dân**mark

◀ **U hebt een visum/doorreisvisum nodig**
De skal have et visum/gennemrejsevisum
die skå hå et **wie**soom/**ghên**nemrêjse**wie**soom

◀ **Bent u hier als toerist of voor zaken?**
Er De her som turist eller på forretningsrejse?
êr die hêr sôm toe**riest el**ler pô for**ret**nings**rêj**se

◀ **Bent u op doorreis?**
Er De på gennemrejse?
êr die pô **ghên**nemrêjse

Wat kost een visum?
Hvad koster et visum?
wå **kô**ster et **wie**soom

Waar kan ik pasfoto's laten maken?
Hvor kan jeg få taget pasfotos?
woor kå jêj fô **tâet pâs**fotos

◀ **Wilt u dit formulier invullen?**
Vil De udfylde denne blanket?
wil die **oe**ôfuulle **den**ne blang**ket**

◀ **Wilt u hier even wachten?**
Vil De lige vente her?
wil die **lie**(gh)e **wen**te hêr

◀ **Wilt u even meekomen?**
Vil De lige komme med?
wil die **lie**(gh)e **kom**me mê(ð)

◀ **U mag ons land niet binnen**
De må ikke komme ind i landet
die mô **ik**ke **kom**me in ie **lân**net

◀ **Wij moeten u terugsturen**
Vi er nødt til at sende Dem tilbage
wie êr neut til åt **sên**ne dem til**bâ**(gh)e

31

◀ **Wilt u hier even parkeren/afstappen?**
Vil De parkere/stå af her?
wil die par**kee**re/stô **â** hêr

◀ **Wilt u de kofferruimte openmaken?**
Vil De lukke bagagerummet op?
wil die **look**ke bâ**ghâ**sje**room**met ôp

◀ **Hebt u iets aan te geven?**
Har De noget, der skal fortoldes?
har die **nô**et, dêr skå for**tôl**les

◀ **Is deze koffer/rugzak/tas van u?**
Er det Deres kuffert/rygsæk/taske?
êr dee **dê**res **koof**fert/rughsêk/**tâs**ke

◀ **Wilt u deze koffer openmaken?**
Vil De åbne denne kuffert?
wil die **ôb**ne **den**ne **koof**fert

◀ **U mag dit niet invoeren/uitvoeren**
Dette må De ikke indføre/udføre
dette mô die **ik**ke **in**feure/**oe**ðfeure

◀ **U moet hiervoor invoerrechten betalen**
Det skal De betale indførselstold af
dee skå die be**tâ**le **in**feurselstôl **â**

Hoeveel moet ik betalen?
Hvor meget skal jeg betale?
woor **mê**jet skå jêj be**tâ**le

Waar kan ik betalen?
Hvor kan jeg betale?
woor kå jêj be**tâ**le

◀ **Hebt u een inentingsbewijs voor uw hond/poes?**
Har De en vaccinationsattest for Deres hund/kat?
har die en wâksinâ**sjoons**ât**test** for **dê**res hoen/kât

◀ **Dit nemen wij in beslag**
Dette bliver beslaglagt
dette blier be**slâ(gh)**lå(gh)t

◀ **U kunt doorrijden/doorlopen**
De kan køre/gå videre
die kå **keu**re/ghô **wie**ðere

OPSCHRIFTEN

TOLD	DOUANE
PASKONTROL	PASCONTROLE
EU-BORGERE	EU-ONDERDANEN
ANDRE NATIONALITETER	ANDERE NATIONALITEITEN
INTET AT FORTOLDE	NIETS AAN TE GEVEN
ANMELDELSE AF TOLDPLIGTIGE VARER	AANGIFTE
VENT HER	HIER WACHTEN A.U.B.
PERSONBILER	PERSONENAUTO'S
LASTBILER	VRACHTVERKEER

Op de weg

VERVOERMIDDELEN

auto	bil *f*	biel
personenauto	personbil *f*	per**soon**biel
auto met aanhanger	bil med påhængsvogn *f*	biel mê(δ) **pô**hêngswouwn
auto met caravan	bil med campingvogn *f*	biel mê(δ) **kâm**pingwouwn
camper	autocamper	**au**tokâmper
vrachtauto	lastbil *f*	**lâst**biel
vrachtauto met aanhanger	lastbil med anhænger *f*	**lâst**biel mê(δ) **ân**hênger
truck met oplegger	truck med påhænger *f*	trokk mê(δ) **pô**hênger
truck met container	truck med container *f*	trokk mê(δ) **kôn**t**êj**ner
bestelauto	varevogn *f*	**wâ**rewouwn
minibus	minibus *f*	**mie**nieboes
motor	motorcykel *f*	**moo**tor**suu**kel
motor met zijspan	motorcykel med sidevogn *f*	**moo**tor**suu**kel mê(δ) **sie**(δ)evouwn
scooter	scooter *f*	**skoe**ter
bromfiets	knallert *f*	**knâl**lert
fiets	cykel *f*	**suu**kel
racefiets	racer *f*	**ree**ser
tandem	tandem *f*	**tân**deem
damesfiets	damecykel *f*	**dâ**me**suu**kel
ligfiets	liggecykel	**ligh**ghesuukel
vouwfiets	klap-sammen-cykel	klap**sam**mensuukel
elektrische fiets	el-cykel	**êl**-suukel
step	løbehjul	**leu**bejoel
herenfiets	herrecykel *f*	**hêr**resuukel
kinderfiets	børnecykel *f*	**beur**nesuukel
ATB (mountain bike)	mountain bike *f*	**mauw**n**tân** baik
BMX (crossfiets)	BMX-cykel *f*	bee-em-eks-**suu**kel
vliegtuig	fly *o*	fluu
boot	båd *f*	bôδ
autoveerpont	bilfærge *f*	**biel**fêr(gh)e
rondvaartboot	rundfartbåd *f*	**roon**vaartbôδ
cruiseschip	cruiseskib *o*	**kroeis**skieb
(stads)bus	omnibus *f*	**ôm**niboes
touringcar	turistbus *f*	toe**riest**boes
tram	sporvogn *f*	**spoor**wouwn

taxi	taxa f/lillebil f	**tâk**så/**liel**lebiel
groepstaxi	minibus f	**mie**nie**boes**
trein	tog o	tô(gh)
koets	karet f, hestevogn f	kå**reet**, **hê**stevouwn

EEN AUTO HUREN

Ik wil een auto huren
Jeg vil gerne leje en bil
jêj wil **ghêr**ne **lê**je en biel

◀ **Hebt u een voorkeur voor een bepaald merk/type/klasse?**
Ønsker De et bestemt mærke/en bestemt type/klasse?
eunsker die et be**stemt mêr**ke/en be**stemt tuu**pe/**klâs**se

Wat kost dit per dag/week?
Hvad koster det pr. dag/uge?
wå **kô**ster dee per då/**oe**(gh)e

Wat is bij de prijs inbegrepen?
Hvad er der inkluderet i prisen?
wå êr dêr inkloe**dee**ret ie **prie**sen

Kan ik een navigatiesysteem meehuren?
Kan jeg også leje et navigationssystem?
kå jêj **os**se **lê**je et nawiegha**sjoons**suusteem

Heeft de auto ook airconditioning?
Har bilen også airconditioning?
haar **bie**len **os**se **êr**kondisjening

all risk-verzekering	kaskoforsikring f	**kâs**koforsik**ring
brandstof	brændstof o	**brên**stof
tarief per kilometer	takst pr. kilometer f	takst per **kie**lo**mee**ter
volle tank	en fuld tank f	en foel tânk
BTW	moms	moms

Hoeveel is de borgsom?
Hvor stort er depositummet?
woor stoort êr dee**poo**sietoommet

◀ **Mag ik uw rijbewijs zien?**
Må jeg se Deres kørekort?
mô jêj see **dê**res **keu**rekort

Moet ik voor de borg een creditcard gebruiken?
Skal jeg bruge et kreditkort til depositummet?
skå jêj **broe**-e et kree**diet**koort til dee**poo**sietoommet

◀ **U vindt de auto ...**
De kan finde bilen ...
die kå **fin**ne **bie**len ...

◀ **Hier zijn de sleutels/uw autopapieren**
Her er nøglerne/Deres bilpapirer
hêr êr **nui**lerne/**dê**res **biel**på**pie**rer

◀ **Het kenteken is ...**
Registreringsnummeret er ...
reghie**stree**rings**noom**meret êr ...

Wat voor brandstof gebruikt de auto?
Hvilken slags brandstof bruger bilen?
wielken slaghs **bran**stof **broe**-er **biel**en

Waar kan ik de auto terugbezorgen?
Hvor kan jeg aflevere bilen?
woor kå jêj **auw**lewee**re biel**en

Tot hoe laat is het kantoor open?
Hvor længe er der åbent på kontoret?
woor **lêng**e êr dêr **ô**bent pô kon**too**ret

Hoe kom ik van hier naar ...?
Hvordan kan jeg komme herfra til ...?
woor**dân** kå jêj **kom**me **hêr**frå til ...

Is dit de weg naar ...?
Er det vejen til ...?
êr dee **wêj**en til ...

Is dat via de snelweg?
Er det via motorvejen?
êr dee **wi**a **moo**torwê**j**en

Is de weg goed berijdbaar?
Er det en god vej?
êr dee en ghoo wêj

Is er een mooie route naar toe?
Er der en margeritvej dertil?
êr dêr en marghe**riet**wêj **dêr**til

Is er een fietspad?
Er der en cykelsti?
êr dêr en **suu**kelstie

Is de weg vlak of zijn er hellingen?
Er vejen jævn eller bakket?
êr **wêj**en jêwn **el**ler **bâk**ket

Kan ik er met een caravan/aanhanger over rijden?
Kan jeg køre på den med en campingvogn/anhænger?
kå jêj **keu**re pô den mê(ð) en **kâm**pingwouwn/**ân**hênger

◄ **U moet van hier af ...**
Herfra skal De ...
hêrfrå skå die ...

rechtdoor	ligeud	**lie**(gh)eoeð
rechtsaf	til højre	til **hui**re
linksaf	til venstre	til **wên**stre
keren	vende	**wên**ne
terugrijden ...	køre tilbage ...	**keu**re til**bâ**(gh)e ...

naar de snelweg	til motorvejen	til **moo**tor**wê**jen
naar de hoofdweg	til hovedvejen	til **hoo**weδ**wê**jen
de stad uit	ud af byen	oeδ â **buu**en
het dorp uit	ud af landsbyen	oeδ â **lâns**buuen
de tunnel door	gennem tunnelen	**ghen**nem **toen**nelen
de spoorbaan oversteken	køre over	**keu**re ouwer
	jernbaneoverskæringen	**jêrn**bâne**ouwer**skêringen
langs de rivier	langs med åen	langs mê(δ) **ô**en
door het bos	gennem skoven	**ghen**nem **skô**wen
door het dal	gennem dalen	**ghen**nem **dâ**len
tot de kruising	hen til krydset	hên til **kruu**set
tot de splitsing	hen til Y-krydset	hên til UU-**kruus**set
tot de rotonde	hen til rundkørslen	hên til **roon**keurslen
bij de verkeerslichten	ved trafiklysene	weδ tra**fiek**luusene

Hoe heet deze plaats/streek?
Hvad hedder denne by/egn?
wâ **hee**δer **den**ne buu/êjn

Is hier in de buurt iets te zien?
Er der seværdigheder i omegnen?
êr dêr see**wêr**die(gh)**hee**δer ie **om**êjnen

Kunt u dit op de kaart aanwijzen?
Vil De vise mig det på kortet?
wil die **wie**se mêj dee pô **kor**tet

Ik ben verdwaald
Jeg er faret vild
jêj êr **fâ**ret wiel

HET DEENSE WEGENNET

Het net van interlokale wegen in Denemarken is van een zeer goede kwaliteit. Dat geldt voor de *Europavej/motorvej* (een autosnelweg, al dan niet deel uitmakend van het Europese net, aangegeven met een groen bord met witte rand en een witte nummeraanduiding), de *primærrute* (een weg van interregionaal belang, aangeduid met een geel bord met zwarte rand en zwarte cijfers) en voor de *sekundærrute* (een weg van provinciaal belang, aangegeven met een wit bord met zwarte rand en zwarte cijfers). Er zijn vrij veel fietspaden en speciale toeristische fietsroutes. Langs een groot aantal provinciale wegen ziet u bruine bordjes met daarop een witte margriet; dit zijn landschappelijk aantrekkelijke wegen die gezamenlijk de zeer lange *Margueritrute* vormen.
Doordat Denemarken voor een groot deel uit eilanden bestaat, spelen bruggen een grote rol. Zo is er een spoorbrug annex -tunnel over en onder de Grote Belt (Storebælt) aangelegd en de daarmee parallel lopende tolbrug voor het autoverkeer en de dubbele verbinding over en onder de Sont (Øresund) met Zweden.
Actuele informatie over het Deense wegennet vindt u op www.anwb.nl.

Waar kan ik hier parkeren?
Hvor kan jeg parkere her?
woor kå jêj par**kee**re hêr

Waar is een parkeerplaats/parkeergarage?
Hvor er der en parkeringsplads/et parkeringshus?
woor êr dêr en par**kee**ringsplås/et par**kee**ringshoes

Waar moet ik betalen?	**Is er een parkeerautomaat/parkeermeter?**
Hvor skal jeg betale?	Er der en billetautomat/et parkometer?
woor skå jêj be**tâ**le	êr dêr en bie**let**auwto**mât**/et **park**o**mee**ter

◄ **U mag hier niet parkeren**
De må ikke parkere her
die mô **ik**ke par**kee**re hêr

◄ **Uw parkeertijd is verstreken**
Deres parkeringstid er udløbet
dêres par**kee**ringstieδ êr **oe**δleubet

◄ **Mag ik uw rijbewijs zien?**
Må jeg se Deres kørekort?
mô jêj see **dê**res **keu**rekort

◄ **U mag hier niet rijden**
De må ikke køre her
die mô **ik**ke **keu**re hêr

◄ **U krijgt een bekeuring wegens ...**
De får en bøde på grund af ...
die fôr en **beu**δe pô ghroon å ...

fout parkeren	fejlparkering	fêjlpar**kee**ring
te lang parkeren	overskridelse af parkeringstiden	**ouwer**skrieδelse å par**kee**rings**tie**δen
te snel rijden	overskridelse af hastighedsgrænsen	**ouwer**skrieδelse å **hâ**stie(gh)heeôs**ghrên**sen
binnen de bebouwde kom	i et byområde	ie et **buu**omrôδe
gevaarlijk rijden	farlig kørsel	**far**lie **keur**sel
verkeerd oversteken	forkert krydsning	for**keert** kruusning
door geel licht rijden	fremkørsel for gult lys	**frêm**keursel for ghoelt luus
door rood licht rijden	fremkørsel for rødt lys	**frêm**keursel for reut luus
geen voorrang verlenen	fremkørsel uden forkørselsret	**frêm**keursel **oe**δen **for**keurselsret
geen richting aangeven	ikke at vise retning	**ik**ke åt **wie**se **rêt**ning
verkeerd inhalen	forkert overhaling	for**keert** **ouwer**hâling
rijden onder invloed	køre i spirituspåvirket tilstand	**keu**re ie **spie**rietoespôwierket **til**stån

◀ **De boete bedraagt 200 kronen**
Bøden er 200 kroner
beuðen êr **too**hoenôred krooner

◀ **Ik geef u alleen een waarschuwing**
Jeg giver Dem kun en advarsel
jêj **ghie**r dêm koen en âð**war**sel

◀ **U kunt aan mij betalen**
De kan betale til mig
die kâ be**tâle** til mêj

◀ **U moet naar het bureau komen**
De skal komme hen på politistationen
die skâ **kom**me hên pô poli**tie**stâs**joo**nen

OPSCHRIFTEN	
PARKERING FORBUDT	PARKEERVERBOD
UDKØRSEL	UITRIT
TAG DERES PARKERINGSBILLET HER	NEEM HIER UW PARKEERKAART
BETAL HER	HIER BETALEN
INDKAST	INWORP
...PR. TIME	... PER UUR
HVERDAGE TIL KL. 18.00	WERKDAGEN TOT 18.00 UUR
PARKERINGSPLADSEN ER FULD	PARKEERTERREIN VOL
PARKERINGSSKIVE PÅBUDT	PARKEERSCHIJF VERPLICHT
RESERVERET TIL ...	GERESERVEERD VOOR ...
TAXAHOLDEPLADS	TAXISTANDPLAATS

LIFTEN

Mogen we hier liften?
Må man blaffe her?
mô mån **blâf**fe hêr

◀ **Niet langs de snelweg/oprit**
Ikke langs motorvejen/tilkørslen
ikke langs **moo**torw**êj**en/**til**keurslen

Kunt u ons meenemen naar ...?
Kan De tage os med til ...?
kâ die tâ ôs mê(ð) til ...

Bedankt voor de lift
Tak for turen
tâk for **toe**ren

Zal ik een deel van de onkosten vergoeden?
Skal jeg betale en del af omkostningerne?
skâ jâj be**tâle** en deel å **om**kôstningerne

ADGANG FORBUDT	VERBODEN TOEGANG
(FOR UVEDKOMMENDE)	(VOOR ONBEVOEGDEN)
AL INDKØRSEL FORBUDT	INRIJVERBOD VOOR ALLE VERKEER
ARBEJDE	WERK IN UITVOERING
BEGRÆNSET HASTIGHED	SNELHEIDSBEPERKING
BEGRÆNSET VOGNHØJDE	BEPERKTE DOORRIJHOOGTE
BENYT ANDEN KØREBANE	GEBRUIK ANDERE RIJBAAN
BILFÆRGE TIL...	AUTOVEERPONT NAAR...
BLIND VEJ	DOODLOPENDE WEG
CYKELKØRSEL FORBUDT	VERBODEN TE FIETSEN
CYKELSTI	FIETSPAD
CYKLISTER	FIETSERS
DATOPARKERING	PARKEREN TOEGESTAAN
	OP AANGEGEVEN DAGEN
DYREVILDT	OVERSTEKEND WILD
ENSRETTET	EENRICHTINGSVERKEER
FARLIG BAKKE	GEVAARLIJKE HELLING
FARLIG UDKØRSEL	GEVAARLIJKE UITRIT
FARLIGT (VEJ)KRYDS	GEVAARLIJKE KRUISING
FARLIGT VEJSVING	GEVAARLIJKE BOCHT
FODGÆNGERE (FORBUDT)	(VERBODEN VOOR) VOETGANGERS
FRAKØRSEL	AFRIT
GANG- OG CYKELSTI	WANDEL- EN FIETSPAD
GENNEMKØRSEL FORBUDT	GEEN DOORGAAND VERKEER
GLAT KØREBANE	GLAD WEGDEK
GRUS	STEENSLAG
GÅGADE	VOETGANGERSZONE
HØJRESVING FORBUDT	RECHTS AFSLAAN VERBODEN
INDKØRSEL (FORBUDT)	INRIT, INRIJDEN (VERBODEN)
INDSNÆVRET KØREBANE	RIJBAANVERSMALLING
JERNBANEOVERSKÆRING	SPOORWEGOVERGANG
KUN FOR/TIL...	ALLEEN VOOR/TOT...
KØ	FILE
KØR LANGSOMT	LANGZAAM RIJDEN
KØRSEL MED HJÆLPEMOTOR	BROMFIETSVERKEER
FORBUDT/TILLADT	VERBODEN/TOEGESTAAN
MODGÅENDE FÆRDSEL	TEGENLIGGERS
MOTORVEJ (OPHØRER)	(EINDE) AUTOSNELWEG
OMKØRSEL	WEGOMLEGGING, OMLEIDING
OPHØR AF ...	EINDE VAN ...

OPSCHRIFTEN (VERVOLG)

OVERHALING FORBUDT	INHALEN VERBODEN
PARKERING (2 TIMER)	PARKEREN (2 UUR)
PARKERING FORBUDT	VERBODEN TE PARKEREN
PAS PÅ	LET OP
PRIVAT VEJ	EIGEN WEG
RABATTEN ER BLØD	ZACHTE BERM
RINGVEJ	RONDWEG
RUNDKØRSEL	ROTONDE (VERPLICHTE RIJRICHTING)
SKOLE	SCHOOL
SLUK DERES LYS	LICHTEN DOVEN
SPOR	SPOORWEG
SPÆRRET VEJ	DOORGAAND VERKEER GESTREMD
SYGEHUS	ZIEKENHUIS
TÆND DERES LYS	LICHTEN ONTSTEKEN
TRAFIKINFORMATION	VERKEERSINFORMATIE
UDGANG, UDKØRSEL	UITGANG, UITRIT
UJÆVN VEJ	SLECHT WEGDEK
VEJARBEJDE	WERK IN UITVOERING
VENSTRESVING FORBUDT	LINKSAFSLAAN VERBODEN

TREINEN IN DENEMARKEN

Het spoorwegnet van DSB (Danske Statsbaner) is met name op Sjælland (Seeland) en Jylland (Jutland) redelijk dicht. Naast DSB zijn er 13 kleinere zelfstandige spoorwegen. Toen Funen (Fyn) in 1998 met Sjælland werd verbonden, werd de reistijd tussen Kopenhagen en Aarhus in Jutland één uur korter, de reis duurt nu drie uren met de intercity trein: de IC3-trein. Via de brug/tunnel combinatie met Zweden is het nu ook mogelijk de trein over de Øresund (de Sont) naar Malmö te nemen en verder door Zweden te reizen. Zo kun je zelfs naar het eiland Bornholm in de Oostzee met de trein komen (je vaart echter met de boot van Ystad naar Rønne op Bornholm). Deze reis duurt 3 uur vanaf Kopenhagen. Voor langere reizen is het aan te raden een zitplaats te reserveren. De IC3-treinen zijn vaak genoemd naar beroemde Denen, b.v. Karen Blixen. Naast de intercity-treinen zijn er ook regionale treinen, de zogenoemde IR4-treinen.

In en om Kopenhagen rijdt de rode S-tog, een stadstrein zonder eerste klasse. Sinds 2002 is er in Kopenhagen ook een Metro, die Nørreport Station als centraal station heeft. Het metronet wordt steeds uitgebreider; zo zal er een verbinding met de luchthaven in Kastrup op het eiland Amager gerealiseerd worden.

Actuele informatie over openbaar vervoer in Denemarken vindt u op www.anwb.nl.

Openbaar vervoer

BUS EN TRAM

Waar is het busstation?
Hvor er busterminalen?
woor êr **boestêr**mi**nâl**en

Waar stopt hier een bus/tram?
Hvor stopper der en bus/sporvogn?
woor **stôp**per dêr en boes/**spoor**wouwn

Is er een busdienst naar ...?
Kører der en bus til ...?
keurer dêr en boes til ...

Welk nummer moet ik nemen?
Hvilket nummer skal jeg tage?
wilket **noom**mer skå jêj tå

Hoe laat gaat de eerste/laatste bus?
Hvornår afgår den første/sidste bus?
woor**nôr auw**går den **feur**ste/**sie**ste boes

Moet ik overstappen?
Skal jeg skifte?
skå jêj **skief**te

Waar kan ik een kaartje kopen?
Hvor kan jeg købe billet?
woor kå jêj **keu**be biel**let**

◄ **Bij de chauffeur/In de tabakswinkel/Op het busstation**
Hos chaufføren/I tobaksforretningen/På busterminalen
hôs sjo**feu**ren/ie to**bâks**for**ret**ningen/pô **boes**têrmi**nâl**en

Een enkele reis naar ... alstublieft
En enkeltbillet til ...
en **en**kelbiel**let** til ...

retour	returbillet *f*	re**toer**biel**let**
dagkaart	dagkort *o*	**dâ(gh)**kort
kinderkaartje	barnebillet *f*	**bâr**nebiel**let**
maandabonnement	månedskort *o*	**mô**ne(δ)skort
afstempelen	stemple	**stêm**ple
stempelautomaat	stempelautomat	**stêm**pel**auto**mât

Wilt u mij waarschuwen als we bij ... zijn?
Vil De varsko mig, når vi er ved ...?
wil die **war**skoo mêj, nôr wie êr weeδ ...

Mag de hond mee in de bus?
Må hunden komme med i bussen?
mô **hoen**nen **kom**me mê(δ) ie **boes**sen

41

◀ **Uw plaatsbewijs alstublieft**
Må jeg se Deres pladsbillet?
mô jêj see **dê**res **plås**biel**let**

◀ **U mag hier niet zitten, dit is de eerste klas**
De må ikke sidde her, det er første klasse
die mô ikke si∂∂e hêr, dee êr **feur**ste **klâs**se

◀ **Uw plaatsbewijs is niet (meer) geldig**
Deres pladsbillet er ikke (længere) gyldig
dêres **plås**biel**let** êr **ik**ke (**lêng**ere) **guul**die

◀ **U moet een boete betalen**
De skal betale en bøde
die skå be**tâ**le en **beu**∂e

◀ **We houden hier tien minuten pauze**
Vi holder ti minutters pause her
wie hôller tie mie**noet**ters **pau**se hêr

◀ **Eindpunt, uitstappen alstublieft**
Endestation, De bedes stige af
ênnestå**sjoon**, die **bee**∂es stie(gh)e å

OPSCHRIFTEN	
STIG IND FORAN	**VOORIN INSTAPPEN**
STIG UD BAGVED	**ACHTERIN UITSTAPPEN**
INGEN UDGANG	**GEEN UITGANG**
SIDDEPLADS FOR INVALIDER	**ZITPLAATS VOOR INVALIDEN**
FORBUDT AT TALE MED FØREREN	**NIET SPREKEN MET DE BESTUURDER**
INGEN STÅPLADSER HER	**HIER GEEN STAANPLAATSEN**
RYGNING FORBUDT	**VERBODEN TE ROKEN**

bestuurder	fører *f*	**feu**rer
controleur	konduktør *f*	kôndoek**teur**
halte	stoppested *o*	**stôp**pestee∂
lijnnummer	linjenummer *o*	**lien**jenoom**mer**
staanplaats	ståplads *f*	**stô**plås
zitplaats	siddeplads *f*	**si**∂∂eplås

TREIN, S-BANE

Waar is het station?
Hvor er jernbanestationen?
woor êr jêrnbånestå**sjoo**nen

Moet ik een plaats reserveren?
Skal jeg reservere plads?
skå jêj reser**wee**re plås

Kan ik mijn fiets in de trein meenemen?
Kan jeg tage min cykel med i toget?
kå jêj tå mien **suu**kel mê(∂) ie **tô**(gh)et

Hoe laat gaat de trein naar ...?
Hvornår afgår toget til ...?
woor**nôr auw**gôr **tô**(gh)et til ...

INDGANG	INGANG	
UDGANG	UITGANG	
NØDUDGANG	NOODUITGANG	
NØDBREMSE	NOODREM	
BILLETSALG	KAARTVERKOOP	
INDLAND	BINNENLAND	
UDLAND	BUITENLAND	
INFORMATION	INLICHTINGEN	
ANKOMST	AANKOMST	
AFGANG	VERTREK	
BESTEMMELSESSTED	BESTEMMING	
BAGAGEOPBEVARING	BAGAGEDEPOT	
BAGAGEBOKSE	BAGAGEKLUIZEN	
TOILETTER	TOILETTEN	
HERRER	HEREN	
DAMER	DAMES	
VENTESAL	WACHTKAMER	
RYGERE	ROKEN	
IKKE-RYGERE	NIET-ROKEN	
INGEN ADGANG	GEEN DOORGANG	
HOLD PASSAGEN FRI	DOORGANG VRIJLATEN	
STIK INTET UDENFOR	NIETS BUITENSTEKEN	
ÅBNE	OPENEN	
LUKKE	SLUITEN	
LUK IKKE OP, FØR TOGET HOLDER	NIET OPENEN VOOR DE TREIN STILSTAAT	

dienstregeling	køreplan *f*	**keu**replân
aankomst	ankomst *f*	**ân**komst
vertrek	afgang *f*	**auw**ghang
overstappen	skifte	**skief**te
aansluiting	tilslutning	**til**sloetning
werkdagen	hverdage *fmv*	**wêr**dâ(gh)e
zon- en feestdagen	søn- og helligdage *fmv*	**seun**- ouw **hêl**li(gh)**dâ**(gh)e
spoor	spor *o*	spoor
perron	perron *f*	per**rong**
internationale trein	internationalt tog *o*	**in**ternâsjo**nâlt** tô(gh)
intercitytrein	IC-tog *o*	**I.C.**-tô(gh)
sneltrein	IR-tog *o* (**interregional**)	**I.R.**-tô(gh)
stoptrein	Re-tog *o* (**regional**)	**R.E.**-tô(gh)
stadstrein Kopenhagen	S-bane *f*	**S**-bâne

particuliere spoorwegen	privatbaner *fmv*	prie**wât**båner
doorgaande trein	gennemgående tog *o*	**ghen**nemgö**en**ne tô(gh)
loket	billetsalg *o*	biel**let**sål(gh)
toeslag	tillæg *o*	**til**lêgh
eerste klas	første klasse *f*	**feur**ste **klâs**se
tweede klas	fællesklasse *f*	**fêl**les**klâs**se
roken	rygere *fmv*	**ruu**(gh)ere
niet-roken	ikke-rygere *fmv*	**ik**ke-**ruu**(gh)ere
gereserveerd	reserveret	reser**wee**ret
werkcoupé	stillekupé *f*	**stil**lekoe**pee**
restauratie	restauration *f*	restora**sjoon**
restauratiewagon	spisevogn *f*	**spie**sewouwn
slaap-/ligrijtuig	sove-/liggevogn *f*	**souwe**-/**ligh**ghewouwn
bagagerijtuig	bagagevogn *f*	bå**ghâs**jewouwn
couchette	liggevogn *f*	**ligh**ghevouwn
gangpad	gang *f*	ghang
balkon	platform *f*	**plât**form
bagagerek	bagagenet o, bagagehylde *f*	bå**ghâs**jenêt, bå**gha**sje**huul**le
conducteur	konduktør *f*	kondoek**teur**
machinist	togfører *f*	**tô(gh)**feurer

◄ **De trein stopt alleen/niet in ...**
Toget standser kun/ikke i ...
tô(gh)et **stân**ser koen/**ik**ke ie ...

◄ **U zit in de verkeerde trein**
De er i det forkerte tog
die êr ie dee for**keer**te tô(gh)

◄ **U zit op de verkeerde plaats**
De sidder på den forkerte plads
die **si**δδer pô den for**keer**te plås

◄ **U zit in de eerste klasse**
De sidder på første klasse
die **si**δδer pô **feur**ste **klâs**se

◄ **Uw kaartje is niet geldig**
Deres billet er ugyldig
dêres biel**let** êr **oe**guuldie(gh)

◄ **De trein heeft 30 minuten vertraging**
Toget er 30 minutter forsinket
tô(gh)et êr **trêd**we mie**noet**ter for**sin**ket

VLIEGTUIG

Ik wil graag een vlucht reserveren naar Madrid
Jeg vil gerne reservere en flyrejse til Madrid
jêj wil **ghêr**ne re**sêr**wee**re** een **fluur**êjse til må**dri**δ

Ik wil graag een heen- en terugvlucht boeken naar Amsterdam
Jeg vil gerne bestille en returflyrejse til Amsterdam
jêj wil **ghêr**ne be**stil**le een re**toer**fluur**êj**se til amster**dam**

Ik wil deze vlucht graag annuleren
Jeg vil gerne afbestille denne flyrejse
jêj wil **ghêr**ne **auw**bestille denne **fluu**rêjse

◄ **Uw vliegtuig vertrekt van Gate 12**
Deres fly afgår fra gate nr. 12
dêres fluu **auw**gôr fra gheet **noem**mer tôl

Waar is de incheckbalie voor de vlucht van 20.00 uur naar Amsterdam?
Hvor er check-in-skranken for flyet kl. 20.00 til Amsterdam?
woor êr tsjêk**in**skranken for **fluu**-et **klok**ken **tuu**we til amster**dam**

Waar is de informatiebalie?
Hvor er informationsskranken?
woor êr informa**sjoons**skranken

◄ **Uw ticket is ongeldig**
Deres billet er ugyldig
dêres biel**let** êr oe**guul**die

◄ **Mag ik uw paspoort zien?**
Må jeg se Deres pas?
mô jêj see **dêr**es pås?

◄ **Metalen voorwerpen alstublieft hier neerleggen**
Metalgenstande lægges her, tak
mee**tål**gênstâne **lêgh**ghes hêr tak

◄ **Er zijn strenge controles in verband met drugssmokkel/criminaliteit**
Der er streng kontrol i forbindelse med narkotikasmugling/kriminalitet
dêr êr streng kon**trol** ie for**bin**else meδ nar**koo**tiekâsmoeling/kriemienâlie**teet**

◄ **Wilt u uw tas openmaken?**
Vil De åbne Deres taske?
wil die **ôb**ne **dêr**es **tås**ke

◄ **Uw instapkaart, alstublieft**
Deres boardingkort, tak
dêres **boor**dingkoort tak

◄ **De vlucht naar Amsterdam heeft een vertraging van een uur**
Flyet til Amsterdam er forsinket en time
fluuet til amster**dam** êr for**sin**ket een **tie**me

◄ **De vlucht naar Madrid is afgelast**
Flyet til Madrid er aflyst
fluuet til mâ**dri**δ êr **auw**luust

Ik wil graag bij het raampje/het gangpad zitten
Jeg vil gerne sidde ved vinduet/gangen
jêj wil **ghêr**ne **si**δδe weδ **win**doe-et/**ghang**en

Wij willen graag naast elkaar zitten
Vi vil gerne sidde ved siden af hinanden
wie wil **ghêr**ne **si**δδe weδ **sie**δen â hien**ân**en

◄ **Er zijn technische problemen**
Der er tekniske problemer
dêr êr **têk**nieske proo**blee**mer

Ik heb last van vliegangst
Jeg lider af flyskræk
jêj lieðer å **fluu**skrêk

Wilt u een dokter waarschuwen?
Vil De tilkalde en doktor?
wil die **til**kâlle een **dok**ter

bagagecontrole	bagagekontrol	bå**ghå**sjekontrol
belastingvrij winkelen	handle toldfrit	hânle **tol**friet
detectiepoortje	detektor	dee**têk**tor
douane	told	tol
handbagage	håndbagage	**hôn**bâghâsje
kinderwagen/buggy	barnevogn/klapvogn	**baar**newouwn/**klap**wouwn
landen	lande	**lâ**ne
luchthavenbelasting	lufthavnsskat	**loeft**hauwnsskât
metalen voorwerpen	metalgenstande	mee**tâl**ghênstâne
noodlanding	nødlande	**nu**ðlâne
nooduitgang	nødudgang	**nu**ðoeðghang
opstijgen	stige op	**stie**je op
paspoortcontrole	paskontrol	**pås**kontrol
reserveringsnummer	reserveringsnummer	reesêr**wee**rings**noem**mer
ruimbagage	stor bagage	stoor bâ**ghâ**sje
scherpe voorwerpen	skarpe genstande	**skaar**pe ghênstâne
steward(ess)	steward(esse)	**stjoe**wârd(êsse)
terminal	terminal	termie**nâl**
turbulentie	turbulens	toerboe**lêns**
tussenlanding	mellemlanding	**mêl**lemlâning
veiligheidsgordel	sikkerhedssele	**sik**kerheeðsseele
veiligheidsvoorschriften	sikkerhedsforanstaltninger	**sik**kerheeðsforân**stâlt**ninger
vliegtuigmaatschappij	flyselskab	**fluu**sêlskâb
vloeistoffen	væsker	**wês**ker
zwemvest	redningsvest	**ree**ðningswêst

OPSCHRIFTEN

UDGANG	UITGANG
INDGANG	INGANG
INTET AT FORTOLDE	NIETS AAN TE GEVEN
RYGEAFDELING	ROOKRUIMTE
RYGNING FORBUDT	VERBODEN TE ROKEN
BAGAGEUDLEVERING	BAGAGE OPHALEN
AFGANG	VERTREK
ANKOMST	AANKOMST
INDENRIGSFLY	BINNENLANDSE VLUCHTEN
INTERNATIONAL	INTERNATIONAAL

Mijn koffer/rugzak is verdwenen
Min kuffert/rygsæk er forsvundet
mien **koef**fert/**ruugh**sêk êr for**swoe**net

Ik wil een kaartje naar ...
Jeg vil gerne have en billet til ...
jêj wil **ghêr**ne hâ en bie**llet** til ...

Ik wil een slaapstoel/hut reserveren
Jeg vil gerne reservere en liggestol/en kahyt
jêj wil **ghêr**ne reser**wee**re en **ligh**ghestool/en kâ**huut**

aan de buitenzijde	ved ydersiden	wee(δ) **uu**δersieδen
aan de binnenzijde	ved indersiden	wee(δ) inner**sie**δen
met douche	med brusebad	mê(δ) broesebâ(δ)
voor 3 personen	til 3 personer	til tree per**soo**ner

PLACERING HER	HIER OPSTELLEN
SLUK MOTOREN	MOTOR AFZETTEN
REDNINGSVESTE	REDDINGSVESTEN
REDNINGSBÅDE	REDDINGSBOTEN
KUN PASSAGERER	ALLEEN PASSAGIERS
NEDRE DÆK	BENENDENDEK
MELLEMDÆK	TUSSENDEK
ØVERSTE DÆK	BOVENDEK
INGEN ADGANG	GEEN TOEGANG
TIL BILDÆKKET	NAAR HET AUTODEK

Kan de fiets mee op de boot?
Kan jeg tage cyklen med ombord?
kâ jêj tâ **suuk**len mê(δ) om**boor**

Wanneer vaart de eerstvolgende boot af?
Hvornår afsejler den næste båd?
woor**nôr auw**sejler den **nê**ste bôδ

Wat kost het vervoer van een auto met 2 inzittenden?
Hvad koster overfarten for en bil med 2 passagerer?
wå **kô**ster **ouwer**vaarten for en biel mê(δ) too pâssa**sje**rer

Hoe lang duurt de overtocht?
Hvor længe varer overfarten?
woor **lêng**e **wâ**rer **ouwer**vaarten

◀ **U moet de aanwijzingen van de bemanning volgen**
Besætningens anvisninger skal efterkommes
be**sêt**ningens **an**wiesninger skå **ef**terkommes

TAXI

Kunt u voor mij een taxi bellen?
Kan De ringe efter en taxa til mig?
kå die **ring**e **êf**ter en **tâk**så til mêj

Waar is een taxistandplaats?
Hvor er der en taxaholdeplads?
woor êr dêr en **tâk**så**hôl**leplås

Naar de/het ... alstublieft
Til ...
til ...

vliegveld	lufthavnen *f*	**loof**thauwnen
station	jernbanestationen *f*	**jêrn**bânestå**sjoo**nen
centrum	centrum *o*	**sên**troom
Hotel 'Phoenix'	Hotel 'Phoenix'	ho**têl feu**niks
ziekenhuis	hospitalet *o*, sygehuset *o*	hôspie**tâl**et, **suu**(gh)e**hoe**set

Wilt u mij naar dit adres brengen?
Vil De bringe mig til denne adresse?
wil die **bring**e mêj til **den**ne â**dres**se

Wat gaat de rit kosten?
Hvad vil turen koste?
wå wil **toe**ren **kô**ste

Kunt u mij helpen met de bagage?
Kan De hjælpe mig med bagagen?
kå die **jêl**pe mêj mê(δ) bâ**ghâ**sjen

Ik ben wat slecht ter been
Jeg er lidt dårligt til bens
jêj êr lit **dôr**li(gh)t til beens

Wilt u hier stoppen?
Vil De standse her?
wil die **stân**se hêr

Hoeveel ben ik u schuldig?
Hvor meget bliver det?
woor **mê**jet blier dee

◀ **De meter is defect**
Taxametret er defekt
tâksa**meet**ret êr de**fekt**

◀ **Ik heb geen wisselgeld**
Jeg har ikke byttepenge
jêj har **ik**ke **buut**tepênge

Laat maar zitten
Det er i orden
dee êr ie **ôr**den

Mag ik een kwitantie?
Må jeg få en kvittering?
mô jêj fô en kwie**tee**ring

Tanken, pech, ongevallen

BIJ HET TANKSTATION

Voltanken/20 liter alstublieft
Fyld tanken/må jeg bede om 20 liter
fuul **tân**ken/mô jêj bee om **tuu**we **li**ter

Hebt u een wegenkaart?	**Is hier een toilet aanwezig?**
Har De et færdselskort?	Er der et toilet her?
haar die et **fêr**selskôrt	êr dêr et toa**let** hêr

Hebt u ruitensproeiervloeistof?	**Hebt u koelvloeistof?**
Har De sprinklervæske?	Har De kølervæske?
haar die **sprink**lerwêske	haar die **keu**lerwêske

'Kan ik...'
'Kan jeg...'
kâ jêj...

deze jerrycan vullen	fylde denne dunk	**fuul**le **den**ne doonk
de banden oppompen	pumpe dækkene op	**pom**pe **dêk**kene op
de ruiten schoonmaken	gøre ruderne rene	**gheu**re roeδerne reene
de auto wassen	vaske bilen	**wâ**ske **bie**len

OPSCHRIFTEN

95 BLYFRI	EURO LOODVRIJ 95
98 BLYFRI	SUPER PLUS LOODVRIJ 98
98	SUPER MET LOODVERVANGER
DIESEL	DIESEL
AUTOGAS	LPG
TOTAKTBLANDING	MENGSMERING
LUFT	LUCHT
VAND	WATER
SELVBETJENING	ZELFBEDIENING
BILVASK	AUTOWASSEN

Wilt u de/het ... even nakijken?
Vil De lige kontrollere ...?
wil die **lie**je kôntrol**lee**re ...?

bandenspanning	dæktrykket	**dêk**trukket
oliepeil	olieniveauet	**ool**jenie**woo**et
remvloeistof	bremsevæsken	**brêm**sewê**s**ken
verlichting achter	baglygterne	**bâ(gh)**lu(gh)terne
verlichting vóór	forlygterne	**for**lu(gh)terne
waterpeil	vandniveauet	**wân**niewooet

Waar is een garage (werkplaats)/fietsenmaker?
Hvor er der et bilværksted/en cykelsmed?
woor êr dêr et **biel**wêrkstee(ð)/en **suuk**kelsmee(ð)

De motor stottert
Motoren hakker
motoren **hak**ker

Ik heb een lekke voorband/achterband
Et af for-/bagdækkene er punkteret
et å **for**-/**ba(gh)**dêkkene êr poong**tee**ret

Ik heb een defect aan de/het ...
Min/Mit ... er defekt
mien/miet ... êr dee**fêkt**

Ik hoor een vreemd geluid
Jeg hører en mærkelig lyd
jêj heurer en **mêr**kelie luu(ð)

De wagen wil niet starten
Bilen vil ikke starte
bielen wil **ik**ke **star**te

De motor raakt oververhit
Motoren bliver overophedet
motoren blier **ou**wer**op**heeðet

Er brandt een controlelampje
Der lyser en kontrollampe
dêr **luu**ser en kon**trol**lampe

De accu is leeg
Batteriet er tomt
bâtte**rie**et êr tômt

Ik verlies olie/benzine
Der lækker olie/benzin ud
dêr **lêk**ker **ool**je/ben**sien** oe(ð)

Kunt u de/het ... repareren/verwisselen?
Kan De reparere/udskifte ...?
kå die repa**ree**re/**oe**ðskiefte ...?

Hebt u de onderdelen in voorraad?
Har De reservedelene på lager?
haar die re**ser**we**dee**lene pô **lâ**(gh)er

Ik kan onderdelen uit Nederland/België laten overkomen
Jeg kan få sendt reservedele fra Holland/Belgien
jêj kå fô sênt re**ser**we**dee**le fra **Hôl**lan/**Bêl**ghieen

Kunt U ...?
Kan De ...?
kå die ...?

deze band repareren	reparere dette dæk	repa**ree**re **det**te dêk
deze band verwisselen	udskifte dette dæk	oeðskiefte **det**te dêk
een kwitantie geven	give mig en kvittering	ghie mêj een kwie**tee**ring
de accu opladen	oplade batteriet	**op**lâðe batte**rie**et
de olie verversen	udskifte olie	oeðskiefte **ool**je
de bougies verwisselen	udskifte tændrørene	oeðskiefte **tên**reurene
een takelwagen bellen	ringe efter en kranvogn	**ring**e êfter en **kraan**ouwn

Wanneer is de auto/motor/fiets weer klaar?
Hvornår er bilen/motorcyklen/cyklen færdig?
woor**nôr** êr **bie**len/**mo**torsuuklen/**suuk**len **fêr**die

Tot hoe laat kan ik hem afhalen?
Hvornår kan jeg senest hente den?
woor**nôr** kå jêj **see**nest **hen**te den?

Hebt u een idee hoeveel het gaat kosten?
Kan De sige noget om, hvad det vil koste?
kân die **sie**(gh)e **nô**(gh)et om, wâ dee wil **kô**ste

Kan ik betalen met creditcard?
Kan jeg betale med kreditkort?
kå jêj be**tâle** mê(ð) kree**diet**koort

Ik kom mijn auto/motor/fiets afhalen
Jeg kommer for at hente min bil/motorcykel/cykel
jêj **kôm**mer fôr at **hen**te mien biel/**mo**torsuukel/**suuk**el

Hebt u het mankement kunnen vinden?
Har De kunnet finde fejlen?
haar die **koen**net **fin**ne **fêj**len

ONDERDELEN VAN DE AUTO

De cijfers in deze lijst verwijzen naar de tekeningen op blz. 52 en 54.

1	**aandrijfas**	drivaksel	**driew**aksel
2	**accu**	batteri o	bâtte**rie**
3	**achteruitkijkspiegel**	spejl o	spêjl
–	**achteruitrijlicht**	baklygte f	**bak**lu(gh)te
4	**autogordel**	trepunktssele	**tree**poenktsseele
5	**band**	dæk o	dêk
6	**benzinetank**	benzintank f	ben**sien**tank

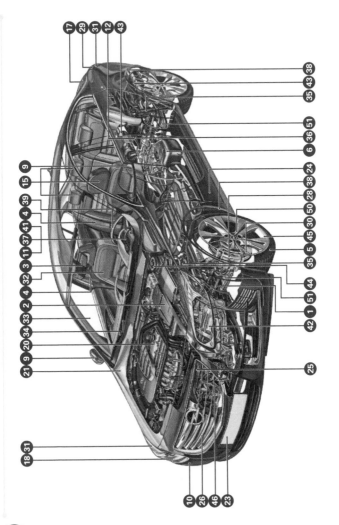

7	bougie	tændrør o	**tên**reur
–	brandblusser	brandslukker	**bran**sloeker
–	brandstoffilter	brændstoffilter	**bran**stof**fiel**ter
8	brandstofleiding	brændstofledning f	**brên**stoflee(δ)ning
9	buitenspiegel	sidespejl o	**sie**δespêjl
10	bumper	kofanger f	**koo**fanger
–	voorbumper	forkofanger f	**fôrkoo**fanger
–	achterbumper	bagkofanger f	**ba(gh)koo**fanger
–	carrosserie	karrosseri o	karrosse**rie**
–	centr. deurvergrendeling	centrallås	sên**traal**lôs
–	chassis	stel o	stel
–	cilinderkop	cylinderhoved o	suu**lin**ner**hoo**we(δ)
–	claxon	horn o	hoorn
–	controlelampje	kontrollampe	kon**trol**lampe
11	dashboard	instrumentbræt o	instroe**ment**brêt
12	deurkruk	dørgreb o	**deur**ghreeb
–	dimlicht	nærlys o	**nêr**luus
–	distributieriem	drivrem	**driew**rêm
13	dynamo	dynamo	duu**nâ**moo
14	gaspedaal	speeder f	**spie**der
–	gevarendriehoek	advarselstrekant	**âδ**waarsels**tree**kânt
15	hoofdsteun	hovedstøtte f	**hoo**we(δ)**steut**te
–	katalysator	katalysator	kâtâluu**sâ**tor
16	koelwaterleiding	kølevandsledning f	**keu**lewâns**lee**(δ)ning
–	kofferdeksel	bagagerumsklap f	bâ**ghâs**jerooms**klâp**
17	kofferruimte	bagagerum o	bâ**ghâs**jeroom
18	koplamp	forlygte f	**fôr**leu(gh)te
19	koppeling(pedaal)	kobling(spedal) f	**kôb**ling(spee**dâl**)
–	krukas	krumtapaksel f	**krom**tâpaksel
–	lager	leje o	**lê**je
20	motorblok	cylinderblok f	suu**lin**nerblok
21	motorkap	motorhjelm f	**moo**torjêlm
22	motorophanging	motorophængning f	**moo**toroph**êng**ning
–	navigatiesysteem	navigationssystem	nawiegha**sjoons**suusteem
–	nokkenas	knastaksel f	**knâst**aksel
23	nummerplaat	nummerplade	**noom**merplâδe
–	oliefilter	oliefilter o	**oolj**e**fiel**ter
–	olieleiding	olieledning f	**oolj**elee(δ)ning
–	oliepomp	oliepumpe f	**oolj**epompe
–	ontsteking	tænding f	**tên**ning
24	portier	dør f	deur
25	radiator	køler f	**keu**ler
26	radiatorgrill	kølergitter o	**keu**ler**ghit**ter

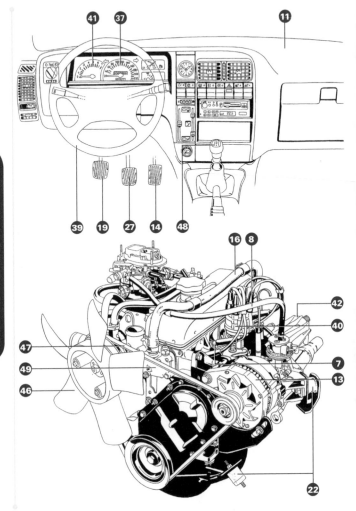

–	reflector	reflektor f	re**flek**tor
27	rem(pedaal)	bremse(pedal) f	**brêm**se(pe**dâl**)
28	remklauw	bremsesko	**brêm**seskoo
29	remlicht	bremselys o	**brêm**seluus
30	remschijf	bremseskive f	**brêm**ses**kie**we
–	reservewiel	reservehjul o	re**sêr**wejoel
31	richtingaanwijzer	retningsviser f	**rêt**nings**wie**ser
32	rugleuning	rygstød o	**rugh**steu(δ)
33	ruit	rude f	**roe**δe
–	voorruit	vindspejl o	**win**spêjl
–	zijruit	siderude f	**sie**δeroeδe
–	achterruit	bagrude f	**ba(gh)**roeδe
34	ruitenwisser	vinduesvisker f	**win**does**wis**ker
35	schokdemper	støddæmper f	**steu(δ)**dêmper
–	sigarettenaansteker	cigarettaender	siegha**rattên**er
36	slot	lås f	lôs
37	snelheidsmeter	speedometer o	**spie**do**mee**ter
38	spatbord	stænkskærm f	**stênk**skêrm
–	startmotor	startmotor	**staart**mootor
–	stuurbekrachtiging	servostyring	**sêr**woostuuring
–	stuurslot	ratlås	**rat**lôs
39	stuurwiel	rat o	rat
40	stroomverdeler	strømfordeler f	streum**fôr****dee**ler
41	toerenteller	omdrejningstæller	**om**drêjnings**têl**ler
42	transmissie	transmission f	transmis**sjoon**
–	uitlaatklep	udstødningsventil f	oeδsteuδnings**wên****tiel**
43	uitlaat	udstødningsrør o	oeδsteuδnings**reur**
44	veerpoot	affjedringsstiver	**auw**fjeeδringsstiewer
–	veiligheidshesje	advarselsvest	**âδ**waarselswêst
45	velg	fælg f	fêl(gh)
46	ventilator	ventilator f	wêntie**lâtor**
–	ventilatorkoppeling	ventilatorkobling f	wêntie**lâtor**kô**bling**
47	ventilatorriem	ventilatorrem f	wêntie**lâtor****rêm**
–	vering	affjedring f	**auw**fjee(δ)ring
48	versnelling(pook)	gear(stang) f	ghier(stang)
–	versnellingsbak	gearkasse f	ghier**kâs**se
–	vliegwiel	svinghjul o	**swing**joel
–	voorruitverwarming	vindspejlopvarmning f	**win**spêjl**op**warmning
49	waterpomp	vandpumpe f	**wân**poompe
50	wiel	hjul o	joel
–	voorwiel	forhjul o	**fôr**joel
–	achterwiel	baghjul o	**ba(gh)**joel
51	wielophanging	hjulophæng	**joel**ophêng

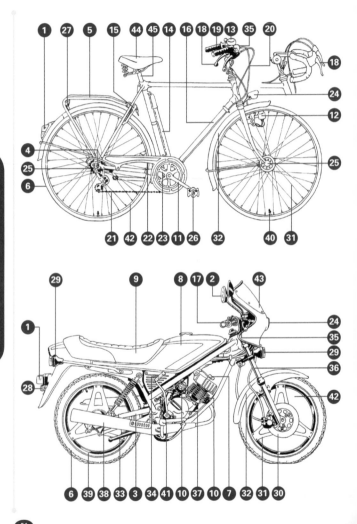

–	zekering	sikring	**si**kring
–	zitting	sæde *o*	**sê**ðe
–	voorzitting	forsæde *o*	**fôr**sêðe
–	achterzitting	bagsæde *o*	**ba(gh)**sêðe
–	zuiger	stempel *o*	**stêm**pel

De cijfers in deze lijst verwijzen naar de tekeningen op blz. 56.

1	achterlicht	baglygte *f*	**ba(gh)**leu(gh)te
2	achteruitkijkspiegel	spejl *o*	spêjl
3	achtervork	baggaffel *f*	**ba(gh)**ghâffel
4	as	aksel *f*	**ak**sel
5	bagagedrager	bagagebærer *f*	bâ**ghâs**jebêrer
6	band	dæk *o*	dêk
–	voorband	fordæk *o*	**fôr**dêk
–	achterband	bagdæk *o*	**ba(gh)**dêk
–	binnenband	slange *f*	**slang**e
–	buitenband	dæk *o*	**dêk**
7	bougie	tændrør *o*	**tên**reur
8	brandstoftank	brændstoftank *f*	**brên**stoftank
9	buddyseat	twinsæde *o*	twin**sê**ðe
10	carburator	karburator *f*	karboe**ra**tor
11	crank	krumtap *f*	**krom**tàp
12	dynamo	dynamo *f*	duu**nâ**mo
13	fietsbel	cykelklokke	**suu**kelklokke
–	fietscomputer	cykelcomputer	**suu**kelkom**pjoe**ter
14	fietspomp	cykelpumpe *f*	**suu**kel**pom**pe
15	fietsslot	cykellås *f*	**suu**kel**lôs**
16	frame	stel	stêl
17	gashandel	gashåndtag *o*	**ghâs**hôntâ(gh)
18	handrem	håndbremse *f*	**hôn**brêmse
19	handvat	håndtag *o*	**hôn**tâ(gh)
20	kabel	kabel *o*	**kâ**bel
–	gaskabel	gaskabel *o*	**ghâs**kâbel
–	remkabel	bremsekabel *o*	**brêm**sekâbel
–	versnellingskabel	gearkabel *o*	ghier**kâ**bel
21	ketting	kæde *f*	**kê**ðe
22	kettingkast	kædekasse *f*	**kê**ðekâsse
23	kettingwiel	kædehjul *o*	**kê**ðejoel

–	kogellager	kugleleje *o*	**koe(gh)**le**lêje**
24	koplamp	forlygte *f*	**fôr**leu(gh)te
25	naaf	nav *o*	naw
–	olietank	olietank *f*	**ool**jetank
26	pedaal	pedal *f*	pee**dâl**
27	reflector	reflektor *f*	re**flêk**tor
28	remlicht	bremselys *o*	**brêm**seluus
29	richtingaanwijzer	retningsviser *f*	**rêt**nings**wie**ser
30	schijfrem	skivebremse *f*	**skie**we**brêm**se
31	spaak	ege *f*	**ee**(gh)e
32	spatbord	skærm *f*	skêrm
33	standaard	støtteben *o*	**steut**te**been**
34	starter	starter *f*	**star**ter
35	stuur	styr *o*	stuur
36	telescoopvork	teleskopgaffel *f*	tele**skoop**ghâffel
–	terugtraprem	pedalbremse *f*	pee**dâl**brêmse
–	toerenteller	omdrejningstæller *f*	**ôm**drejnings**têl**ler
37	tweetaktmotor	totaktsmotor *f*	**too**takts**moo**tor
38	uitlaat	udstødning *f*	**oe**ôsteuôning
39	velg	fælg *f*	fêl(gh)
40	ventiel(slang)	ventil(slange) *f*	wên**tiel**(slange)
–	versnelling	gear *o*	ghier
–	viertaktmotor	firetaktsmotor *f*	**fie**retakts**moo**tor
–	vleugelmoer	vingemøtrik *f*	**wing**emeutrik
41	voetsteun	fodhviler *f*	**foo**ôwieler
42	wiel	hjul *o*	joel
–	voorwiel	forhjul *o*	**fôr**joel
–	achterwiel	baghjul *o*	**ba(gh)**joel
43	windscherm	vindskærm *f*	**win**skêrm
44	zadel	sadel *f*	**sâ**ôel
45	zadelpen	sadelpind	**sâ**ôelpin

AARD VAN DE BESCHADIGING

bevroren	frossen/frosset	**frôs**sen/**frôs**set
doorgebrand	brændt igennem	brênt ie**ghen**nem
gebarsten	revnet	**rêw**net
geblokkeerd	blokeret	blô**kee**ret
gebroken	brækket	**brêk**ket
klemt	klemmer	**klêm**mer
lek (van olie/benzine/ koelvloeistof)	lækage (af olie/benzin/ kølervæske)	lê**kâ**sje (**ool**je/bên**sien** /**keu**lervêske)

maakt kortsluiting	giver kortslutning	ghier **kort**sloetning
maakt lawaai	støjer	**stui**er
oververhit	overophedet	**ouwer**ophee ðet
trilt	ryster	**rus**ter
verkeerd afgesteld	forkert justeret	fôr**keerd** joe**stee**ret
verroest	rusten	**roos**ten
versleten	slidt	sliet
verstopt	forstoppet	fôr**stop**pet
vuil	snavset	**snauw**set

EEN ONGEVAL OP DE WEG

Zie ook hoofdstukken 'Problemen in de stad' en 'Medische hulp'.

Er is een ongeluk gebeurd!
Der er sket en ulykke!
dêr êr skeet een **oe**lukke

Er zijn personen met letsel
Der er personskade
dêr êr pêr**soon**skå ðe

Er zijn (geen) gewonden
Der er (ingen) kvæstede
dêr êr (**in**gen) **kwês**te ðe

Er is alleen materiële schade
Der er kun materiel skade
dêr êr koen **materie**el **skå** ðe

Waarschuw de politie/een ambulance
Tilkald politiet/en ambulance
tilkål polie**tie**et/en amboe**lang**se

Kan ik hier de politie bellen?
Kan jeg ringe til politiet her?
kå jêj **ring**e til polie**tie**et hêr

Ik wil er politie bij hebben
Jeg vil have tilkaldt politiet
jêj wil hâ **til**kålt polie**tie**-et

Ik wil met u een schadeformulier invullen
Jeg vil gerne udfylde en skadesanmeldelse sammen med Dem
jêj wil **ghêr**ne **oe ð**fuule en **skå** ðesânmêlelse mê(ð) dêm

Raak hem/haar niet aan
Rør ikke ved ham/hende
reur **ik**ke wee(ð) ham/**hên**ne

Wacht op een dokter/ambulance
Vent på en læge/ambulance
wênt pô een **lê**(gh)e/amboe**lang**se

◄ **Wie is de bestuurder?**
Hvem er føreren?Må jeg se
wêm êr **feu**rerenmô jij see

◄ **Mag ik uw rijbewijs/verzekeringspapieren zien?**
Deres kørekort/forsikringspapirer?
dêres **keu**rekort/for**sik**ringspa**pie**rer

◀ **Ik moet een proces-verbaal opmaken**
Jeg skal optage rapport
jêj skå **ôp**tå rap**port**

De ander heeft een fout gemaakt
Den anden har begået en fejl
den ånnen haar be**ghô**et en fêjl

◀ **U hebt (geen) schuld aan dit ongeval**
Denne ulykke er (ikke) Deres skyld
dênne **oe**lukke êr (**ik**ke) **dê**res skuul

◀ **U hebt/bent ...**
De ...
die ...

door rood licht gereden	er kørt frem for rødt lys	êr keurt frêm for reut luus
geen voorrang verleend	har ikke overholdt forkørselsretten	haar **ik**ke **ouwer**hôlt **for**keurselsret**ten**
onjuist ingehaald	har overhalet forkert	haar **ouwer**hâlet for**keert**
te snel gereden	har kørt for hurtigt	haar keurt for **hoer**tiet
verkeerd ingevoegd	har indføjet forkert	haar **in**fuiet for**keert**

◀ **U krijgt hiervoor een bekeuring**
Det får De en bøde for
dee fôr die een **beu**ðe fôr

◀ **U moet even mee naar het bureau**
De skal med hen på politistationen
die skå mê(ð) hen pô poolie**tie**sta**sjoo**nen

◀ **U moet een bloedproef laten afnemen**
De skal have foretaget en blodprøve
die skå hå **fo**retâget een **blo**ðpreuwe

◀ **U mag (niet) verder rijden**
De må (ikke) køre videre
die mô (**ik**ke) **keu**re **wie**(ð)ere

◀ **Uw auto wordt voor controle in beslag genomen**
Deres bil bliver beslaglagt for kontrol
dêres biel blier be**slauw**la(gh)t fôr kon**trol**

◀ **U kunt de zaak onderling schikken**
De kan ordne sagen indbyrdes
die kân **ôrd**ne **sâ**(gh)en **in**buurdes

Ik kan dit niet lezen
Jeg kan ikke læse det
jêj kå **ik**ke **lê**se dee

Ik wil graag uw gegevens voor de verzekering
Jeg vil gerne have Deres data for forsikringen
jêj wil **gêr**ne ha **dê**res **da**ta fôr fôr**sik**ringen

◀ **Wilt u dit tekenen?**
Vil De underskrive dette?
wil die **on**nerskriewe dêtte

WA-verzekering	ansvarsforsikring	**ân**swaarsforsikring
all-riskverzekering	kaskoforsikring	**kâs**kooforsikring
wegenwacht	Falck	fâlk
praatpaal	nødtelefon	**nu**ðteelefoon

Overnachten

ONDERDAK ZOEKEN IN DENEMARKEN

Bij het zoeken naar een hotel of pension in Denemarken zult u weinig problemen ondervinden. Er zijn uitstekende hotelgidsen te koop of gratis verkrijgbaar. Sinds kort is er voor de ruim 500 hotels die zijn aangesloten bij de landelijke organisatie Horesta een officiële indeling in klassen. Al naar gelang de geboden service en faciliteiten krijgen de hotels 1 tot 5 sterren, die u vindt op een rood-blauw bord bij de ingang. Onderdak is nergens in Scandinavië goedkoop, maar er zijn nogal wat mogelijkheden om korting te krijgen door de aankoop van coupons of reservering in hotels van één bepaalde keten. Het zijn eenvoudige, rustige en toch vrij comfortabele hotels, meestal in de grote steden gevestigd. Een typisch plattelandsverschijnsel is de *kro*, een restaurant met beperkte mogelijkheid tot overnachting. Er zijn enkele prachtige oude kroer bij. Bijna allemaal serveren ze traditionele Deense gerechten. Slapen in betrekkelijke luxe kan in enkele *herregårde*, grote herenhuizen op het platteland. Kampeerterreinen en bungalows vindt u vooral langs de Noordzeekust en het Kattegat.

Meer informatie over overnachten in Denemarken vindt u op www.anwb.nl.

Waar is hotel 'Phoenix'?
Hvor er hotel 'Phoenix'?
woor êr ho**tel feu**niks

Is hier in de buurt een camping?
Er der en campingplads her i nærheden?
êr dêr een **kam**pingplås hêr i **nêr**heeðen

Kunt u het op de kaart aanwijzen?
Kan De vise det på kortet?
kân die **wie**se di pô **kôr**tet

Kunnen we hier bij een boer kamperen?
Kan vi campere hos en bondemand her?
kân wie kam**pee**re hos en **bon**nemân hêr

Ik heb een kamer gereserveerd
Jeg har reserveret et værelse
jêj har reser**wee**ret et **wê**relse

Is hier in de buurt een hotel/pension?
Er der et hotel/pensionat her i nærheden?
êr dêr et ho**tel**/pangsjo**nât** hêr i **nêr**heeðen

Waar ligt de camping 'Strandsigt'?
Hvor ligger campingpladsen 'Strandsigt'?
woor **lig**her **kam**pingplåssen '**Stran**sikt'

Mag men hier vrij kamperen?
Må man campere frit her?
mô mân kam**pee**re **friet** hêr

Waar is het VVV-kantoor?
Hvor ligger turistkontoret?
woor ligher toe**rist**kon**to**ret

Mijn naam is ...
Mit navn er ...
miet nauwn êr ...

◄ Hebt u een voucher/reserveringsbevestiging?
Har De et voucher/en reserveringsbekræftelse?
har die et woe**sje**/en reser**wee**ringsbe**krêf**telse

Hebt u nog kamers vrij?
Har De ledige værelser?
har die **lee**di(gh)e **wê**relser

◄ Nee, het hotel is volgeboekt
Nej, hotellet er helt optaget
nêj, ho**tel**let êr heelt **op**tået

Ik wil graag een ...
Jeg vil gerne have ...
jêj wil **ghêr**ne hå ...

eenpersoonskamer	et enkeltværelse	et **ên**keltwê**rel**se
tweepersoonskamer	et dobbeltværelse	et **dób**beltwê**rel**se
appartement	en ferielejlighed	en **fee**rieelê**jl**ieheeδ
met bad	med bad	mê(δ) bå(δ)
met douche	med brusebad	mê(δ) **broe**sebå(δ)
met toilet	med toilet	mê(δ) toå**let**
met kitchenette	med tekøkken	mê(δ) **tee**keukken
met tweepersoonsbed	med dobbeltseng	mê(δ) **dob**beltsêng
met een extra bed	med en ekstra seng	mê(δ) en **eks**tra sêng
met een kinderbedje	med en barneseng	mê(δ) een **bar**nesêng
met airconditioning	med airconditioning	mê(δ) êrkon**die**sjoning
met telefoon	med telefon	mê(δ) tele**foon**
met televisie	med fjernsyn	mê(δ) **fjêrn**suun
met balkon	med altan	mê(δ) ål**tân**
met terras	med terrasse	mê(δ) terra**sse**
met zeezicht	med udsigt over havet	mê(δ) **oe**δsight **ou**wer **hâ**wet
aan de straatzijde	ud imod gaden	oeδ ie**moo**(δ) **ghâ**δen
aan de achterzijde	på bagsiden	pô **bauw**sieδen
op de begane grond	i stuen	ie **stoe**en
op een lage verdieping	på en lav etage	pô en lâw e**tâs**je
op een hoge verdieping	på en høj etage	pô en heuj e**tâs**je
met minibar	med minibar	meδ **mie**niebaar

Ik wil graag ...
Jeg ønsker ...
jêj **eun**sker ...

alleen logies	kun overnatning	koen **ouwer**nåtning
logies en ontbijt	overnatning og morgenmad	**ouwer**nåtning ouw **môr**renmå(δ)
half pension	halv pension	hål pang**sjoon**
volledig pension	fuld pension	foel pang**sjoon**

Hoeveel kost de kamer ...?
Hvad koster værelset ...?
wâ **kô**ster **wê**relset ...

per nacht	pr. nat	per nât
per week	pr. uge	per **oe**(gh)e
per 2 weken	pr. 14 dage	per **fjôr**ten **dâ**(gh)e

OPSCHRIFTEN	
RECEPTION	RECEPTIE
KASSERER	KASSIER
SPISESAL	ONTBIJTZAAL
RESTAURANT	RESTAURANT
ADMINISTRATION	ADMINISTRATIE
DAMER	DAMES
HERRER	HEREN
FRISØR	KAPPER
REJSEBUREAU	REISBUREAU
ELEVATOR	LIFT

Ik blijf/we blijven alleen deze nacht/... nachten
Jeg/vi bliver kun i nat/ ... nætter
jêj/wie blier koen ie nât/ ... **nêt**ter

Ik weet nog niet hoe lang we zullen blijven
Jeg ved ikke endnu, hvor længe vi bliverVil
jêj wee **ik**ke ên**noe**, woor **lên**ge wie blierwil

Kan ik betalen met een creditcard?
Kan jeg betale med kreditkort?
kå jêj be**tâ**le mê(δ) kre**diet**kort

Moet ik een aantal nachten vooruit betalen?
Skal jeg betale et antal nætter forud?
skå jêj be**tâ**le et **ân**tal nêtter **fôr**oe(δ)

◄ **De kamer is helaas nog niet vrij**
Værelset er desværre ikke ledigt endnu
wêrelset êr des**wêr**re **ik**ke **lee**diet ên**noe**

◄ **Mag ik uw paspoort hebben?**
Må jeg bede om Deres pas?
mô jêj bee om **dê**res pâs

◄ **Wilt u dit formulier invullen?**
De udfylde denne blanket?
die **oe**δfuulle dênne blan**ket**

◄ **Het is op de ... verdieping**
Det er på ... etage
dee êr pô ... e**tâ**sje

◄ **Daar vindt u de lift**
Der er elevatoren
dêr êr ele**wâ**toren

◄ **Uw kamernummer is ...**
Deres værelsenummer er ...
dêres **wê**relse**noom**mer êr ...

OVERNACHTEN

63

◀ U kunt vanaf .. uur op uw kamer terecht
De kan få Deres værelse fra klokken ...
die kå fô **dê**res **wê**relse fra **klôk**ken ...

◀ Hier is uw sleutel/sleutelkaart
Her er Deres nøgle/nøglekort
hêr êr **dê**res nojle/nojle**koort**

Kan iemand mij met mijn bagage helpen?
Er der nogen, der kan hjælpe mig med min bagage?
êr dêr **noo**en, dêr kå **jêl**pe mej mê(ð) mien bå**ghå**sje

◀ Uw bagage wordt gebracht
Deres bagage bliver bragt
dêres bå**ghå**sje blier braght

Om hoe laat kan ik ontbijten?
Hvad tid er der morgenmad
wå tie(ð) êr dêr **môr**renmå(ð)

Waar wordt het ontbijt geserveerd?
Hvor serveres morgenmaden?
woor ser**wee**res **môr**renmåðen

Mag ik mijn sleutel hebben? Nummer ...
Må jeg bede om min nøgle? Nummer...
mô jêj bee om mien **nui**le? **Noom**mer ...

Ik wil uitchecken
Jeg vil checke ud
jêj wil **tjek**ke oeð

Wilt u de rekening voor mij opmaken?
Vil De skrive regningen?
wil die **skrie**we **rêj**ningen

Wilt u de rekening sturen naar dit adres?
Vil De sende regningen til denne adresse?
wil die **sên**ne **rêj**ningen til **den**ne å**drês**se

GEHANDICAPTEN

Ik ben/ik heb ...
Jeg er/jeg har ...
jêj êr/jêj haar ...

lichamelijk/verstandelijk gehandicapt	fysisk/mentalt handicap	**fuu**siesk/mên**tålt hân**diekåp
slechthorend	dårlig hørelse	**dôr**lie **heu**relse
slechtziend	dårligt syn	**dôr**liet suun
afhankelijk van een rolstoel	afhængig af en kørestol	auw**hêng**ie å een **keu**restool
ME/een vermoeidheids- ziekte	ME/CFS/en trædhedssygdom	êmee/see-êfês/een **trat**heeð**suu**dom
epilepsie	epilepsi	eepielêp**sie**
rsi	rsi/museskade	êrê**sie/moe**seskâðe

Wilt u alstublieft wat langzamer/duidelijker praten?
Vil De være så venlig at tale langsommere/tydeligere?
wil die **wê**re sô **wên**lie åt **tâ**le **lang**sommere/**tuu**ðeliejere

Is er een rolstoelingang?
Er der en kørestolsindgang?
êr dêr een **koe**restoolsinghang

Is dit gebouw rolstoeltoegankelijk?
Har denne bygning kørestolsadgang?
haar **den**ne **buugh**ning **keu**restoolsåðghang

Waar is de dichtstbijzijnde lift?
Hvor er den nærmeste elevator?
woor êr den **nêr**meste eele**wâ**tor

Wilt u de deur alstublieft voor mij open houden?
Vil De være så venlig at holde døren åben for mig?
wil die **wê**re sô **wên**lie åt **hol**le **deu**ren **ô**ben for mêj

De deur is te smal
Døren er for smal
deuren êr for smål

Wilt u ... even voor mij pakken?
Vil De lige pakke ... for mig?
wil die **lie**je **pak**ke ... for mêj

Is er een invalidentoilet/-waslruimte?
Er der et invalidetoilet/-vaskerum?
êr dêr it inwâlieðetoalet/-**wâs**keroem

aanwijzen	vise	**wie**se
invalidenvignet	invalideskilt	inwâlieðeskielt
parkeerplaats voor invaliden	invalideparkeringsplads	inwâlieðepar**kee**ringsplås
gelijkvloers	stueetage	**stoe**we-eetâsje
blindengeleidehond	førerhund	**feu**rerhoen
automatische deur	automatisk dør	autoo**mâ**tiesk deur
(rolstoel) oprit	(kørestols)rampe	(**keu**restools)**ram**pe
helling	hældning	**hêl**ning
trap	trappe	**trap**pe

INLICHTINGEN, SERVICE, KLACHTEN

Waar kan ik de auto parkeren?
Hvor kan jeg parkere bilen?
woor kå jêj par**kee**re **bie**len

◀ **We hebben een eigen parkeerplek**
Vi har egen parkeringsplads/eget parkeringshus
wie har **ej**en par**kee**ringsplås/**ej**et par**kee**ringshoes

◀ **Dat kost u ... kroner extra per dag**
Det koster ... kroner ekstra pr. dag
dee **kô**ster ... **kro**ner **eks**tra per då(gh)

Heeft het hotel een eigen restaurant?
Har hotellet egen restaurant?
har ho**tel**let **ej**en resto**rang**

Kunt u een goed(koop) restaurant aanbevelen?
Kan De anbefale en god/billig restaurant?
kå die **ân**befale en gô-/**biel**li(gh) resto**rang**

Kunt u voor ons een tafel reserveren?
Kan De reservere bord til os?
kå die reser**wee**re boor til ôs

Kan ik gebruikmaken van de room service?
Kan jeg gøre brug af room service?
kå jêj **gheu**re broe(gh) å roem **seur**wis

Hebt u een plattegrond van de stad?
Har De et bykort?
har die et **buu**kôrt

Hebt u een evenementenlijst?
Har De en liste over, hvad der sker?
har die en **lis**te **ou**wer, wå dêr skeer

Kunt u plaatskaarten reserveren?
Kan De bestille billetter?
kå die be**stil**le biel**let**ter

Kan ik boeken voor een excursie?
Kan jeg booke en udflugt?
kå jêj **boe**ke en **oe**ðfloo(gh)t

Kunt u voor mij een taxi bestellen?
Kan De bestille en taxa til mig?
kå die be**stil**le een **tak**sa til mêj

Hebt u draadloos internet/WiFi?
Har De trådløst internet/WiFi?
haar die **trôô**leust **in**ternêt/**wêj**fêj

Wat kost draadloos internetten?
Hvad koster trådløs adgang til internettet?
wå koster **trôô**leust **åd**ghang til **in**ternêtet

Ik wil graag een telefoongesprek met ...
Jeg vil gerne have en telefonsamtale med ...
jêj wil **ghêr**ne hå een tele**foon**samtåle mê(δ) ...

Wilt u mij morgen wekken om ...?
Vil De vække mig i morgen klokken ...?
wil die **wêk**ke mêj ie **môr**ren **klôk**ken ...

Ik wil graag een buitenlijn
Jeg vil gerne have en ekstern telefonlinie
jêj wil **ghêr**ne hå en **eks**tern tele**foon**lienje

Kan ik op de kamer ontbijten/lunchen/dineren?
Kan jeg få morgenmad/frokost/middag på værelset?
kå jêj fô **môr**renmåδ/**froo**kost/**mid**då pô **wê**relset

Is er een boodschap voor mij achtergelaten/aangekomen?
Er der efterladt/kommet en besked til mig?
êr dêr **êf**terlåt/**kôm**met en be**skee**(δ) til mêj

Ik verwacht een bezoeker
Jeg venter besøg
jêj **wên**ter be**seu**(gh)

Ik wacht ...
Jeg venter ...
jêj **wên**ter ...

hier	her	hêr
in de bar	i baren	ie baren
in de lounge	i konversationssalen	ie kônwêrsåsjoonssålen
in het restaurant	i restauranten	ie restorangen
op mijn kamer	på mit værelse	pô miet wêrelse

Kunt u dit in de safe bewaren?
Kan De opbevare dette i boksen?
kå die **op**bewåre **det**te ie **bok**sen

Kan ik deze bagage hier laten staan?
Kan jeg lade bagagen stå her?
kå jêj lå bå**ghå**sjen stô hêr

Kan ik hier geld wisselen/cheques verzilveren?
Kan jeg veksle penge/indfri checks her?
kå jêj **wêk**sle **pêng**e/**in**frie sjêks hêr

De kamer is niet schoongemaakt
Der er ikke gjort rent på værelset
dêr êr **ik**ke ghjoort reent pô **wê**relset

Het beddengoed is niet verschoond
Sengetøjet er ikke skiftet
sêngetuiet êr **ik**ke **skief**tet

Ik heb geen ...
Jeg har ikke ...
jêj har **ik**ke ...

handdoek	et håndklæde	et **hôn**klêðe
badhanddoek	et badehåndklæde	et **bâ**ðehônklêðe
zeep	sæbe	**sê**be
afvoerstop	en afløbsprop	en **auw**leubsprôp
toiletpapier	toiletpapir	toa**let**påpier
prullenbak	en papirkurv	en på**pier**koerw
kussensloop	et pudebetræk	et **poe**ðebetrêk
klerenhangers	bøjler	**bui**ler

Er is een defect aan de/het ...
Der er noget i vejen med ...
dêr êr **nô**et ie **wêj**en mê(ð) ...

airconditioning	airconditioningen	êrkon**die**sjoningen
verwarming	varmen	**war**men
verlichting	lyset	**luu**set
televisietoestel	TV-apparatet	teewee-åppå**ra**tet
douche	bruseren	**broe**seren
afvoer	afløbet	**auw**leubet

Het raam kan niet open/dicht
Vinduet kan ikke åbnes/lukkes
windoeet kâ **ik**ke **ôb**nes/**look**kes

Kunt u een kamermeisje/reparateur sturen?
Kan De sende en stuepige/montør?
kâ die **sên**ne en **stoe**epie(gh)e/mon**teur**

Ik wil graag een extra deken/kussen
Jeg vil gerne have et ekstra tæppe/en ekstra hovedpude
jêj wil **ghêr**ne hâ et **ek**stra **têp**pe/en **ek**stra **hoo**we(ð)**poe**ðe

Er is bij mij ingebroken/er is iets gestolen
Der har været indbrud hos mig/der er stjålet noget
dêr har wêret **in**broe(ð) hos mêj/dêr êr **stjôl**et **nô**et

Ik wil graag een andere kamer
Jeg vil gerne have et andet værelse
jêj wil **ghêr**ne hâ et **ân**net **wê**relse

Ik neem een ander hotel
Jeg tager et andet hotel
jêj târ et **ân**net ho**tel**

Mag men hier vrij kamperen?
Må man campere frit her?
mô mån kam**pee**re friet hêr

◄ **Nee, alleen op een officiële camping**
Nej, kun på en officiel campingplads
Nêj, koen pô een offie**sjêl kam**pingplås

◄ **Ja, met toestemming van de grondeigenaar**
Ja, med tilladelse fra ejeren af jordstykket
Jå, með **til**laðelse fra **ai**jeren å **joor**stuukket

◄ **Nee, dit is een natuurgebied**
Nej, det her er naturområde
nêj, di hêr êr na**toer**omrôðe

Mogen we hier een tent opslaan/de caravan neerzetten?
Må vi slå et telt op/sætte en campingvogn her?
mô wie **slô** it **têlt** op/**sêt**te een **kam**pingwouwn hêr

Wie is/Waar woont de eigenaar van deze grond?
Hvem er/Hvor bor ejeren af dette jordstykke?
wem êr/woor boor **ai**jeren å **dit**te **joor**stuukke

Mogen we op uw terrein overnachten?
Må vi overnatte på Deres område?
mô wie **ou**wernåtte pô **de**res **om**rôðe

We blijven maar één nacht
Vi bliver kun én nat
wie blier koen **een** nåt

Hoeveel zijn we u hiervoor verschuldigd?
Hvor meget skal vi betale Dem for det?
woor **mei**jet skal wie be**tâ**le dem fôr di

Waar kunnen we ons wassen?
Hvor kan vi vaske os?
woor kån wie **wâs**ke os

Bedankt voor uw gastvrijheid
Tak for Deres gæstvrihed
tak fôr **de**res **ghêst**frieheð

Tot ziens!
På gensyn/Farvel
pô **ghen**suun/faar**wel**

◄ **U mag hier niet kamperen**
De må ikke campere her
die mô **ik**ke kam**pee**re hêr

◄ **U krijgt hiervoor een waarschuwing/bekeuring**
Det får De en advarsel/bøde for
di fôr die een **â**ðwarsel/**beu**ðe fôr

Goedenmorgen/Goedenmiddag/Goedenavond
Godmorgen/Goddag/Godaften
ghoo**môr**ren/ghoo**dâ**/ghoo**âf**ten

Ik zoek een plaats voor ...
Jeg vil gerne have en plads til ...
jêj wil **ghêr**ne ha een plås til

een tent	et telt	it têlt
een kleine tent	et lille telt	it **liel**le têlt
twee tenten	to telte	too **têl**te
een auto met caravan	en bil med campingvogn	een biel me(δ) **kam**pingwouwn
een auto met vouwwagen	en bil med camplet	een biel meδ **kam**plêt
een camper	en autocamper	een **au**tokamper

◄ **Het spijt mij, de camping is vol**
Jeg er ked af det, men campingpladsen er optaget
jêj êr keδ å di, men **kam**pingplåssen er **op**tået

◄ **Dit is een besloten camping**
Det her er en privat campingplads
di hêr êr een prie**wâât kam**pingplås

◄ **Dat is mogelijk**
Det er i orden
di êr ie **or**δen

Accepteert u de CCI?
Tager De CCI?
tâjer die CCI

We blijven hier ...
Vi bliver her ...
wie blier hêr ...

één nacht	én nat	**een** nåt
twee nachten	to nætter	too **nêt**ter
drie nachten	tre nætter	tree **nêt**ter
vier nachten	fire nætter	**fie**re **nêt**ter
een week	en uge	een **oe**(w)e
twee weken	to uger	too **oe**(w)er

Wat is de prijs per ... ?
Hvad koster det pr. ... ?
wå **kôs**ter di per ...

volwassene	voksen	**wok**sen
kind	barn	baarn
auto	bil	biel
motor	motorcykel	**moo**tor**suu**kel
fiets	cykel	**suu**kel
caravan	campingvogn	**kam**pingwouwn
camper	autocamper	**au**tokâmper
tent	telt	têlt

We weten nog niet hoe lang we hier blijven
Vi ved ikke, hvor længe vi bliver her
wie weδ **ik**ke, woor **lêng**e wie **blier** hêr

Wat is de prijs per plaats?
Hvad koster det pr. plads?
wâ **kôs**ter di per **plâs**

Wat is bij die prijs inbegrepen?
Hvad er inkluderet i prisen?
wâ êr inkloe**deer**êt i **prie**sen

◀ **Wilt u dit invullen?**
Vil De udfylde det her?
wil die **oe**ðfuulle di hêr

Heb ik hiermee recht op korting?
Kan jeg få rabat med det her?
kân jêj fô ra**bât** með di hêr

Mag ik zelf een plaats uitkiezen?
Må jeg selv finde en plads?
mô jêj sel **fin**ne een plâs

Waar mag ik de tent opslaan/de camper zetten?
Hvor må jeg slå teltet op/sætte campingvognen?
woor mô jêj slô **têl**tet op/**sêt**te **kam**pingwouwnen

Mogen we bij elkaar staan?
Kan vi være ved siden af hinanden?
kân wie **wê**re weð **sie**ðen â hien**ân**nen

Heeft de plaats een nummer?
Har pladsen et nummer?
ha **plâs**sen it **noem**mer

Mag de auto bij de tent staan?
Må bilen stå ved teltet?
mô **biel**en stô weð **têl**tet

Is er een fietsenstalling?
Er der en cykelstald?
êr dêr een **suu**kelstål

Mag de hond op de camping?
Må hunden være på campingpladsen?
mô **hoen**nen **wê**re pô **kam**pingplâssen

◀ **Ja, maar alleen aan de lijn**
Ja, men kun i snor
jå, men kon ie snoor

Hoe gaat de slagboom omhoog?
Hvordan går bommen op?
woor**dân** gôr bommen op

◀ **Met een sleutel/magneetkaart**
Med en nøgle/et magnetkort
með een **noij**le/it mak**neet**kort

Tot hoe laat kunnen we nog binnenkomen?
Indtil hvornår kan vi komme ind?
intil woor**nôr** kân wie komme **in**

Is de camping bewaakt?
Er campingpladsen under opsyn?
êr **kam**pingplâssen **on**ner **op**suun

Mag ik aan de caravan een voortent zetten?
Må jeg sætte et fortelt på campingvognen?
mô jêj **sêt**te it **fôr**têlt pô **kam**pingwouwnen

Mogen we op de camping vuur maken/barbecuen?
Må vi lave bål/grille på campingpladsen?
mô wie **lâ**we bôl/**ghril**le pô **kam**pingplâssen

We gaan vertrekken, mag ik afrekenen?
Vi tager afsted, må jeg betale?
wie tâjer åste∂, mô jêj betâle

◄ **Hier is uw rekening**
Her er Deres regning
hêr êr **dee**res **rêj**ning

Accepteert u creditcards
Tager De kreditkort?
tâjer die kre**diet**kort

Tot ziens!
På gensyn/Farvel
pô **ghen**suun/faar**wel**

◄ **Dank u wel en goede reis!**
Tak og god rejse!
tak ou ghoo **reij**se

Kunnen we hier ... huren?
Kan vi leje ... her?
kân wie **lei**je ... hêr

fietsen	cykler	**suu**kler
een tent	et telt	it têlt
een kano	en kano	een **kâ**noo
een roeiboot	en robåd	een **roo**bô∂
een zeilboot	en sejlbåd	een **seil**bô∂
een scooter	en scooter	een **skoe**ter
een mountainbike	en mountainbike	een **moun**tânbêjk

FACILITEITEN

Hebt u draadloos internet/WiFi?
Har De trådløst internet/WiFi?
haar die **trô∂**leust **in**ternêt/**wêj**fêj

Wat kost draadloos internetten?
Hvad koster trådløs adgang til internettet?
wå koster **trô∂**leust **â∂**ghang til **in**ternêtet

Werken de douches hier op muntjes?
Skal man bruge mønter til bruseren?
skâl mân broe(w)e **meun**ter til **broe**seren

Kan ik die bij de receptie kopen?
Kan man købe dem i receptionen?
kân mân **keu**be dem ie resep**sjoo**nen

Moet hiervoor extra betaald worden?
Skal man betale ekstra for det?
skål mân be**tâle eks**tra fôr di

Waar kan ik het chemisch toilet legen?
Hvor kan man tømme det kemiske toilet?
woor kân mân **tum**me di **ke**mieske toâ**let**

Is er een serviceplaats voor campers?
Er der en serviceplads for autocampere?
êr dêr een **seur**wisplås fôr **auto**kampere

Kan ik hier gasflessen vullen/omruilen?
Kan man fylde/bytte gasflasker her?
kân mân **fuu**le/**buu**te **ghâs**flâsker hêr

71

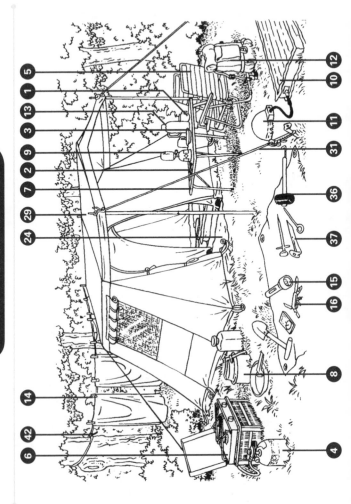

Is hier ...?/Waar is ...?
Er der ... her?/Hvor er ...?
êr dêr ... hêr?/woor êr ...

een afvalbak	en affaldsspand	een **au**fålsspån
een brievenbus	en postkasse	een **post**kåsse
een discotheek	et diskotek	it disko**teek**
een douchehok	en brusekabine	een **broe**sekabiene
de kampwinkel	campingbutikken	**kam**pingboe**tie**ken
een kinderspeelplaats	en legeplads	een **lei**jeplås
een kookgelegenheid	madlavningsfaciliteter	**mâ**ôlèwnings-fâsielie**tee**ter
het restaurant	restauranten	resto**rang**en
de spoelruimte	skyllerummet	**skul**leroemmet
het sportveld	idrætspladsen	**ie**drêtsplåssen
het strand	stranden	**stran**nen
een telefooncel	en telefonboks	een tele**foon**boks
de tennisbaan	tennisbanen	tennis**bâ**nen
een toilet	et toilet	it toå**let**
een vuilniscontainer	en affaldscontainer	een **au**fålskonteener
een wasautomaat	en vaskemaskine	en **vås**kemaskiene
een wasbak	en håndvask	een **hôn**våsk
een waterkraan	en vandhane	een **wân**håne
het zwembad	svømmebassinet	**sweum**mebas**sèng**et

DE UITRUSTING

De cijfers in deze lijst verwijzen naar de tekeningen op blz. 72 en 74.

1	**beker**	krus	kroes
2	**bestek**	bestik	be**stik**
–	**blikopener**	dåseåbner	**dô**seôpner
3	**bord**	tallerken	tall**êr**ken
–	**brandspiritus**	kogesprit	**koo**wesprit
4	**butagas**	butangas	boe**tan**ghås
5	**campingstoel**	campingstol	**kâm**ping**stool**
–	**emmer**	spand	spån
–	**flesopener**	laskeåbner	**flås**keoopner
6	**gasbrander**	gasbrænder	**ghâs**brènner
–	**jerrycan**	dunk	doonk
7	**klaptafel**	klapbord	**klap**boor
8	**koelbox**	køletaske	**keu**letåske
–	**kopje**	kop	kôp
–	**kurkentrekker**	proptrækker	**prôp**trèkker

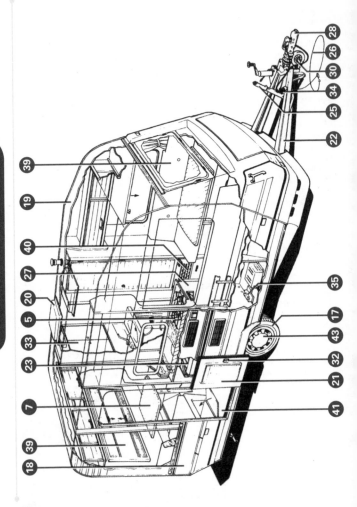

9	lamp	lampe	lampe
–	**lantaarn**	lygte	**lugh**te
–	**lepel**	ske	skee
–	**ligstoel**	liggestol	**lig**hestool
10	**luchtbed**	luftmadras	**loeft**madras
–	**opklapbaar bed**	sammenklappelig seng	sammen**klappelie** seng
–	**pan**	gryde	**ghruu**ðe
11	**pomp**	pumpe	**pom**pe
–	**primus**	primus	**pri**moes
12	**rugzak**	rygsæk	**ruugh**sêk
–	**schaar**	saks	saks
–	**slaapzak**	sovepose	**soo**wepoose
13	**thermosfles**	termokande	**ter**mookânne
–	**touw**	snor	snoor
–	**verbandkist**	forbindingskasse	fôr**bin**ningskâsse
–	**vork**	gaffel	**ghaf**fel
14	**wasknijpers**	tøjklemmer	**toij**klêmmer
15	**zaklantaarn**	lommelygte	**lom**melughte
16	**zakmes**	lommekniv	**lom**mekniew

ONDERDELEN VAN TENT EN CARAVAN

De cijfers in deze lijst verwijzen naar de tekeningen op blz. 72 - 74.

–	**aardlekschakelaar**	fejlstrømsrelæ	**feil**streumsre**lêê**
–	**achterlicht**	baglys	**bauw**luus
–	**as**	aksel	**ak**sel
17	**band**	dæk	dêk
18	**buitenwand**	ydervæg	**uu**ðerwêgh
–	**chassis**	chassis	sjas**si**
–	**chemisch toilet**	kemisk toilet	**ke**miesk toa**lêt**
19	**dak**	tag	tâ
20	**dakluik**	tagluge	**tâ**loe(w)e
21	**deur**	dør	deur
22	**dissel**	trækstang	**trêk**stang
–	**elektrische bedrading**	el-installation	el-installa**sjoon**
–	**gasfles**	gasflaske	**ghâs**flâske
23	**gasslang**	gasslange	**ghâs**slange
–	**gloeilamp**	pære	**pê**re
24	**grondzeil**	underlag	**on**nerlâ
25	**handrem**	håndbremse	**hôn**bremse
26	**handrembreekkabel**	sikkerhedskæde	**sik**kerheðskêðe
–	**koelbox**	køletaske	**keu**letâske

75

	Nederlands	Deens	Uitspraak
–	**koelelement**	køleelement	**keu**le-element
27	**koelkast**	køleskab	**keu**leskâb
28	**koppeling**	kuglekobling	**koe**lekopling
29	**luifel**	markise	mar**kie**se
–	**mat(je)**	måtte	**mô**tte
30	**neuswiel**	næsehjul	**nê**sejoel
–	**oplooprem**	påløbsbremse	**pô**leupsbremse
–	**remkabel**	bremsekabel	**brem**sekâbel
–	**remlicht**	stoplys	**stop**luus
–	**remtrommel**	bremsetromle	**brem**setrommel
–	**richtingaanwijzer**	retningsviser/blinklys	**ret**nings**wie**ser/**blink**luus
–	**rollager**	rulleleje	**roel**leleije
31	**scheerlijn**	bardun	bar**doen**
–	**schokdemper**	støddæmper	**steu**ôdêmper
32	**slot**	lås	lôs
33	**spiegel**	spejl	speijl
34	**stekker**	stik	stik
35	**stopcontact**	stikkontakt	**stik**kontakt
36	**tenthamer**	gummihammer	**ghoem**miehammer
37	**tentharing**	teltpløk	**têlt**pluk
38	**tentstok**	teltstang	**têlt**stang
–	**trekhaak**	anhængertræk	**ân**hêngertrêk
39	**venster**	vindue	**win**doe-e
40	**verwarming**	varmeanlæg	**war**meânlêg
41	**vloer**	gulv	ghoel
–	**voortent**	fortelt	**fôr**têlt
42	**waslijn**	tøjsnor	**toij**snoor
–	**waterpomp**	vandpumpe	**wân**pompe
–	**watertank**	vandtank	**wân**tânk
43	**wiel**	hjul	joel
–	**windscherm**	læskærm	**lê**skêrm
–	**zekering**	sikring	**si**kring
–	**zijlicht**	sidemarkeringslys	**sie**ôemarkeringsluus

ACTUELE LANDENINFORMATIE

Op www.anwb.nl vindt u alle praktische informatie voor een goede vakantievoorberei-ding. Van paspoorten tot alarmnummers, van douaneregels tot feestdagen.

Eten en drinken

SOORTEN EET- EN DRINKGELEGENHEDEN

bogcafé	een café waar men onder het genot van iets fris of koffie de nieuwste ontwikkelingen in literaire en artistieke kringen bespreekt en uit eigen werk wordt voorgelezen
cafeteria	een cafetaria, net als bij ons
konditori	een gebaksalon in de stijl van de Weense Konditorei of de vroege Haagse tearoom, waar koffie, thee en frisdranken worden geserveerd.
kro	een plattelandsherberg die we al noemden bij 'overnachten'; vaak wordt er typisch Deense of regionale kost geserveerd
pølsevogn	voor de smalle beurs: een karretje of kraampje, waar knakworst met of zonder brood, ketchup en gebakken uitjes te koop is
restaurant	gewoon een restaurant als bij ons
salatbar	voor de gezonde eter: hier worden alleen rauwkostmenu's geserveerd

Denk eraan dat lang niet alle horeca-bedrijven een vergunning hebben tot het schenken van (peperdure) alcoholische dranken. In de hotel- en restaurantgidsen staat dit aangegeven.

EETGEWOONTES

Een nuchter volk eet nuchter voedsel – de Denen bewijzen het weer eens. Men begint met een stevig, hartig ontbijt *(morgenkost)* met veel koffie. De Denen zijn trouwens grote koffieleuten; als u *kaffe* bestelt, krijgt u vaak ongevraagd een hele kande en geen bescheiden *tasse*. Ook te en verschillende soorten *mælk* staan te wachten op de lange ontbijttafels in de hotels.

Frokost is geen ontbijt (Frühstück), maar een lunch, doorgaans vrij licht van karakter. Vaak nemen de Denen alleen een paar sneetjes *smørrebrød*, naar men zegt het enige culinaire hoogstandje van de Deense keuken (zie verderop). In hotels serveert men om die tijd soms een koud buffet *(koldt bord)*. De avondmaaltijd *(aftensmad)* is stevig, zonder opsmuk en uitermate voedzaam.

Zie ook de losse uitdrukkingen verderop.

Hebt u een tafel vrij?
Har De et ledigt bord?
har die et **lee**diet boor

Een tafel voor 2 personen alstublieft
Et bord til 2 personer, tak
et boor til too per**soo**ner, tak

◀ **Hebt u gereserveerd?**
Har De reserveret?
har die reser**wee**ret

Ik heb een tafel voor 2 personen gereserveerd
Jeg har reserveret et bord til 2 personer
jêj har reser**wee**ret et boor til too per**soo**ner

◀ **We hebben helaas geen tafel meer vrij**
Vi har desværre ingen ledige borde
wie haar dês**wêr**re **ing**en **lee**di(gh)e **boo**re

◀ **U kunt over een halfuur terugkomen**
De kan komme tilbage om en halv time
die kå **kom**me til**bå**(gh)e om een hål **tie**me

◀ **Het restaurant gaat pas om 9 uur open**
Restauranten åbner først klokken ni
resto**rang**en **ôb**ner feurst **klok**ken nie

◀ **De keuken is al gesloten**
Køkkenet er allerede lukket
keukkenet êr **alleree**ðe lookket

De menukaart/wijnkaart alstublieft
Må jeg bede om spisekortet/vinkortet
mô jêj bee om **spie**se**kôr**tet/**wien**kôrtet

Ik eet alleen vegetarische maaltijden
Jeg spiser kun vegetarisk mad
jêj **spie**ser koen weghe**ta**risk må(ð)

Kunt u iets aanbevelen?
Kan De anbefale noget?
kå die **ân**befale **nô**et

Voor onze kinderen graag een kinderportie
Vi vil gerne have en lille portionn til børnene
wie wil **ghêr**ne hå en **lil**le por**sjoon** til **beur**nene

Ik wil graag een streekgerecht proeven
Jeg vil gerne prøve en egnsret
jêj wil **ghêr**ne **preu**we en **êjns**ret

We hebben geen bestek/borden
Vi har ikke bestik/tallerkener
wie har **ik**ke be**stik**/**tål**ler**ken**er

Wilt u deze fles voor mij openen?
Vil De åbne denne flaske for mig?
wil die **ôb**ne **den**ne **flâ**ske for mêj

◀ **Eet smakelijk!**
Velbekomme!
welbe**kom**me

◀ **Heeft het gesmaakt?**
Smagte det godt?
sma(gh)te dee ghôt

◀ **Kan ik afruimen?**
Kan jeg tage af bordet?
kå jêj tå å **boo**ret

De rekening, alstublieft
Må jeg bede om regningen
mô jêj bee om **rêj**ningen

Ik wil graag betalen
Jeg vil gerne betale
jêj wil **ghêr**ne be**tâ**le

Voor ieder een aparte rekening
En særskilt regning til alle
en **sêr**skilt **rêj**ning til **â**lle

Waar is het toilet/de garderobe?
Hvor er toilettet/garderoben?
woor êr toa**let**tet/gharde**roo**ben

Ober!
Tjener!
tjêner

ENKELE LOSSE UITDRUKKINGEN

asbak	askebæger *o*	**âske**bê(gh)er
bestek	bestik *o*	be**stik**
fles	flaske *f*	**flâ**ske
glas	glas *o*	ghlâs
lepel	ske *f*	skee
mes	kniv *f*	kniew
peper- en zoutstel	peber og salt *o*	**pe**wer ouw sâlt
servet	serviet *f*	sêrwie**jet**
vork	gaffel *f*	**ghâf**fel
Eet smakelijk!	Værsågod/velbekomme!	**wêr**sgho/**wel**bekomme
Op uw gezondheid!	Skål!	skôl
Proost!	Skål!	skôl

EEN DEENSE MENUKAART

spisekort	menu
morgenmad, morgencomplet	ontbijt
frokost(retter)	lunch(schotels)
middag(smad)	warme maaltijd
aftensmad	koude maaltijd
natmad	hapje voor het naar bed gaan (meestal smørrebrød)
dagens menu	menu van de dag
dagens ret	dagschotel
dagens specialitet	specialiteit van de dag
nationalretter, egnsretter	nationale gerechten, streekgerechten
koldt bord	koud buffet

anretning/platte	plateau (of losse schaaltjes) met vis, vlees, kaas, salade met brood. De samenstelling variëert per restaurant, maar meestal is er een klein warm hapje bij.
børnemenu	kindermenu
vi/køkkenchefen anbefaler	wij/de chef-kok bevelen/beveelt aan
forretter	voorgerechten
supper	soepen
æggeretter	eiergerechten
hovedretter, mellemretter	hoofdgerechten, tussengerechten
varme/kolde retter	warme/koude gerechten
fiskeretter; skaldyr	visgerechten; schaaldieren (en ander zeebanket)
vildt og fjerkræ	wild en gevogelte
kødretter; grillretter	vleesgerechten; gegrilde gerechten
salater	salades
grøntsager; kartofler	groenten; aardappelen
desserter	nagerechten, zoals frugt - fruit; isdesserter - ijsdesserts, osteretter - kaasschotels; kager - banket
drikkevarer	dranken, zo nodig te bestellen vanaf de speciale vinkort - wijnkaart.

FORRETTER

VOORGERECHTEN

andelever	eendenlever
farserede tomater	gevulde tomaten
frølår	kikkerbilletjes
fuglerede	'vogelnest' (ansjovisfilet, gebakken aardappelen, eigeel, uitjes)
fyldt butterdejspostej	gevulde bladerdeegpastei
gåseleverpostej	ganzenleverpastei; g. med trøfler - met truffels
harepostej	hazenpaté
hummerpostej	krabpaté
laksepostej	zalmpaté
løvemad	'leeuwenmaal' (biefstuk-tartaar met Deense imitatie-kaviaar op brood)
krebscocktail	kreeftcocktail
pølsebræt	worstplateau met bijvoorbeeld bajerske pølser - Frankfurter worstjes; blodpølse - bloedworst; grillpølser - gegrilde worstjes; leverpølse - leverworst; medisterpølse - saucijsjes; spegepølse - Deense salami
rejecocktail	garnalencocktail
røget rensdyrkølle	gerookte rendierbout
stenbiderrogn	Deense imitatie-kaviaar (wel kuit, maar niet van de steur)

torskerogn	kabeljauwkuit
vinbjergsnegle	wijngaardslakken ('escargots')

SUPPER

SOEPEN

andeconsommé	heldere soep met eendevlees
aspargessuppe	aspergesoep
champignonsuppe	champignonsoep
dagens suppe	soep van de dag
fiskesuppe	vissoep
grønkålssuppe	boerenkoolsoep
grøntsagssuppe	groentesoep
gule ærter	gele erwtensoep met varkensvlees (maaltijdsoep)
hummerbouillon; hummersuppe	krabbouillon; krabsoep
hønsebouillon; hønsekødsuppe	kippenbouillon; kippensoep
karrysuppe	kerriesoep
klar suppe	heldere soep ('consommé'); k. med boller - consommé met meel- en vleesballetjes
kødsuppe	vleessoep
kørvelsuppe	kervelsoep
laksesuppe	zalmsoep
legeret suppe	met eierdooier aangemaakte soep
løgsuppe	uiensoep
oksebouillon; oksekødsuppe	runderbouillon; rundvleessoep
oksehalesuppe;	ossestaartsoep;
tomatsuppe	tomatensoep

ÆGGERETTER

EIERGERECHTEN

dansk æggekage	Deense boerenomelet (met bacon, tomaat, aardappel)
flæskeæggekage	omelet met spek en tomaat
fransk bondeomelet	Franse boerenomelet (m. aardappelen, uien, stukjes worst)
røræg	roerei
skiddenæg	hardgekookte eieren in mosterdsaus
spejlæg	spiegelei; s. i madeirasky - in madeirasaus

FISKERETTER; SKALDYR

VISGERECHTEN; SCHAALDIEREN

aborre	baars
ansjos	ansjovis
blæksprutte	inktvis
brasen	brasem

brisling	sprot
bækforel	beekforel
ferskvandsfisk	zoetwatervis
fiskeboller; fiskefilet;	visballetjes (gekookt); visfilet
fiskefrikadeller	visballen (gebakken)
fjordrejer	fjordgarnalen (vaak uit de Limfjord)
forel	forel
gedde	snoek
havørred	zeezalm
hellefisk; helleflynder	(heil)bot
hornfisk	geep
hummer	grote zeekreeft
hvalbøf	walvissteak
jomfruhummer	langpootkreeft
kabliau	grote kabeljauw
kammusling	kammossel ('coquille St.-Jacques')
karper	karper
karrysild	haring in kerriesaus
klipfisk	stokvis
koteletfisk	zeewolf
krabbe	krab
krebs	rivierkreeft
kryddersild	pekelharing
kuller	schelvis
kulmule	kabeljauwachtige vis
laks	zalm; ferskrøget l. - versgerookte zalm; gravlaks - gemarineerde zalm; Østersølaks - Oostzeezalm
matjessild	maatjesharing
mulle	zeebarbeel
muslinger	mosselen
Nordsørejer	Noordzeegarnalen
pighvar	tarbot
plukfisk	visragout
pottesild	haring uit de pot
regnbueørred	regenboogforel
rejer	garnalen; friskpillede r. - versgepelde garnalen; Nordsørejer - Noordzeegarnalen
rokke	rog
rulleål	palingroulade
rødspætte	schol
rødtunge	schar
saltsild	pekelharing
sandart	snoekbaars

sej	koolvis
sild	haring; bornholmer sild - gerookte bokking; karrysild - in kerriesaus; kryddersild, saltsild of spegesild - pekelharing (in verschillende maten gepekeld en gekruid); pottesild - uit de pot
skrubbe	bot
slethvar	griet
spegesild	pekelharing
søtunge	tong
torsk	kabeljauw
ørred	zalmforel
østers	oesters
ål	paling

VILDT OG FJERKRÆ — WILD EN GEVOGELTE

agerhøne	patrijs; a. med surkål i vin - met zuurkool in wijn
and	eend; andebryst - eendenborst; andehals - eendenhals; ande- lever - eendenlever; andesteg med appelsin - gebraden eend met sinaasappel ('canard à l'orange'); vildand of moseand - wilde eend
bekkasin	watersnip
due	duif
dyr	ree; dyrekølle - reebout; dyremedaljoner - reemedaillons; dådyrryg - damhertrug
edderfugl	eidereend
fasan	fazant
gås	gans; gåsefedt - ganzenvet; gåsekråser i hvidvin - gevulde ganzenmagen in witte wijn; gåsesteg med æbler og svesker - gebraden gans met appels en gedroogde pruimen
hane	haan
hare	haas; harepostej - hazenpaté; hareragout - hazenragout; hareryg - hazenrug; haresteg - gebraden haas
høne	kip; h. i asparges - in aspergesaus; h. i peberrod - in mierikswortelsaus; hønsefrikassé - kipfricasseee
kalkun	kalkoen
kanin	konijn
krikand	taling
kylling	haantje; stegt k. med skilt sovs (of flødesovs) - gebraden haantje in roomsaus
moseand	wilde eend

83

perlehøne	parelhoen
rensdyr	rendier; rensdyrkølle - rendierbout; rensdyrryg - rendierrug
rype	korhoen
rådyrkølle; rådyrryg	reebout; reerug
skovdue	houtduif
(skov)sneppe	(hout)snip
vildand	wilde eend
vildtpostej	wildpaté

KØDRETTER — VLEESGERECHTEN

bankekød	dunne runderlapjes
bayonneskinke	ham à la Bayonne
bede	hamel (schapevlees); bedekølle - schapebout
benløse fugle	blinde vinken
biksemad	stukjes vlees, uien, blokjes aardappelen en groente door elkaar gebakken, met spiegelei
boller i karry/selleri	gehaktballetjes in kerrie-/selderijsaus
'brændende kærlighed'	'brandende liefde': aardappelpuree met gebakken spek en uien
bøf	biefstuk; bøf Stroganoff - biefstukragout; bøf tatar - biefstuk tartaar; dansk bøf - dikke gehakte biefstuk met gebakken uien; engelsk bøf - biefstuk met gebakken uien; fransk bøf - in peterselieboter; hakkebøf - gehakte biefstuk met gebakken uien; hestebøf - paardebiefstuk; pari serbøf - licht gebakken biefstuk-tartaar; peberbøf - peper-steak
crepinetter	gehakt kalfsvlees
fars	gehakt
fedtegrever	kaantjes
finker	long- en leverhachee
flæsk	spek; flæskesteg med sprød sværd - gebraden varkensvlees met knapperige zwoerd; æbleflæsk - gebakken dobbelsteentjes spek met stukjes appel; stribet flæsk - doorregen spek
forloren hare	'valse haas': gebraden gehakt met gebakken spek
forloren skildpadde	'valse schildpad': vleesragout met wildsaus
får i kål	stamppot van lams- of schapenvlees met witte kool ('Irishstew')
grisesylte	zult
grisetæer	varkenspootjes

gryderet med kalvekød	casserole met kalfsvlees
hachis	soort hachee
hakkebøf	gehakte biefstuk met gebakken uien
hestebøf	paardenbiefstuk
højreb	ribstuk; helstegt højreb - 'côte de boeuf'; højrebskotelet - ribkarbonade
høkergryde, høkerpande	een soort stamppot
kalvekød	kalfsvlees; kalvebrisler - kalfszwezerik; kalvefilet - kalfsfilet; kalvehaleragout - kalfsstaartragout; kalvehjerner - kalfshersens; kalvekam - kalfsrug; kalvekarbonade - gehakt kalfsvlees; kalvekotelet - kalfscarbonade; kalvenyrer - kalfsnieren; kalvesteg - gebraden kalfsvlees; kalvetunge - kalfstong
kotelet	carbonade (o.a. kalvekotelet, lammekotelet, svinekotelet)
kødrand	'vleespudding'
kåldolmer	gehakt in koolbladeren
labskovs	vleesragout
lammekød	lamsvlees; lammebov - lamsschouder; lammebryst - lamsborst; lammehjerne - lamshersens; lammekotelet - lamskotelet; lammekølle - lamsbout; lammenyrer - lamsnieren; lammeryg - lamsrug
mørbrad	varkenshaas
nyrer	nieren (o.a. kalvenyrer, lammenyrer); nyreragout - nierragout
oksekød	rundvlees; oksebryst - runderborst; oksefilet - runderfilet; oksehaleragout - ossestaartragout; oksekød med peberrod - rundvlees in mierikswortelsauce; oksemørbrad - ossehaas; oksesteg - gebraden rundvlees; oksetunge-ossetong
Pariserbøf	licht gebakken biefstuk-tartaar
peberbøf	pepersteak
revelsben	varkenskrabbetjes
ribbensteg	gebraden varkensrib
skinke	ham
skipperlabskovs	zie 'labskovs'
sursteg	gebraden rundvlees, gemarineerd in bier, azijn en kruiden
svinekød	varkensvlees; svinehjerte - varkenshart; svinekotelet - varkenskarbonade; svinelever - varkenslever; svineskank - varkensschenkel
sylte	zult
tyksteg	gebraden, dik lendestuk

ETEN EN DRINKEN

tyndsteg	gebraden, dun lendestuk
vildsvin	wild zwijn
æbleflæsk	gebakken spek met stukjes appel

De menukaart vermeldt natuurlijk niet alleen de hoofdbestanddelen van het gerecht. Onderstaande lijsten geven een opsomming van de wijze van bereiden, de toegepaste kruiden en sausen, de bijbehorende groenten, de aardappel- en rijstvarianten.

KRYDDERIER, SOVSE	KRUIDEN, SAUSEN
basilikum	basilicum
bløde løg	zacht gebakken uitjes
dild	dille
fennikel	venkel
fløde(sovs)	room(saus)
grøn peber	groene paprika
grønne peberkorn	groene Madagascarpeper
grøn sovs	mayonaise- en kruidensaus
honning	honing
hvidløg	knoflook
ingefær	gember
kanel	kaneel
karamelsovs	caramelsaus
karry(sovs)	kerry(saus)
karse	tuinkers
kastaniepuré	kastanjepuree
krydderfedt	gekruid reuzel
krydderurtesmør	kruidenboter
kørvel	kervel
laurbærblade	laurierbladeren
løg	ui
olivenolie	olijfolie
peber(sovs)	peper(saus)
peberrod(sovs)	mierikswortel(saus)
persille(sovs)	peterselie(saus)
purløg	bieslook
salt	zout
selleri	selderij
sennep(sovs)	mosterd(saus)
sky	aspic
skysovs	jus
timian	tijm

SALATER

SALADES

agurk	komkommer, augurk
asie	gele augurk, ingemaakt met azijn en kruiden
blandet salat	gemengde salade
frugtsalat	vruchtensalade
hummersalat	kreeftsalade
hønsesalat	kipsalade
italiensk salat	salade met wortelen, doperwtjes, macaroni en mayonaise
kartoffelsalat	aardappelsalade
krabbesalat	krabsalade
rejesalat	garnalensalade
skaldyrsalat	schaaldierensalade
syltet agurk	'zure bom'

GRØNTSAGER

GROENTEN

artiskok	artisjok
asparges	asperges
bladselleri; blegselleri	bladselderij; bleekselderij
blomkål	bloemkool
brøndkarse	waterkers
bønner	bonen
endivie	andijvie
grønkål	boerenkool
grønlangkål	gestoofde boerenkool
grøn salat	sla
grønærter	jonge erwtjes
gulerødder	wortelen
hvide bønner	witte bonen
hvidkål	witte kool
jordskokker	schorseneren
julesalat	Brussels lof
karotter	wortelen
kinakål	Chinese kool
linser	linzen
porre	prei
rosenkål	spruitjes
rødbede	rode biet
rødkål	rode kool
skorzonerrødder	schorseneren
snittebønner	snijbonen
spidskål	spitskool

spinat	spinazie
surkål	zuurkool
voksbønner	gele sperziebonen

KARTOFLER/RIS

AARDAPPELEN/RIJST

aspargeskartofler	asperge-aardappelen
bagt kartoffel	in de schil (in de oven) gebakken aardappel
brasede kartofler	gebakken aardappelschijfjes
brune kartofler	in boter en suiker gebakken aardappeltjes
franske kartofler	patates frites
hvide kartofler	gekookte aardappelen
kartoffelmos	aardappelpuree
kogte kartofler	gekookte aardappelen
ris	rijst
brune ris	bruine rijst (in boter gebakken)
løse ris	gekookte rijst
risengrød	rijstebrij
stegte kartofler	gebakken aardappelen
stuvede kartofler	gekookte aardappelen in een witte saus

FRUGT OG NØDDER

FRUIT EN NOTEN

ananas	ananas
appelsin	sinaasappel
avocado	avocado
blomme	pruim
blåbær	bosbessen
brombær	bramen
fersken	perzik
figner	vijgen
granatæble	granaatappel
grapefrugt	grapefruit
hasselnødder	hazelnoten
jordbær	aardbeien
jordnødder	pinda's
kastanier	kastanjes
kirsebær	kersen
mandler	amandelen
pære	peer
rabarbergrød	gebonden rabarbersap met room
rødgrød	gebonden vruchtensap met room
svesker	gedroogde pruimen

valnødder	walnoten
vandmelon	watermeloen
vindruer	druiven
æble	appel

IS OG KAGER   IJS EN GEBAK

boghvedepandekager	boekweitpannenkoeken
blommetærte	pruimenvlaai
blåbærtærte	bosbessenvlaai
brombærtærte	bramenvlaai
chantilly	slagroom met vanille
flødeis	roomijs
frugttærte	vruchtenvlaai
honningkage	honingkoek, ontbijtkoek
isanretning	ijscoupe
karamelrand	caramelpudding ('flan')
kringle	krakeling of een soort cake in de vorm van een krakeling
kræmmerhuse med flødeskum	hoorntjes met slagroom
lagkage	taart
linse	zandgebakje met gele room
mandelrand	amandelpudding
napoleonskage	Tom Pouce
othellokage	taart met slagroom en chocolade
pandekage	pannekoek
rubinsteinkage	gebak met rum
smørkage	soort 'wienerbrød' (zie aldaar)
vafler	wafels
wiener brød	'Weens gebak', bladerdeeg met verschillende soorten vulling
æblekage	appeldessert met slagroom
æblepie	appelpastei
æbletærte	appeltaart
æbleskiver	soort poffertjes

OST   KAAS

castello	romige schimmelkaas (wit of blauw)
Danablu	Deense kaas met blauwe schimmel (cilinder, 50-60% vet)
Danbo	harde Deense kaas (rechthoek, 10-45%)
Elbo	idem (broodvormig, 20-45%)
Esrom	idem (broodvormig, 45-60%)

feta	Deense imitatie van de Griekse schapekaas
flødeost	roomkaas
Fynbo	harde Deense kaas (wiel, 30-45%)
fynsk rygeost	lichtgerookte witte, zachte kaas uit Fyn (5-45%)
gammelost	zeer pikante oude kaas (minstens 2 jaar), meestal Danbo
Havarti	harde Deense kaas (brood- of cilindervorm, 30-60%)
hvidløgsost	knoflookkaas met kruiden
hytteost	'Hüttenkäse'
kvark	kwark
Maribo	harde Deense kaas (wiel of rechthoek, 20-45%)
Molbo	idem (bol, 40-45%)
Mycella	kaas met groene schimmel, soort Gorgonzola (cilinder, 50%)
ostebord	kaasplateau
rygeost	gerookte kaas
Samsø	harde Deense kaas (wiel, 30-45%)
Tybo	idem (broodvorm, 20-45%)

WIJZE VAN BEREIDEN

dampet	gestoomd
farseret	gevuld of bedekt met gehakt
i sit eget fedt	in z'n eigen vet
flamberet	geflambeerd
flødestuvet	à la crème
friturestegt	gefrituurd
fyldt	gevuld
gammeldags	naar oud recept
gennemstegt	goed doorbakken
glaceret	geglaceerd
gratineret	gegratineerd
graved	in zout, suiker of dille gemarineerd
grillstegt	gegrild
grofthakket	grof gehakt
groftkværnet	grof gemalen
hakket	fijngehakt
helstegt	in z'n geheel gebraden
hjemmelavet	naar huisrecept
hvidvinsdampet	in witte wijn gestoomd
jævnet	gebonden
kogt	gekookt
krydret	gekruid

letsaltet, letsprængt	licht gezouten
marineret	gemarineerd
ostegratineret	met kaas gegratineerd
paneret	gepaneerd
pisket	geklopt
pocheret	gepocheerd
røget	gerookt
saltet	gezouten
spidstegt	aan het spit gebraden
sprængt	gezouten
stuvet	gestoofd

DRANKEN

ALKOHOLISKE DRIKKEVARER

ALCOHOLISCHE DRANKEN

Akvavit of snaps
wordt gedistilleerd uit graan of vroege aardappelen en versterkt met een kruidenaroma. De grootste stokerij is DDS in Ålborg, die o.m. de volgende soorten op de markt brengt: Aalborg taffel akvavit of Rød Aalborg, met karwijzaad (45%); Jubilæumsakvavit met dille (45%); Brøndums kommenakvavit met karwij en kaneel (45%); Aalborg fuselfri akvavit, iets minder gekruid (40%); Aalborg eksport akvavit met een tikje madeira (45%); Aalborg akeleje snaps met akelei (40%); Aalborg havstryger snaps, zacht met dille en karwij (40%); Aalborg porse snaps, met myrtebes (40%). Uit de stokerij van Heering in Valby stamt o.a. de Christianshavner (43%).

Bitter
zoals Den Tapre Landsoldat (half-bitter, 45%), Gammel Dansk (kruidenbitter, 38%), Kap Horn (citroenbitter, 32%) en de zeer pittige Krabask bitter (40%).

Hedvin
verzamelnaam voor port, sherry, vermouth e.d.

Likør
zoals Cacao Heering (cacao-likeur, 28%), de fameuze Cherry Heering (kersenlikeur, 24,7%), Kirsberry (idem, 19,5%) en Solberry (zwartebessenlikeur, 19,5%).

Triple sec,
zoals de witte Hvid Heering (40%) en de bruine Utu (40%).

Vin
wijn. Hvidvin is witte wijn, rødvin rode wijn, rosévin rosé en mousserende vin is mousserende wijn. De huiswijn heet husets vin of åben vin en wordt meestal per karaf geserveerd.

Øl
bier; fadøl (tapbier); flaskeøl (flessenbier). Het Deense bier wordt naar alcoholpercentage in klassen ingedeeld. In de klasse II zijn de soorten met minder dan 2,5%, zoals letøl of lys pilsner. Klasse I is voor de bieren met een hoger percentage,

bijv. Carlsberg Hof en Grøn Tuborg (3,7%). Dan is er nog bier uit klasse A, zoals Guld Carlsberg (4%) en Guld Tuborg (4,6%). Zwaarder bier hoort thuis in klasse B: Elephant (5,7%), Carlsberg Påskebryg en Tuborg Påskebryg (6,2%). Een groep apart vormen de exportøl en de luxusøl, voornamelijk bestemd voor de export.

Cognac, gin, jenever, rum en wodka zijn vrijwel allemaal importdranken; een opmerkelijke wodka is de Groenlandse Sermeq.

ALKOHOLFRIE DRIKKEVARER

ALCOHOLVRIJE DRANKEN

appelsinsaft	jus d'orange
appelsinvand	koolzuurhoudende frisdrank met sinaasappelsmaak
citronvand	idem met citroensmaak
frugtjuice	vruchtensap (zie de lijst met vruchten hiervóór)
isvand	ijswater
kaffe	koffie (meestal per kan geserveerd)
mineralvand	mineraalwater, meestal Deens (Dansk vand) of de iets duurdere Zweedse Ramlösa
mælk	melk
orangeade	sinaasappellimonade
sodavand	verzamelnaam voor koolzuurhoudende frisdranken
te	thee
tomatjuice	tomatensap
æblemost	appelsap

HET SMØRREBRØD

Smørrebrød is een samentrekking van *smør og brød* (boter en brood), dus eigenlijk een boterham. Maar dan niet gewoon een sneetje brood met wat beleg erop. Eerder een heleboel beleg waaronder een dun sneetje brood schuilgaat. Denen zijn meesters in het versieren van hun boterham. Hoewel er per traditie regels zijn voor de combinatie van ingrediënten, bestaan er toch erg veel varianten. Wat wèl en niet kan worden gecombineerd heeft zowel met smaak als met kleuren te maken. Echt smørrebrød is niet in elk restaurant verkrijgbaar. Het best kunt u het kopen in een speciaalzaak, de *smørrebrødbutik*, waar u het laat inpakken en meeneemt naar huis, naar de hotelkamer, naar de caravan om er in alle rust van te genieten met een glaasje *akvavit* (bij vis) of een glas koud *øl* (bier).

Uitgaan

WAT IS ER TE DOEN?

Hebt u een lijst met evenementen/theatervoorstellingen?
Har De en liste over begivenheder/teaterforestillinger?
har die en **li**ste **ou**wer be**ghie**wen**hee**ðer/teâterforestillinger

Is er vandaag/vanavond iets bijzonders te zien in de stad?
Er der i dag/i aften noget særligt at se i byen?
êr dêr ie **dâ**/ie **âf**ten **nô**et **sêr**liet at see ie **buu**en

ballet	ballet *f*	bâl**let**
bar	bar	baar
bioscoop	biograf *f*	bio**ghraaf**
café	café	ka**fee**
circusvoorsteling	cirkusforestilling *f*	**cir**koes**fo**restilling
concertzaal	koncertsal *f*	kon**cert**sål
discotheek	diskotek *o*	disko**teek**
film	film *f*	film
folkloristische voorstelling	folkloristisk forestilling *f*	fôlklo**ri**stisk **fore**stilling
loungebar	loungebar	**lounsj**baar
musical	musical *f*	**mjoe**sikel
opera	opera *f*	**oo**pera
openluchtbioscoop	drive-in bio *f*	draiw-**in bie**o
openluchtconcert	friluftskoncert *f*	**frie**loofts**kon**cert
openluchttheater	friluftsteater *o*	**frie**loofste**âter**
operette	operette *f*	ooper**ette**
optocht	optog *o*	**ôp**tô(gh)
optreden van ...	optræden *f* af ...	**ôp**trêðen â ...
popconcert	popkoncert *f*	**pop**koncert
schouwburg	teater *o*	te**âter**
terras	fortovscafé	**for**touwskafee
toneelstuk	teaterstykke *o*	te**âter**stukke
variété	variete *f*	warie**tee**

93

Is hier in de buurt een bioscoop?
Er der en biograf her i nærheden?
êr dêr en bio**ghraaf** hêr ie **nêr**heeðen

Worden buitenlandse films nagesynchroniseerd?
Bliver udenlandske film synkroniseret?
blier **oe**ðenlânske film suunkroni**see**ret

◀ **Nee, ze hebben Deense ondertitels**
Nej, de har danske undertekster
nêj, die haar **dân**ske **oon**nertekster

Hoe laat begint de voorstelling?
Hvornår begynder forestillingen?
woor**nôr** be**ghun**ner **fore**stillingen

Wat draait er vanavond?
Hvad vises der i aften?
wå **wie**ses dêr ie **âf**ten

Wat is het voor een soort film?
Hvilken slags film er det?
wilken slaghs film êr dee

Amerikaans	amerikansk	âmerie**kânsk**
avonturenfilm	spændende film *f*	**spên**nenne film
Deens	dansk	dânsk
drama	drama *o*	**dra**må
Engels	engelsk	**êng**elsk
Frans	fransk	fransk
Italiaans	italiensk	itâlie**eensk**
kinderfilm	børnefilm *f*	**beur**nefilm
komedie	lystspil *o*	**lust**spil
misdaadfilm	krimi *f*	**krie**mi
musical	musical *f*	**mjoe**sikel
psychologisch drama	psykologisk drama	suukoo**loo**ghiesk **dra**må
romantische film	romantisk film	roo**mân**tiesk film
science fiction	science fiction	**sa**jens **fik**sjon
tekenfilm	tegnefilm *f*	**têj**nefilm
thriller	gyser *f*	**ghuu**ser
western	western	**wê**stern
Zweeds	svensk	swênsk

Waar kan ik kaarten krijgen?
Hvor kan jeg købe billetter?
woor kå jêj **keu**be bil**let**ter

◀ **Aan de kassa/bij het bespreekbureau**
Ved kassen/ved reserveringskontoret
wee(ð) **kas**sen/wee(ð) reser**wee**ringskon**to**ret

Is de film geschikt voor ...
Er filmen egnet for ...
êr **fil**men **êj**net for

alle leeftijden	alle aldre	**âl**le **âl**re
12 jaar en ouder	over 12 år	**ouw**er tôl ôr
16 jaar en ouder	over 16 år	**ouw**er **sêj**sten ôr

Is er een toneelstuk in een andere taal dan Deens?   **Wie treedt er op?**
Er der en teaterforestilling på et andet sprog end dansk?   Hvem optræder?
êr dêr en te**ater**forestilling pô et **ân**net sprô(gh) en dânsk   wêm **op**trêðer

Twee kaartjes a.u.b. voor de voorstelling van vanavond
Må jeg bede om to billetter til forestillingen i aften
mô jêj bee om too bil**let**ter til **fore**stillingen ie **âf**ten

achteraan	bagved	**bâ(gh)**wee(δ)
vooraan	foran	**fôr**ân
in het midden	i midten	ie **mit**ten
balkon	balkon	**bâl**kong
loge	loge	**loo**sje
zaal	gulv (parket, parterre)	ghoolw (par**ket**, par**ter**re)
pauze	pause	**pau**se
garderobe	garderobe	ghaarde**rô**be
kassa	kasse	**kâs**se
première	premiere	prê**mjê**re

◄ **De voorstelling is uitverkocht**
Forestillingen er udsolgt
forestillingen êr **oe**δ**s**ôlt

DISCOTHEEK EN NACHTCLUB

Is hier een leuke nachtclub/discotheek?   ◄ **Dit is een besloten club**
Er der et godt natklub/diskotek her?   Denne klub er kun for medlemmer
êr dêr et gôt **nât**kloeb/disko**teek** hêr   **den**ne kloeb êr koen for **me**δlemmer

Moet er entree betaald worden?   **Wat voor muziek wordt er meestal gedraaid?**
Skal man betale entré   Hvilken slags musik bliver der for det meste spillet?
skâ mân bet**â**le ang**tree**   **wiel**ken slaghs moe**siek** blier dêr for di **mee**ste **spil**let

Is het livemuziek?
Er det levende musik?
êr dee **lee**wenne moesiek?

Is er een goede d.j.?
Er der en god discjockey?
er **plâ**ðerêr dêr en ghoo diskdjokkie

Ga je mee naar de disco?
Går du med på diskoteket?
gôr doe mê(ð) pô disko**tee**ket

Wat een leuke/toffe/coole muziek
Sikke en god/fed/cool musik
sikke een ghoo/feeð/koel moesiek

Laten we naar buiten gaan
Lad os gå udenfor
lå ôs ghô **oe**ðenfor

Laten we ergens anders heen gaan
Lad os gå et andet sted hen
lå ôs ghô et **ân**net ste(ð) hên

Wil je iets drinken?
Vil du have noget at drikke?
wil doe hâ **noo**-et åt **drik**ke

Zal ik je naar huis/het hotel brengen?
Skal jeg følge dig hjem/til hotellet?
skå jêj **feul**(gh)e dêj jêm/til ho**tel**let

Bedankt voor de leuke avond
Tak for den dejlige aften
tåk for den **dêj**lie **âf**ten

FLIRTEN EN ROMANTIEK

Hallo, mag ik erbij komen zitten?
Hej, må jeg sidde her?
hêj mô jêj **si**ððe hêr

◄ **Nee, liever niet/deze plek is al bezet**
Nej, helst ikke/pladsen er allerede optaget
nêj hêlst ikke/**plâs**sen êr **âl**lereðe **op**tâjet

Vind je het hier leuk?
Synes du det er sjovt her?
suuns doe di êr sjouwt hêr

◄ **Ja, helemaal te gek!/Nee, ik verveel me**
Ja, for vildt!/Nej, jeg keder mig
jâ for wielt/nêj jêj **kee**ðer mêj

Ik kan je niet verstaan
Jeg kan ikke forstå dig
jêj kân ikke for**stô** dêj

Het is hier warm/vol/saai. Zullen we naar buiten gaan?
Der er varmt/fuldt/kedeligt her. Skal vi gå udenfor?
dêr êr for waarmt/foelt/**kee**deliet hêr. Skå wie gô **oe**ðenfor

◄ **Nee, ik blijf liever hier/Ja, dat is goed**
Nej, jeg vil hellere blive her/Ja, det er fint
nêj jêj wil **hêl**lere blie hêr/jâ di êr fient

Ik moet helaas nu gaan. Zullen we iets afspreken?
Jeg må desværre gå nu. Skal vi aftale noget?
jêj mô des**wêr**re ghô noe. Skå wie **auw**tâle **noo**-et

Heb je al plannen voor morgen/vanavond?
Har du allerede planer for i morgen/i aften
haar doe **âl**lereðe **plâ**ner for ie **môr**ren/ie **af**ten

Zullen we samen iets eten/drinken?
Skal vi spise/drikke noget sammen?
skå wie **spie**se/**drik**ke **noo**-et **sam**men

◀ **Laten we afspreken om negen uur bij .../voor de ingang van ...**
Lad os aftale kl. ni ved .../foran indgangen til ...
lâ os **auw**tâle **klok**ken nie weð/**for**ân **in**ghangen til ...

Heb je een vaste vriend/vriendin?
Har du en kæreste?
haar doe een **kê**reste

◀ **Ik ben getrouwd/ik heb kinderen**
Jeg er gift/jeg har børn
jêj êr **ghieft**/jêj haar **beurn**

◀ **Ik ben homo/lesbisch/hetero**
Jeg er bøsse/lesbisk/heteroseksuel
jêj êr **bus**se/**lês**biesk/**hee**teroosêksoe-êl

Ben je hier alleen/met anderen?
Er du her alene/sammen med andre?
êr doe hêr â**lee**ne/**sam**men með **an**dre

Ik ben jaloers
Jeg er jaloux
jêj êr sja**loe**

Waar kom je vandaan?
Hvor kommer du fra?
woor **kom**mer doe fra

Wat doe je voor werk/wat studeer je?
Hvad laver du/hvad læser du?
wâ **lâ**wer doe/wâ **lê**ser doe

Hoe oud ben je?
Hvor gammel er du?
woor **gham**mel êr doe

◀ **Je houdt me voor de gek**
Du holder mig for nar
doe **hol**ler mêj for naar

Kom je hier vaker?
Kommer du ofte her?
kommer doe **of**te hêr

Wat voor muziek vind je leuk?
Hvilken slags musik kan du godt lide?
wielken slaghs moe**siek** kå doe ghôt **lie**

Wil je met me dansen?
Vil du danse med mig?
wil doe **dân**se með mêj

Hoe lang blijf je nog in ...?
Hvor længe bliver du i ...?
woor **lên**ge **bli**er doe ie ...

Mag ik je een complimentje geven?
Må jeg give dig en kompliment?
mô jêj **ghie** dêj een komplie**mang**

Je ziet er goed/leuk uit
Du ser godt/dejlig ud
doe seer ghôt/**dêj**lie oeð

◄ Je maakt me verlegen
Du gør mig forlegen
doe gheur mêj forl**ê**jen

Die blos staat je goed
Den bluse klæder dig godt
den **bloe**se **klê**der dêj ghôt

◄ Plaag me niet zo!
Dril mig ikke sådan!
dril mêj ikke **sô**dån

Wat lach je leuk
Hvor ler du dejligt
woor leer doe **dêj**liet

Wat heb je mooie ogen/haar
Hvor har du smukke øjne/smukt hår
woor haar doe **smoek**ke ojne/smoekt hôr

◄ Dank je wel
Tak
tak

Volgens mij klikt het wel tussen ons
Jeg synes det fungerer fint mellem os
jêj suuns di foen**ghee**rer fient **mel**lem os

Ik vind je leuk/aantrekkelijk
Jeg synes du er sød/tiltrækkende
jêj suuns doe êr suð/**til**trêkkene

Ik vind je erg aardig
Jeg kan rigtig godt lide dig
jêj kå **righ**tie ghôt **lie** dêj

Ik geloof dat ik verliefd op je ben
Jeg tror jeg er forelsket i dig
jêj troor jêj êr for**êl**sket ie dêj

Ik moet de hele dag aan je denken
Jeg tænker på dig hele dagen
jêj **tên**ker pô dêj **hee**le **dâ**jen

◄ Echt waar?
Er det rigtigt?
êr di **righ**tiet

Ik hou van je
Jeg elsker dig
jêj **êls**ker dêj

◄ Ik ook van jou
Jeg elsker også dig
jêj **êls**ker os**se** dêj

Ik ben gek op je
Jeg er vild med dig
jêj êr **wiel** með dêj

◄ Ga alsjeblieft weg!
Vær så venlig og forsvind!
wêr sô **wên**lie ou for**swin**

◄ Blijf van me af!
Bliv væk fra mig!
blie wêk fra mêj

Zullen we samen naar het hotel/mijn kamer gaan?
Skal vi gå til hotellet/mit værelse?
skå wie ghô til hoo**têl**let/miet **wê**relse

Ik wil met je naar bed
Jeg vil gerne i seng med dig
jêj wil **gher**ne ie **sêng** með dêj

◄ Nee, dat wil ik niet
Nej, det vil jeg ikke
nêj di wil jêj **ik**ke

◀ Je loopt te hard van stapel
Du går for hastigt frem
doe gôr for **hâs**tiet frêm

◀ Misschien een andere keer
Måske en anden gang
mô**skee** een **ân**nen ghang

◀ Niet hier
Ikke her
ikke hêr

◀ Ik wil alleen veilig vrijen
Jeg vil kun elske sikkert
jêj wil koen **êl**ske **sik**kert

Heb je een condoom bij je?
Har du et kondom på dig?
haar doe it kon**doom** pô dêj

Vond je het leuk/lekker?
Synes du det var dejligt/lækkert?
suuns doe di waar **dêj**liet/**lêk**kert

◀ Ik wil je niet meer zien
Jeg vil ikke se dig mere
jêj wil **ik**ke **see** dêj **meer**

◀ Het was geweldig
Det var fantastisk
di waar fân**tâs**tiesk

Ik vond het gezellig, maar ik hoef verder geen contact
Jeg syntes det var hyggeligt, men jeg ønsker ingen yderligere kontakt
jêj **suun**tes di waar **huu**gheliet mên jêj **un**sker **in**gen **uu**ðerliejere kon**takt**

Bedankt voor de leuke avond/nacht
Tak for den dejlige aften/nat
tak for den **dêj**lieje **af**ten/nât

Ik zal je missen
Jeg vil savne dig
jêj wil **sauw**ne dêj

Tot morgen/tot gauw
Vi ses i morgen/snart
wie sees ie **môr**ren/snaart

Mag ik je adres?
Må jeg få din adresse?
mô jêj fô dien a**dres**se

◀ Dat is goed/Nee, daar begin ik niet aan
Det er i orden/Nej, det begynder jeg ikke på
di êr ie **or**den/nêj di be**ghun**ner jêj ikke pô

Ik neem wel contact op met jou
Jeg skal nok kontakte dig
jêj skå nok kon**tak**te dêj

aids	aids	eets
chlamydia	klamydia	klâ**muu**diâ
condoom	kondom	kon**doom**
HIV	hiv	hoo-ie**wee**
klaarkomen	komme	**kom**me
ongesteld	menstruation	mênstroe-â**sjoon**
penis	penis	**pee**nis
pil	p-pille	**pee**pille
strelen	kæle	**kee**le

vagina	vagina	**wâ**ghienâ
voorbehoedsmiddel	præventionsmiddel	preewên**sjoons**miδδel
vrijen	elske	**êl**ske

aquarium	akvarium *o*	å**kwa**rieoom
circus	cirkus *o*	**cir**koes
dierentuin	zoologisk have *f*	zoo**lo**ghisk **hâ**we
kinderboerderij	dyrehave*f* for børn *omv*	**duu**rehâwe for beurn
museum voor kinderen	museum *o* for børn *omv*	moe**se**oom for beurn
pretpark	forlystelsespark *f* (Tivoli *o*)	for**lu**stelsespark (**tie**wolie)
rondvaart	rundfart *f*	**roon**vaart
rondvlucht	rundflyvning *f*	**roon**fluuwning
speeltuin	børnepark *f*	**beur**nepark
speelweide	legeplads *f*	**le**jeplås
stoomtrein	damptog	**damp**toow
terrarium	terrarium *o*	ter**ra**rioom
waterpretpark	vandland *o*	**wân**lân
wild west-dorp	wild west-by *f*	wild west-buu
zwembad	svømmehal *f*, badeanstalt *f*	**sweum**mehâl, **bâ**δeânstâlt

Hebt u ook een kindermenu?
Har De også en børnemenu?
haar die **os**se een **beur**nemenuu

Is er iets leuks voor kinderen?
Er der noget morsomt for børnene?
êr dêr **nô**et **moor**somt for **beur**nene

Is hier ook een crèche?
Er her også en vuggestue?
êr hêr **os**se een **woe**ghestoewe

Ik kom mijn kind om .. uur ophalen
Jeg henter mit barn kl. ...
jêj **hên**ter miet baarn **klok**ken ...

babyfoon	babyalarm	beebie
ballenbak	kuglerum	**koe**leroem
commode	puslebord	**poes**leboor
fles	flaske	**flâs**ke
kinderstoel	barnestol	**baar**nestool
slab	hagesmæk	**hâ**jesmâk
speen	sut	soet

UITGAAN

Problemen in de stad

DE WEG VRAGEN

Kunt u mij de weg wijzen naar de/het/een ... ?
Kan De vise mig vej til ...?
kå die **wie**se mêj wêj til ...

bank	en bank/banken	en bânk, **bân**ken
bushalte	busstopested	**boes**stoppesteeð
busstation	en busstation/ busstationen	en **boes**stå**sjoon boes**ståsjonen
centrum	centrum	**cen**troom
dit adres	denne adresse	**den**ne a**dres**se
dokter	en læge/lægen	en **lê**(gh)e, **lê**(gh)en
kathedraal	domkirken	**dôm**kierken
markt	torvet	**tôr**wet
metrostation	metrostation	**mee**troostasjoon
museum	museet	moes**ê**et
openluchtmuseum	friluftsmuseet	**frie**looftsmoes**ê**et
postkantoor	posthuset	**pôst**hoeset
politiebureau	politistationen	poli**tie**stas**jo**nen
pretpark	forlystelsesparken	for**lust**elses**par**ken
station	stationen	stå**sjo**nen
uitgang	udgangen	**oe**ðghangen
VVV-kantoor	turistinformationen	toe**rist**informa**sjo**nen
ziekenhuis	sygehuset, hospitalet	**suu**(gh)e**hoe**set, **ho**spie**tâl**et

◀ **Nee, ik ben hier helaas niet bekend**
Nej, jeg er desværre ikke kendt her
nêj, jêj êr dês**wêr**re **ik**ke kênt hêr

◀ **Vraag het dan nog maar een keer**
Spørg så lige en gang til
speur(gh) sô **lie**je en ghang til

Hoe ver is het lopen?
Hvor langt er der at gå?
woor langt êr dêr ât ghô

Is het ver van hier?
Er det langt borte?
êr dee langt **bôr**te

◀ **U kunt beter met bus/S-bane nummer 4 gaan**
De kan bedre tage bus/S-bane nummer 4
die kå **bê**ðre tå boes/es-**bâ**ne **noom**mer **fie**re

◀ **U loopt/rijdt...**
De går/kører ...
die ghôr/**keu**rer ...

rechtuit	ligeud	**lie**(gh)eoeð
rechtsaf	til højre	til **hui**re
linksaf	til venstre	til **wên**stre
de hoek om	hen omkring hjørnet	hên om**kring jeur**net

◀ **... en dan tot aan ...**
... og så hen til ...
... ouw sô hên til ...

de kruising	krydset	**kruu**sset
het grote plein	det store torv	dee **sto**re tôrw
de rotonde	rundkørslen	**roon**keurslen
de brug	broen	**broo**en
de kerk	kirken	**kier**ken
de eerste zijstraat rechts	den første sidegade	den **feur**ste **sie**ðeghâðe
	til højre	til **hui**re
de derde zijstraat links	den tredje sidegade	den **tree**ðje **sie**ðeghâðe
	til venstre	til **wên**stre
aan uw linkerhand	på venstre hånd	pô **wên**stre hôn
aan uw rechterhand	på højre hånd	pô **hui**re hôn
recht vóór u	lige foran Dem	**lie**(gh)e **fôr**an dêm
schuin aan de overzijde	skråt overfor	skrôt **ouwer**for
daarachter	der bagved (efter)	dêr **bâ(gh)**weeð (**êf**ter)
daarnaast	ved siden af	wee **sie**ðen â
na 200 meter	efter 200 meter	**êf**ter too **hoen**reð **mee**ter
een halfuur lopen	en halv times gang	en **hâl tie**mes ghang
om de hoek	om hjørnet	ôm **jeur**net

◀ **U kunt beter een taxi nemen**
De kan bedre tage en taxa
die kå **bê**ðre tå een **tak**sa

Ik ben de weg kwijt
Jeg er faret vild
jêj êr **fa**ret wiel

◀ **U bent verkeerd gelopen**
De har taget den forkerte vej
die har **tâ**et den for**keer**te wêj

◀ **Men heeft u de verkeerde weg gewezen**
Man har vist Dem den forkerte vej
mân har **wiest** dem den for**keer**te wêj

Kunt u op de plattegrond aanwijzen waar ik nu ben?
Kan De vise på kortet, hvor jeg er nu?
kå die **wie**se pô **kôr**tet, woor jêj êr noe

◀ **U staat nu hier**
De står nu her
die stôr noe hêr

Kunt u een eindje met mij meelopen?
Vil De følge mig et stykke på vej?
wil die **feul**je mêj et **stuk**ke pô wêj

ER IS IETS GEBEURD / BIJ DE POLITIE

Er is brand uitgebroken/een ongeluk gebeurd
Der er udbrudt brand/sket en ulykke
dêr êr **oe**ðbroet brân/**skeet** en **oe**lukke

Wilt u de politie/ambulance/brandweer bellen?
Vil De ringe til politiet/efter ambulancen/til brandvæsenet?
wil die **ring**e til poli**tie**et/**êf**ter amboe**lang**sen/til **brân**wêsnet

Ik heb snel hulp nodig
Jeg har brug for hjælp hurtigt
jêj har **broe(gh)** for **jêlp hoer**tiet

Help! Houd de dief!
Hjælp! Stop tyven!
jêlp! Stop **tuu**wen!

Waar is het politiebureau?
Hvor er politistationen?
woor êr poli**tie**stå**sjo**nen

Ik wil aangifte doen van ...
Jeg vil melde ...
jêj wil **mêl**le ...

aanranding	overfald *o*	**ouwer**fâl
afpersing	afpresning *f*	**auw**prêsning
beroving/diefstal	berøvelse f/tyveri *o*	be**reu**welse/tuuwe**rie**
brandstichting	brandstiftelse *f*	**brân**stiftelse
inbraak	indbrud *o*	**in**broeð
mishandeling	mishandling *f*	**mies**hânling
openbreken van de auto	indbrud *o* i bilen *f*	**in**broeð ie **bie**len
oplichting	bedrageri *o*	bedra(gh)e**rie**
schade	skade *f*	**skâ**ðe
verkrachting	voldtægt *f*	**wôl**têght
verlies	tab *o*	tâb
vernieling	ødelæggelse *f*	**eu**ðe**lêgh**ghelse
winkeldiefstal	butikstyveri *o*	boe**tiek**stuuwe**rie**
zakkenroller	lommetyv *f*	**lôm**metuuw

Ik ben beroofd van mijn .../Ik heb mijn ... verloren
Jeg er blevet frarøvet min (mit, mine).../Jeg har tabt min (mit, mine)...
jêj êr **ble**wet **frâ**reuwet mien (miet, miene) .../jêj haar tabt mien (miet, miene) ...

autoradio	bilradio f	**biel**radio
bagage	bagage f	bâ**ghâ**sje
betaalpas	betalingspas o	be**tâ**lingspâs
cheques	checks fmv	sjêks
creditcard	kreditkort o	kre**diet**kôrt
digitale camera	digitalt kamera	dieghie**tâlt kâ**mera
fototoestel	fotokamera o	**foto**kâmera
handtasje	håndtaske f	**hôn**tâske
koffer	kuffert f	**koof**fert
mobiele telefoon	mobiltelefon	moo**biel**teelefoon
paspoort	pas o	pâs
pinpas	kreditkort	kree**diet**koort
portefeuille	tegnebog f	**têj**nebô(gh)
portemonnee	pung f	poong
reisdocumenten	rejsepapirer omv	**rêj**sepâ**pie**rer
videocamera	videokamera	**vie**dee-ookâmera

Mijn auto/fiets/caravan/aanhanger/scooter is gestolen
Min bil/cykel/kampingvogn/anhænger/scooter er stjålet
mien biel/**suu**kel/**kam**pingwouwn/**ân**hênger/**skoe**ter er **stjôl**et

Ik ben lastiggevallen
Jeg er blevet generet
jêj êr **ble**wet sje**nee**ret

Ik word achtervolgd
Jeg bliver forfulgt
jêj blier for**foel(gh)t**

◄ **Wilt u aangifte doen/een verklaring afleggen?**
Vil De melde det/aflægge en forklaring?
wil die mêlle dee/**auw**lêghghe en for**kla**ring

◄ **Wij zullen proces-verbaal opmaken**
Vi vil optage rapport
wie wil **ôp**tâ rap**port**

◄ **Hebt u getuigen?**
Har De vidner?
har die **wie**ðner

◄ **Wij kunnen er voorlopig niets aan doen**
Foreløbig kan vi ikke gøre noget ved det
foreleubi kå wie **ik**ke **gheu**re nôet wee dee

◄ **Wij zullen de zaak onderzoeken**
Vi vil undersøge sagen
wie wil **onner**seu(gh)e **sâ**(gh)en

◄ **U kunt navraag doen bij het bureau voor gevonden voorwerpen**
De kan informere ved hittegodskontoret
die kå infor**mee**re weeð **hiette**ghôskon**too**ret

◀ **Wilt u dit formulier invullen/ondertekenen?**
Vil De udfylde/underskrive denne blanket?J
wil die **oe**δfuulle/**on**nerskriewe **den**ne blan**ket**

Ik kan het niet lezen
eg kan ikke læse det
jêj kå **ik**ke **lê**se dee

Kan er een tolk/vrouwelijke agent bijkomen?
Kan De tilkalde en tolk/kvindelig betjent?
kå die **til**kålle en tolk/**kwin**nelie be**tjent**

Ik kan dit niet ondertekenen
Det kan jeg ikke underskrive
dee kå jêj **ik**ke **oon**nerskriewe

Ik trek de aangifte/verklaring in
Jeg tilbagekalder anmeldelsen/forklaringen
jêj til**bå**(gh)e**kål**ler **ân**mellelsen/for**kla**ringen

◀ **Uw auto is weggesleept**
Deres bil er blevet slæbt væk
dêres biel êr **ble**et slêbt wêk

◀ **U kunt hem daar afhalen**
De kan afhente den der
die kân **auw**hênte den dêr

◀ **U moet mee naar het bureau**
De skal med hen på politistationen
die skå mêδ hên pô poli**tie**stàsjonen

◀ **Mag ik uw paspoort/rijbewijs/een legitimatie zien?**
Må jeg se Deres pas/kørekort/legitimation?
mô jêj see **dê**res pås/**keu**rekort/leghitima**sjoon**

◀ **U wordt verdacht van .../gearresteerd wegens ...**
De er sigtet for .../arresteret på grund af ...
die êr **si(gh)**tet for .../arre**ste**ret pô ghroon à ...

bezit van verdovende middelen	besiddelse af narkotika	besi**δδ**else å narkotika
diefstal	tyveri	tuuw**erie**
geweldpleging	vold	wôl
illegale grensoverschrijding	illegal grænseoverskridelse	ille**ghâl** ghrên**se ouw**erskrie**δ**else
openbare dronkenschap	offentlig drukkenskab	ôffentli(gh) **drook**kenskâb
schuld aan een ongeval	skyld i en ulykke	skuul ie en **oe**lukke
smokkel	smugleri	smoe(gh)le**rie**
vernieling	ødelæggelse	**eu**δelêghghelse
verstoring van de orde	ordensforstyrrelse	**ôr**densfor**stuur**relse

◀ **U bevindt zich op verboden terrein**
De befinder Dem på forbudt område
die be**fin**ner dêm pô for**boet** om**rô**δe

◀ **U mag hier niet fotograferen**
De må ikke fotografere her
die mô **ik**ke fotoghrâ**fee**re hêr

Ik wil een advocaat/iemand van de ambassade spreken
Jeg vil tale med en advokat/en person fra ambassaden
jêj wil **tâ**le mê(δ) en âδwo**kât**/en per**soon** fra ambàs**sâ**δen

◄ **Wij nemen u in (voorlopige) hechtenis**
Vi tager Dem i (foreløbig) varetægtsarrest
wie tår dêm ie (**fore**leubie(gh)) **wâ**retêghtsar**rest**

◄ **U wordt voorgeleid**
De bliver fremstillet
die blier **frem**stillet

Ik ben onschuldig/heb hier niets mee te maken
Jeg er uskyldig/har ikke noget at gøre med dette
jêj êr oe**skuul**die/har **ik**ke **nô**et at **gheu**re me(δ) **det**te

beklaagde	anklagede	**ân**klå(gh)eδe
officier van justitie	den offentlige anklager	den **of**fentlie(gh)e **ân**klå(gh)er
recherche	kriminalpoliti	krimi**nâl**poli**tie**
rechter	dommer	**dôm**mer
verdachte	sigtede	**si(gh)**teδe
verkeerspolitie	færdselspoliti	**fêr**selspoli**tie**
zedenpolitie	sædelighedspoliti	**sê**δeli(gh)heeδspoli**tie**

ACTUELE LANDENINFORMATIE

Op www.anwb.nl vindt u alle praktische informatie voor een goede vakantievoorbereiding. Van klimaat en reisseizoen tot informatie over elektriciteit en verkeersregels.

Medische hulp

HULP VRAGEN

Ik heb (dringend) een dokter/tandarts nodig
Jeg har (umiddelbart) brug for en læge/tandlæge
jêj har (**oe**miðelbaart) broe(gh) for en **lê**(gh)e/**tânlê**(gh)e

Ik moet snel naar een ziekenhuis
Jeg skal hurtigt på sygehuset
jêj skå **hoer**tiet pô **suu**(gh)e**hoe**set

Kunt u voor mij een dokter/ambulance bellen?
Kan De ringe efter en læge/ambulance?
kå die **ring**e **êf**ter en **lê**(gh)e/amboe**lang**se

Wat is het alarmnummer?
Hvad er alarmnummeret?
wâð êr a**laarm**noommeret

Waar is een eerstehulppost/de polikliniek?
Hvor er der en skadestue/poliklinikken
woor êr dêr en **skâ**ðestoee/**po**likli**niek**en

Is er nachtdienst/weekenddienst?
Er der nattevagt/weekendvagt?
êr dêr **nât**tewa(gh)t/**week**endwa(gh)t

Waar woont de dokter?
Hvor bor lægen?
woor boor **lê**(gh)en

Ik wil een afspraak maken met de/een ...
Jeg vil gerne have en tid hos .../en ...
jêj wil **ghêr**ne hå en tieð hos .../en ...

chirurg	kirurg	kie**roergh**
(huis)arts	læge *f*	**lê**(gh)e
gynaecoloog	gynækolog	guunêkoo**loow**
huidarts	dermatolog *f*	dêrmâto**loo(gh)**
internist	mediciner *f*	meedie**sie**ner
keel-, neus- en oorarts	øre-, næse- og halsspecialist *f*	**eur**e-, **nê**se- ouw **hâls**specia**liest**
kinderarts	børnelæge *f*	**beur**nelê(gh)e
oogarts	øjenlæge *f*	**ui**enlê(gh)e
tandarts	tandlæge *f*	**tânlê**(gh)e
uroloog	urolog *f*	oero**loo(gh)**
zenuwarts	neurolog *f*	neuwro**loo(gh)**

Hoe laat heeft de dokter spreekuur?
Hvornår har lægen konsultationstid?
woor**nôr** har **lê**(gh)en konsoeltå**sjoons**tieð

Is de dokter aanwezig?
Er lægen tilstede?
êr **lê**(gh)en tilstee**ð**e

107

Spreekt de dokter Duits/Engels/Frans?
Taler lægen tysk/engelsk/fransk?
tâler **lê**(gh)en tuusk/**eng**elsk/fransk

◄ **Wilt u in de wachtkamer plaatsnemen?**
Vil De tage plads i venteværelset?
wil die tå plås ie **wên**tewê**rel**set

◄ **Bent u verzekerd?**
Er De forsikret?
êr die for**sik**ret

◄ **Volgende patiënt!**
Følgende patient!
feul(gh)enne på**sjent**

Ik heb last van ...
Jeg har problemer med ...
jêj har pro**ble**mer mê(δ) ...

Ik voel pijn in mijn ...
Jeg har ondt i min/mit/mine ...
jêj har oont ie mien/miet/miene ...

Ik kan mijn ... niet bewegen
Jeg kan ikke bevæge min/mit/mine ...
jêj kå **ik**ke bewê(gh)e mien/miet/miene ...

Ik ben .. maanden zwanger
Jeg er gravid i ... måned
jêj êr ghra**wied** ie ... **mô**neδ

Ik ben gebeten door een hond/gestoken door een insect
Jeg er blevet bidt af en hund/stukket af et insekt
jêj êr **blee**t biet å en hoen/**stook**ket å et in**sekt**

Kunt u mij onderzoeken?
Kan De undersøge mig?
kå die **on**nerseu(gh)e mêj

Ik ben diabeticus/hartpatiënt/allergisch voor ...
Jeg er diabetiker/hjertepatient/allergisk for ...
jêj êr dia**bee**tiker/**jêr**tepa**sjent**/**ål**lergisk for ...

Ik ben hiervoor al eerder behandeld/geopereerd
Jeg er tidligere blevet behandlet/opereret for dette
jêj êr **tie**δligere **blee**t be**hân**let/ope**ree**ret for **det**te

◄ **Gaat u hier zitten/liggen**
Sæt/læg Dem her
sêt/lêgh dem hêr

◄ **U kunt zich daar uitkleden**
De kan klæde Dem af der
die kå **klê** dem å dêr

◄ **Hoe lang hebt u hier al last van?**
Hvor længe har De haft problemer med det?
woor **lêng**er har die haft pro**blee**mer mê(δ) dee

◄ **Waar doet het pijn?**
Hvor gør det ondt?
woor gheur dee oont

◄ **Doet dit pijn?**
Gør dette ondt?
gheur **det**te oont

◄ **Zucht eens diep**
Træk vejret dybt
trêk **wê**ret duubt

◀ **Inademen, langzaam uitademen**
Ånd ind, ånd langsomt ud
ôn in, ôn **lang**somt oeð

◀ **U moet een röntgenfoto laten maken**
De skal have taget et röntgenbillede
die skå hå tået et **reunt**ghen**bil**leðe

◀ **Ik moet u naar een specialist verwijzen**
Jeg må henvise Dem til en specialist
jêj mô **hen**wiese dem til en specia**list**

◀ **U moet hiermee naar een ziekenhuis ...**
De skal på sygehuset med dette ...
die skå pô **suu**(gh)e**hoe**set mê **det**te ...

voor een bloedproef	for en blodprøve	for en **bloo**ðpreuwe
voor een urinetest	for en urinundersøgelse	for en oe**rien**oonnerseu(gh)else
voor nader onderzoek	for nærmere undersøgelse	for **nêr**mere **oon**nerseu(gh)else

◀ **U moet een paar dagen rust houden**
De skal holde Dem i ro et par dage
die skå **hôl**le dem i roo et par **då**(gh)e

◀ **U moet een paar dagen in bed blijven**
De skal holde sengen et par dage
die ska **hôl**le **sêng**en et par **då**(gh)e

◀ **U mag dit een paar dagen niet gebruiken/bewegen**
De må ikke bruge/bevæge dette et par dage
die mô **ik**ke **broe**(gh)e/be**vê**(gh)e **det**te et par **då**(gh)e

◀ **Het is niets ernstigs**
Det er ikke noget alvorligt
dee êr **ik**ke **nô**et al**wôr**liet

◀ **U lijdt aan ...**
De lider af ...
die **lie**ðer â ...

◀ **Ik zal u een recept geven**
Jeg giver Dem en recept
jêj ghier dem en re**cept**

◀ **Ik geef u een pijnstiller/kalmerend middel/slaapmiddel**
Jeg giver Dem et smertestillende/beroligende/sovemiddel
jêj ghier dem et **smêr**te**stil**lenne/be**roo**li(gh)enne/**sôuw**emi**ðð**el

◀ **U moet een tablet nemen ...**
De skal tage en tablet ...
die skå tå en tå**blet** ...

op de nuchtere maag	på tom mave	pô tôm **må**we
3 x daags	3 gange om dagen	tree **ghang**e om **då**(gh)en
vóór elke maaltijd	før hvert måltid	feur wêrt **môl**tieð
na elke maaltijd	efter hvert måltid	**êf**ter wêrt **môl**tieð
vóór het slapengaan	før De går i seng	feur die ghôr ie sêng
met wat water	med lidt vand	mê(ð) lit wân

◄ **Komt u over drie dagen nog eens terug**
Kom igen om tre dage
kom ie**ghen** om tree **dâ**(gh)e

Ik heb... / U hebt ...
Jeg har .../ De har ...
jêj har .../die har ...

kiespijn/tandpijn	tandpine	**tân**piene
bloedend tandvlees	blødende tandkød	**bleu**δenne tånkeuδ
ontstoken tandvlees	betændt tandkød	be**tênt tân**keuδ
cariës	karies	**ka**ries
een zenuwontsteking	en nervebetændelse	en **nêr**webe**tên**nelse
een afgebroken tand	en brækket tand	en **brêk**ket tån

Ik heb een vulling verloren/mijn kunstgebit gebroken
Jeg har tabt en plombe/brækket min protese
jêj har tabt en **plom**be/**brêk**ket mien pro**te**se

◄ **Ik moet deze kies trekken/vullen/boren**
Jeg skal trække/plombere/bore denne kindtand
jêj skå **trêk**ke/plom**be**re/**boo**re **dên**ne **kin**tånd

◄ **U moet hiermee de mond spoelen**
De skal skylle munden med dette
ie skå **skul**le **mon**nen mê(δ) **det**te

◄ **Ik geef u een ...**
Jeg giver Dem en ...
jêj gier dem en ...

injectie	injektion f	injêk**sjoon**
kroon	jacketkrone f	**djêk**etkroone
noodvulling	nødplombering f	**neu**δplom**be**ring
verdoving	bedøvelse f	be**deu**welse
wortelkanaalbehandeling	rodbehandling f	**roo**δbe**hân**ling
zenuwbehandeling	nervebehandling f	**nêr**webe**hân**ling

◄ **U moet na thuiskomst uw huisarts/tandarts/specialist raadplegen**
De skal konsultere Deres læge/tandlæge/specialist, når De kommer hjem
die skå konsoel**tee**re **dê**res **lê**(gh)e/**tânlê**(gh)e/specia**list**, nôr die kommer jêm

Kan ik een bewijsje krijgen voor de verzekering?
Kan jeg få en attest til forsikringen?
kå jêj fô en åt**test** til for**sik**ringen

◄ **U moet contant betalen**
De skal betale kontant
die skå be**tâle** kon**tant**

110

aambeien	hæmorroider *fmv*	hêmo**rie**δer
abces	byld *f*	buul
allergie	allergi	ållêr**ghie**
angina	halsbetændelse	**håls**betênelse
astma	astma *f*	**âst**ma
blindedarmontsteking	blindtarmsbetændelse *f*	**blin**tarmsbe**tên**nelse
bloeding	blødning *f*	**bleu(**δ**)**ning
bloeduitstorting	blodansamling *f*	bloo(δ)**ân**samling
braakneigingen	opkastningsfornemmelser *fmv*	**op**kåstningsfor**nêm**melser
brandwond	brandsår *o*	**brân**sôr
buikgriep	maveforkølelse *f*	**mâ**wefor**keu**lelse
buikpijn	mavepine *f*	**mâ**we**pie**ne
diarree	diarré *f*	diar**ree**
griep	influenza *f*	infloe**en**sa
hersenschudding	hjernerystelse *f*	**jêr**neru**stel**se
HIV-positief	HIV-positiv *f*	hoo-ie-wee-**poo**sietiew
hoofdpijn	hovedpine *f*	**hoo**we(δ)**pie**ne
infectie	infektion *f*	infek**sjoon**
insectenbeet	insektstik *o*	in**sekt**stik
jeuk	kløe *f*	**kleu**e
kaakontsteking	kæbehulebetændelse *f*	**kê**be**hoe**lebe**tên**nelse
keelontsteking	halsbetændelse *f*	**håls**bet**ên**nelse
kiespijn	tandpine *f*	**tân**piene
koorts (38°)	feber *f* (38°)	**fee**ber
		(**ôt**teouw**trê**δwe **ghra**δer)
kramp	krampe *f*	**kram**pe
longontsteking	lungebetændelse *f*	**loong**ebe**tên**nelse
maagpijn	mavepine *f*	**mâ**we**pie**ne
maagzweer	mavesår *o*	**mâ**we**sôr**
misselijkheid	kvalme *f*	**kwâl**me
neerslachtigheid	depression *f*	depres**sjoon**
oogontsteking	øjenbetændelse	**oj**enbe**tê**nelse
oorpijn	ørepine *f*	**eu**re**pie**ne
rillerigheid	kuldegysninger *fmv*	**koel**le**ghuus**ninger
rugpijn	rygsmerter *fmv*	**rugh**smerter
schaafwond	hudafskrabning *f*	**hoe(**δ**)**auw**skrab**ning
slapeloosheid	søvnløshed *f*	**seuwn**leushee(δ)
spierpijn	muskelsmerter *fmv*	**moes**kels**mer**ter
spit	lumbago *f*, hekseskud *o*	**loom**bâgho, **hêk**seskoe(δ)
tekenbeet	tægebid	**tê**jebieδ
verkoudheid	forkølelse *f*	for**keu**lelse

verstopping	forstoppelse *f*	for**stop**pelse
voedselvergiftiging	madforgiftning *f*	**mâ**(δ)for**ghift**ning
voorhoofdsholteontsteking	pandehulebetændelse *f*	**pân**nehoelebe**tên**nelse
wond	sår *o*	sôr
zonnebrand	skoldning *f*	**skôl**ning
zonnesteek	solstik *o*	**sool**stik

◀ **Dit bot is gebroken/gescheurd/gekneusd**
Denne knogle er brækket/beskadiget
denne **knouw**le er **brêk**ket/be**skâ**di(gh)et

◀ **De spier is gescheurd/losgeraakt/verrekt**
Musklen er beskadiget/løsnet/forstrakt
moesklen êr be**skâ**di(gh)et/**leus**net/for**strakt**

◀ **Dit moet worden ...**
Det skal ...
dee skå ...

gehecht	sys	suus
geopereerd	opereres	ope**ree**res
gespalkt	lægges i skinne	**lægh**ghes ie **skin**ne
ingesmeerd	smøres ind	**smeu**res in
verbonden	forbindes	for**bin**nes
verwijderd	fjernes	**fjêr**nes

BIJ DE APOTHEEK

Zie ook onder 'Drogisterijartikelen' in het hoofdstuk 'Winkelen'.

Is er een apotheek met nachtdienst/weekeinddienst?
Er der et apotek med nattevagt/weekendvagt?
êr dêr et âpo**teek** mê **nât**tewa(gh)t/**wiek**endwa(gh)t

Kunt u dit recept voor mij klaarmaken?
Kan De fremstille medicinen efter denne recept?
kå die **frem**stille medi**cie**nen **êf**ter **den**ne re**cept**

Wanneer kan ik het afhalen?
Hvornår kan jeg hente det?
woornôr kå jêj **hên**te dee

◀ **U kunt erop wachten**
De kan vente på det
die kå **wên**te pô dee

Wilt u een kwitantie uitschrijven?
Vil De skrive en kvittering?
wil die **skrie**we en kwit**tee**ring

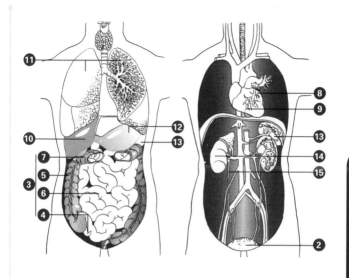

INGEWANDEN

–	**alvleesklier**	bugspytkirtel *f*	**boe(gh)**sput**kier**tel
2	**blaas**	blære *f*	**blê**re
3	**darm**	tarm *f*	tarm
4	**(blinde darm)**	blindtarm *f*	**blint**arm
5	**(dikke darm)**	tyktarm *f*	**tuuk**tarm
6	**(dunne darm)**	tyndtarm *f*	**tun**tarm
7	**galblaas**	galdeblære *f*	**ghâl**le**blê**re
8	**hart**	hjerte *o*	**jêr**te
9	**hartklep**	hjerteklap *f*	**jêr**teklåp
10	**lever**	lever *f*	**lee**wer
11	**long**	lunge *f*	**loong**e
12	**maag**	mavesæk *f*	**mâ**wesêk
13	**milt**	milt *f*	mielt
14	**nier**	nyre *f*	**nuu**re
15	**urineleider**	urinrør *o*	**oe**rien**reur**

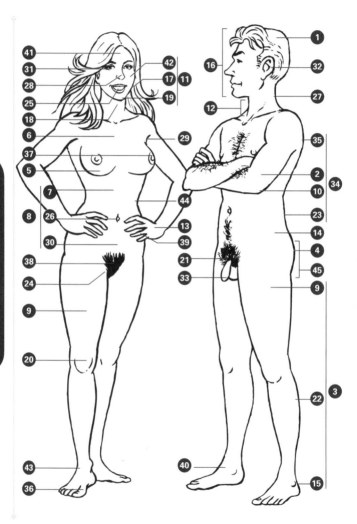

1	achterhoofd	baghoved *o*	**ba(gh)hoo**δ
–	anus	anus	**â**noes
2	arm	arm *f*	arm
3	been	ben *o*	been
4	bil	balde *f*	**bâl**le
5	borst	bryst *o*	brust
6	borst(kas)	bryst *o* (brystkasse *f*)	brust (brust**kâs**se)
7	bovenbuik	mellemgulv *o*	**mel**lem**ghool**
8	buik	mave *f*	**mâ**we
9	dij	lår *o*	lôr
10	elleboog	albue *f*	**âl**boee
11	gezicht	ansigt *o*	**ân**sight
12	hals	hals *f*	hâls
13	hand	hånd *f*	hôn
14	heup	hofte *f*	**hôf**te
15	hiel	hæl *f*	hêl
16	hoofd	hovede *o*	**hoo**δe
17	kaak	kæbe *f*	**kê**be
18	keel	hals *f*, strube *f*	hâls, **stroe**be
19	kin	hage *f*	**hâ**(gh)e
20	knie	knæ *o*	knê
21	kruis	skridt *o*	skrit
22	kuit	læg *f*	lêgh
23	lende	lænd *f*	lên
24	lies	lyske *f*	**luu**ske
25	mond	mund *f*	moon
26	navel	navle *f*	**nauw**le
27	nek	nakke *f*	**nak**ke
28	neus	næse *f*	**nê**se
29	oksel	armhule *f*	arm**hoe**le
30	onderbuik	underliv *o*	**oon**nerliew
31	oog	øje *o*	**ui**e
32	oor	øre *o*	**eu**re
33	penis	penis	**pee**nis
34	rug	ryg *f*	rugh
35	schouder	skulder *f*	**skoel**ler
36	teen	tå *f*	tô
37	tepel	brystvorte *f*	brust**wôr**te
38	vagina	vagina	**wâ**ghienâ
39	vinger	finger *f*	**fing**er
40	voet	fod *f*	foo(δ)

41	voorhoofd	pande *f*	**pân**ne
42	wang	kind *f*	kin
43	wreef	vrist *f*	wrist
44	zij	side *f*	**sie**ðe
45	zitvlak	ende *f*	**ên**ne

BEENDEREN, GEWRICHTEN, SPIEREN, ORGANEN

achillespees	akillessene *f*	å**kil**les**see**ne
bekken	bækken *o*	**bêk**ken
bilspier	sædemuskel *f*	**sê**ðemoeskel
borstkas	brystkasse *f*	**brust**kåsse
bovenarm	overarm *f*	**ouw**erarm
buikspier	bugmuskel *f*	**boe(gh)**moeskel
dijbeen	lårben *o*	**lôr**been
enkel	enkel	ankel
halswervel	halshvirvel *f*	håls**wier**wel
knieschijf	knæskal *f*	**knê**skål
kuitspier	lægmuskel *f*	**lêgh**moeskel
jukbeen	kindben *o*	**kin**been
kuitbeen	lægben *o*	**lêgh**been
middenhandsbeentje	mellemhåndsknogle *f*	**mell**emhôns**knouw**le
middenvoetsbeentje	mellemfodsknogle *f*	**mell**emfooôs**knouw**le
neusbeen	næseben *o*	**nê**sebeen
neusholte	næsehule *f*	**nê**se**hoe**le
rib	ribben *o*	rib**been**
rugspier	rygmuskel *f*	**rugh**moeskel
schedel	hjerneskal *f*	**jêr**neskål
scheenbeen	skinneben *o*	**skin**nebeen
schouderblad	skulderblad *o*	**skoel**lerblå(ð)
sleutelbeen	nøgleben *o*	**nui**lebeen
slokdarm	spiserør *o*	**spie**sereur
spier(stelsel)	muskel *f*, muskulatur *f*	**moes**kel, **moes**koela**toer**
teen(kootje)	tå *f* (led *o*)	tô (lee(ð))
tong	tunge *f*	**toong**e
trommelvlies	trommehinde *f*	**trôm**mehin**ne**
vinger(kootje)	finger *f* (led *o*)	**fing**er (lee(ð))
wervelkolom	hvirvelsøjle *f*	**wier**welsuile

◀ **U wordt hier opgenomen op de afdeling ...**
De bliver indlagt på afdelingen ...
die blier **in**la(gh)t pô **auw**deelingen ...

◀ **U wordt poliklinisch behandeld**
De bliver behandlet poliklinisk (ambulant)
die blier be**hân**let poli**klie**nisk (amboe**lânt**)

◀ **U moet waarschijnlijk .. dagen blijven**
De skal sandsynligvis blive her ... dage
die skå sân**suun**liewies blie hêr ... **dâ(gh)**e

◀ **U wordt ... geopereerd**
De bliver... opereret
die blier ... ope**ree**ret

◀ **U blijft alleen voor onderzoek**
De skal kun blive her for undersøgelse
die skå koen blie hêr for **oon**ner**seu**(gh)else

◀ **U mag ... weer het ziekenhuis verlaten**
De må forlade sygehuset igen ...
die mô for**lâ**ôe suu(gh)e**hoe**set ie**ghen** ...

◀ **U mag naar Nederland/België worden vervoerd**
De må gerne befordres til Holland/Belgien
die mô **ghêr**ne be**for**dres til **Hôl**lan/**Bel**ghieen

Wanneer is het bezoekuur?
Hvornår er der besøgstid?
woor**nôr** êr der beseu(gh)stie(δ)

Mogen kinderen meekomen?
Må der komme børn med?
mô dêr **kom**me beurn mê(δ)

◀ **De patiënt mag geen bezoek ontvangen**
Patienten må ikke få besøg
på**sjen**ten mô **ik**ke fô be**seu(gh)**

OPSCHRIFTEN

KAN MEDFØRE DØSIGHED	DIT MIDDEL BEÏNVLOEDT
HVORFOR FORSIGTIGHED	DE RIJVAARDIGHEID
TILRÅDES VED BILKØRSEL	
OPBEVARES UTILGÆNGELIGT FOR BØRN	BUITEN BEREIK VAN KINDEREN HOUDEN
IKKE TIL INDVORTES BRUG	NIET OM IN TE NEMEN

MEDISCHE HULP

DEENSE SPREEKWOORDEN EN GEZEGDEN

At male byen rød
De stad rood verven
De bloemetjes buiten zetten

At trække torsk i land
Kabeljauw op het land trekken
Bomen zagen (snurken)

At have en sød tand
Een zoete tand hebben
Een zoetekauw zijn

Rønnebærrene er sure, sagde ræven
De lijsterbessen zijn zuur, zei de vos
De druiven zijn zuur, zei de vos

At gå i fisk
In de vis lopen
In de soep lopen

At have en ræv bag øret
Een vos achter het oor hebben
Ze achter de ellebogen hebben

At være en rigtig landkrabbe
Een echte landkrab zijn
Een echte landrot zijn

Ikke have en rød reje
Geen rode garnaal hebben
Geen rode cent hebben

Det regner skomagerdrenge
Het regent schoenmakersknechten
Het regent pijpenstelen

Livet er ikke lutter lagkage.
Het leven is niet enkel een slagroomtaart.
Het leven is niet enkel rozengeur en maneschijn.

De er pot og pande
Ze zijn pot en koekenpan
Het is koek en ei tussen hen

At få en appelsin i sin turban
Een sinaasappel in je tulband krijgen
Iets in de schoot geworpen krijgen

At snøre nogen
Een strik op iemand vastmaken
Iemand in de maling nemen

At gå til makronerne
Naar de kokosmakronen gaan
Zich uit de naad werken

Det er skønne spildte kræfter
Dat zijn mooie verspilde krachten
Dat is snoeken op zolder zoeken

At være på den grønne gren
Op de groene tak zitten
Boven Jan zijn

At være i en slem kattepine
In een kattenpijn zitten
In de klem zitten

At være en hund i et spil kegler
Een hond in een kegelspel zijn
Een vreemde eend in de bijt zijn

At få gåsehud
Ganzenhuid krijgen
Kippenvel krijgen

Bank, post, telefoon, internet

BIJ DE BANK

Waar kan ik een bank vinden?
Hvor er der en bank?
woor êr dêr en bank

Waar kan ik een geldautomaat vinden?
Hvor kan jeg finde en pengeautomat?
woor kâ jêj **fin**ne en **pê**ngeautoo**mât**

Wilt u deze euro's voor mij wisselen?
Vil De veksle disse euro for mig?
wil die **veks**le **dies**se **euw**roo for mêj

Wat is de wisselkoers?
Hvad er vekselkursen?
wâ êr **wêk**sel**koer**senwoor

DEENS GELD

De nationale munteenheid van Denemarken is de krone (afgekort als kr., DKr. of – in het internationale bankverkeer – DKK). Er circuleren munten van 25 en 50 øre en 1, 2, 5, 10 en 20 kroner en bankbiljetten van 50, 100, 500 en 1000 kroner. De al sinds tientallen jaren in omloop zijnde bankbiljetten worden momenteel in fasen vervangen door nieuw papiergeld.
Meer informatie over geldzaken vindt u op <u>www.anwb.nl</u>

◄ **Mag ik uw paspoort/bankpas zien?**
Må jeg se Deres pas/bankkort?
mô jêj **see** dêres **pås**/**bank**koort

◄ **Wilt u hier tekenen?**
Vil De underskrive her?
wil die **oon**nerskriewe hêr

Waar moet ik tekenen?
Hvor skal jeg underskrive?
woor skå jêj **oon**nerskriewe

bankbiljetten	pengesedler *fmv*	**pêng**esê**ô**ler
bankprovisie	bankprovision *f*	bankprowie**sjoon**
bedrag	beløb *o*	be**leub**
contant geld	kontanter *mv*	kon**tân**ter
creditcard	kreditkort *o*	kre**diet**kort
dagkoers	dagskurs *f*	da(gh)s**koers**
Deense kronen	danske kroner *fmv*	**dân**ske **kroo**ner
deviezen	valuta *f*	wâ**loe**ta
effecten	effekter *fmv*	ê**ffek**ter
formulier	formular, blanket *f*	formoe**laar**, blan**ket**
geldautomaat	pengeautomat *f*	**pêng**eauto**mât**
kasbewijs, kwitantie	bon, kvittering *f*	bong, kwit**tee**ring
kleingeld	småpenge *mv*	**smô**pênge
legitimatie	legitimation *f*	leghitimâ**sjoon**
loket	kasse *f*	**kâs**se
munten	mønter *fmv*	**mun**ter
openingstijden	åbningstider *fmv*	**ôb**nings**tie**ôer
opnemen	hæve	**hê**we
overmaken	overføre	**ouwer**feure
overschrijvingsformulier	overføringsblanket *f*	**ouwer**feuringsblân**ket**
pinnen	hæve penge	**hê**we **pên**ge
pinpas	kreditkort	kree**diet**koort
reischeques	rejsecheck *fmv*	**rêj**secheck
rekening-courant	betalingskonto *f*	be**tâ**lings**kon**to
spaarrekening	sparekonto *f*	**spâ**re**kon**to
storten	indbetale	inbe**tâ**le
wisselkoers	vekselkurs *f*	**wêk**selkoers

OPSCHRIFTEN	
VEKSLING AF VALUTA	GELD WISSELEN
KASSE	KAS
INFORMATION/OPLYSNINGER	INLICHTINGEN
LÅN/KREDIT	LENINGEN/KREDIETEN
UDBETALING	UITBETALINGEN

Waar is het postkantoor?
Hvor er posthuset?
woor êr **pôst**hoeset

Waar is een brievenbus?
Hvor er der en postkasse?
woor êr dêr en **pôst**kâsse

Hoeveel kan ik opnemen?
Hvor meget kan jeg hæve?
woor **mê**jet kå jêj **hê**we

Kan ik ook een lager bedrag invullen?
Kan jeg også udfylde et lavere beløb?
kå jêj **os**se **oe**(ð)fuulle et **lâ**were be**leub**

Hoeveel moet er op een brief/ansichtkaart naar Nederland/België?
Hvor meget skal der på et brev/et postkort til Holland/Belgien?
woor **mê**jet skå dêr pô et breew/et **pôst**kort til **Hôl**lan/**Bêl**ghieen

Hebt u ook bijzondere postzegels?
Har De også specielle frimærker?
har die **os**se spes**jel**le **frie**mêrker

Drie zegels van 3,75 kronen alstublieft
Tre frimærker på tre kroner femoghalvfjerds
tree **frie**mêrker pô tree **kroo**ner **fêm**ouwhål**fjêrs**

Ik wil graag deze serie
Jeg vil gerne have denne serie
jêj wil **ghêr**ne hå **den**ne **see**rie

◄ Wilt u dit formulier invullen?
Vil De udfylde denne blanket?
wil die **oe**(ð)fuulle **den**ne blan**ket**

Hiervoor moet u bij het hoofdpostkantoor zijn
Til det skal De hen på hovedpostkontoret
til **di** skå die **hin** pô **hoo**weðpostkon**too**ret

OPSCHRIFTEN	
ANBEFALEDE BREVE	AANGETEKENDE STUKKEN
FILATELI	FILATELIE
KASSE	KAS
INFORMATION, OPLYSNINGER	INLICHTINGEN
POSTE RESTANTE	POSTE RESTANTE
POSTPAKKER	POSTPAKKETTEN
GIROBANK	POSTSPAARBANK
TELEFON	TELEFOON
UDBETALING	UITBETALINGEN

aangetekend	anbefalet	**ân**be**fâl**et
afzender	afsender *f*	**auw**sênner
ansichtkaart	postkort *o*	**pôst**kort
brief	brev *o*	breew
briefkaart	brevkort *o*	**brew**kort
brievenbus	postkasse *f*	**pôst**kåsse
drukwerk	tryksag *f*	**truk**så(gh)
exprespost/priority	eksprespost/priority	êks**pras**post/prê**jo**ritie
geadresseerde	adressaten *f*	**â**dress**â**ten
kosten ontvanger	betales af modtageren	be**tâl**es å **moo**ôtå(gh)eren
lichting	tømning *f*	**teum**ning
luchtpost	luftpost *f*	**looft**pôst
monster zonder waarde	vareprøve	**wa**re**preu**we
ontvangstbevestiging	modtagelsesbevis *o*	**moo**ôtå(gh)elsesbe**wies**
openingstijden	åbningstider *fmv*	**ôb**ning**stie**ðer
pakket	pakke *f*	**pak**ke
pakketpost	pakkepost	**pak**kepôst
postbus	postboks *f*	**pôst**boks
postcode	postnummer *o*	**pôst**noommer
postzegel	frimærke *o*	**frie**mêrke
postzegelautomaat	frimærkeautomat *f*	**frie**mêrkeauto**mât**

TELEFONEREN

Waar kan ik telefoneren?
Hvor kan jeg telefonere?
woor kå jêj telefo**nee**re

Waar is een telefooncel?
Hvor er der en telefonboks?
woor êr dêr en tele**foon**boks

Ik wil een gesprek met Nederland/België voeren
Jeg vil gerne have en samtale med Holland/Belgien
jêj wil **ghêr**ne hå en **sam**tåle mêð **Hôl**lân/**Bel**ghieen

Weet u het internationaal toegangsnummer/landnummer/kengetal?
Ved De det internationale udlandspræfiks/retningsnummer/områdenummer?
weeð die dee **in**ternasjo**nâl**e **oe**(ð)lânsprê**fiks**/**ret**nings**noom**mer/**ôm**rôðe**noom**mer

Hoeveel kost het gesprek per minuut?
Hvad koster samtalen pr. minut?
wå **kôs**ter **sam**tålen per mie**noet**

Hoeveel ben ik u schuldig?
Hvor meget er det?
woor **mê**jet êr dee

De lijn is bezet/overbelast
Linien er optaget/overbelastet
linjen êr **ôp**tået/**ouwer**be**lå**stet

De verbinding is slecht/verbroken
Forbindelsen er dårlig/afbrudt
for**bin**nelsen êr **dôr**li/**auw**broet

Kan ik met de heer/mevrouw Pedersen spreken?
Må jeg tale med hr./fru Pedersen?
mô jêj **tå**le mê(δ) her/froe **Pe**dersenet

◄ **Ik verbind u door**
Jeg stiller om
jêj **stil**ler om

◄ **Hij/zij is niet aanwezig**
Han/hun er ikke tilstede
hân/hoen êr **ik**ke til**ste**δe

Kan hij/zij mij terugbellen?
Kan han/hun ringe tilbage?
kån hân/hoen ringe til**bå**(gh)e

Kan ik hier bellen met een creditcard?
Kan jeg ringe her med kreditkort?
kå jêj **rin**ge hêr meδ kree**diet**koort

Ik krijg geen verbinding
Jeg får ikke forbindelse
jêj fôr **ik**ke for**bin**nelse

Ik krijg geen gehoor
Nummeret svarer ikke
noommeret **swå**rer **ik**ke

◄ **Blijft u aan de lijn**
Bliv ved telefonen
bliew wee(δ) tele**foo**nen

◄ **Een moment a.u.b.**
Et øjeblik
it **uie**blik

abonneenummer	abonnentnummer *o*	**å**bon**nent**noommer
automatisch	automatisk	auwto**mâ**tisk
beltegoed	taletid	**tå**letieδ
bezet	optaget	**op**tået
centrale	central *f*	cen**traal**
collectcall	modtageren betaler samtalen	**mo**δtåjeren be**tå**ler **sam**tålen
defect	defekt	de**fekt**

gesprek	samtale *f*	**sam**tåle
interlokaal	interlokal	in**terlokål**
internationaal	international	in**ternåsjonål**
inwerpen	indkaste	**in**kåste
netnummer	områdenummer *o*	om**rôde**noommer
lokaal	lokal	lo**kål**
mobiele telefoon	mobiltelefon	moo**biel**teelefoon
munten	mønter *fmv*	**meun**ter
opbellen	ringe op	**ring**e op
opwaarderen	lade op	**lâ**ðe op
prepaidkaart	taletidskort	**tâ**letieðs**koort**
provider	provider	pro**wêj**der
simkaart	simkort	**sim**koort
sms'en	sms'e	ês**êm**ês**se**
telefoonboek	telefonbog *f*	tele**foon**bô(gh)
telefooncel	telefonboks *f*	tele**foon**boks
telefoonkaart	telefonkort	teele**foon**koort
wappen	wappe	**wap**pe

HET DEENSE TELEFOONALFABET

A	Anna	P	Peter
B	Bernhard	Q	Quintus
C	Cecilie	R	Rasmus
D	David	S	Søren
E	Erik	T	Theodor
F	Frederik	U	Ulla
G	Georg	V	Viggo
H	Hans	W	William
I	Ida	X	Xerxes
J	Johan	Y	Yrsa
K	Karen	Z	Zacharias
L	Ludvig	Æ	Ægir
M	Marie	Ø	Øresund
N	Nikolaj	Å	Åse
O	Odin		

N.B.: De Nederlandse combinatie ij wordt altijd gespeld als i + j

Waar vind ik een internetcafé?
Hvor finder jeg en internetcafé?
woor **fin**ner jêj een **in**ternêtkafee

Hoeveel kost het?
Hvor meget koster det?
woor **mê**jet **kos**ter di

◀ **Internetten kost ... per (half) uur**
Surfe på Internettet koster ... pr. (halve) time
surfe på **in**ternêttet **kos**ter ... pêr (**hâl**we) **tie**me

Het lukt niet om in te loggen
Det lykkes mig ikke at logge ind
di **luk**kes mêj **ik**ke åt **lo**ghe in

Ik wil graag een paar pagina's uitprinten
Jeg vil gerne printe et par sider ud
jêj wil **ghêr**ne **prin**te it paar **sie**ðer oeð

De pc is vastgelopen
Pc'en er kørt fast
pee**see**-en êr keurt **fâst**

Ik denk dat er een virus in deze computer zit
Jeg tror at der er en virus i denne computer
jêj troor åt dêr êr een **wie**roes ie **den**ne kom**pjoe**ter

Het geluid doet het niet
Lyden virker ikke
luuðen **wier**ker **ik**ke

◀ **Je mag hier niets downloaden**
Her må man ikke downloade noget
hêr mô mån **ik**ke **douwn**lôde **noo**-et

Kan ik hier een cd'tje branden?
Kan jeg brænde en cd her?
kå jêj **brên**ne een see**dee** hêr

Kan ik op deze computer ook videobeelden bekijken?
Kan jeg også se videobilleder på denne computer?
kå jêj **os**se see **wie**dee-oobielleðer på **den**ne kom**pjoe**ter

chatten	chatte	**tsjât**te
e-mailen	e-maile	**ie**meele
gebruikersnaam	brugernavn	**broe**-ernauwn
homepage	hjemmeside	**jêm**mesieðe
routeplanner	ruteplanlægger	**roe**teplânlêghgher
wachtwoord	kodeord	**koo**ðe-oor
website	website	**wêb**sêjt
WiFi	WiFi	**wêj**fêj
WLAN (draadloos internet)	WLAN (trådløst internet)	**wee**lân (**trôð**leust **in**ternêt)

AAN HET STRAND, IN HET ZWEMBAD

Hoe ver is het naar het strand/zwembad?
Hvor langt er der til stranden/svømmehallen?
woor lângt êr dêr til **strân**nen/**sweum**me**hâl**len

Mag hier worden gezwommen?
Er det tilladt at bade her?
êr dee **til**lât ât **bâ**ðe hêr

◀ U mag hier niet zwemmen
De må ikke bade her
die mô **ik**ke **bâ**ðe hêr

Is er een gevaarlijke stroming?
Er strømmen farlig?
êr streumme **far**lie

Loopt het strand steil af?
Er stranden stærkt skrånende?
êr **strân**nen stêrkt **skrô**nenne

Hoe diep is het hier?
Hvor dybt er der her?
woor duubt êr dêr hêr

Hoe warm is het water?
Hvor varmt er vandet?
woor warmt êr **wân**net

Is het hier gevaarlijk voor kinderen?
Er det farligt for børn her?
êr dee **far**liet for beurn hêr

Is er toezicht?
Er der opsyn?
êr dêr **op**suun

De zee is kalm/woelig
Havet er roligt/uroligt
hâwet êr **roo**liet/**oeroo**liet

Er zijn hoge golven
Der er store bølger
dêr êr **stoo**re **beul**(gh)er

Er komt storm
Vi får storm
wie fôr storm

Mogen hier honden komen?
Må der komme hunde her?
mô dêr **kom**me **hoen**ne hêr

Ik kan niet zwemmen
Jeg kan ikke svømme
jêj kâ **ik**ke **sweum**me

Het water is mij te koud
Jeg synes, vandet er for koldt
jêj **suu**nes, **wân**net êr for kôlt

Hoeveel is de entree voor twee volwassenen en een kind?
Hvad er billetprisen for to voksne og et barn?
wâ êr bil**letprie**sen for too **woks**ne ouw et barn

Twee kaartjes a.u.b.
Må jeg bede om to billetter
mô jij bee om too bil**let**ter

Een kinderkaartje a.u.b.
Må jeg bede om en børnebillet
mô jij bee om en **beur**nebil**let**

Is hier een kinderbadje?
Er der et børnebad her?
êr dêr et **beur**nebåð hêr

Is het zwembad overdekt/onoverdekt/verwarmd?
Er badeanstalten overdækket/ikke overdækket/opvarmet?
êr **bâ**ðeânstâlten **ouwer**dêkket/**ik**ke **ouwer**dêkket/**op**warmet

Ik wil graag ... huren
Jeg vil gerne leje ...
jêj wil **gher**ne **lêj**e ...

een ligstoel	en liggestol	en **ligh**ghestool
een luchtbed	en luftmadras	en **looft**mâdras
een parasol	en parasol	en para**sol**
een waterfiets	en vandcykel	en **wâns**uukel
een windscherm	en vindskærm	en **win**skêrm

Wat kost dat per uur?
Hvad koster det pr. time?
wå **kôs**ter dee per **tie**me

Kunt u even op mijn spullen letten?
Vil De godt lige passe på mine ting?
wil die gôt **li**eje **pâs**se pô **mie**ne ting

badhanddoek	badehåndklæde o	**bâ**ðehônklêðe
badmeester	bademester f	**bâ**ðemêster
badmuts	badehætte f	**bâ**ðehêtte
(eendelig) badpak	badedragt f	**bâ**ðedra(gh)t
bikini	bikini f	bi**ki**ni
branding	brænding f	**brên**ning
douches	brusebad o	**broe**sebâ(ð)
eb	ebbe	**êb**be
fijn zand	fint sand o	fient sån
golfslagbad	bølgebad o	**beul**(gh)ebâ(ð)
kiezelstrand	rallet strand f	**ral**let strån
kwal	brandmand	**bran**mån
omkleedcabines	omklædningskabiner fmv	**om**klêðningskâ**bie**ner
openluchtbad	friluftsbad o	**frie**looftsbâ(ð)
reddingsbrigade	redningskorps o	**ree**ðningskorps
schelpen	muslingeskaller fmv	**moes**linge**skål**ler
stenig strand	stenet strand f	**stee**net strån
strandwandeling	spadseretur f langs stranden	spå**see**retoer langs **strån**nen
vloed	flod	flôð
waterglijbaan	vandglidebane f	**wân**ghglieðe**bâ**ne
watertemperatuur	vandtemperatur f	**wân**tempera**toer**

128

windscherm	læskærm	**lee**skêrm
zandstrand	sandstrand *f*	**sân**strân
zwembroek	badebukser *mv*	**bâ**ðebookser

OPSCHRIFTEN	
BADESTRAND	STRAND
GRATIS ADGANG	VRIJ TOEGANKELIJK
BADNING FORBUDT	ZWEMMEN VERBODEN
FARLIG STRØM	GEVAARLIJKE STROMING
SVØMMEHAL/BADEANSTALT	ZWEMBAD
BADEMESTER	BADMEESTER
OMKLÆDNINGSKABINER	OMKLEEDCABINES
TOILETTER	TOILETTEN
BRUSEBAD	DOUCHES
DAMER	DAMES
HERRER	HEREN
FORBUDT FOR HUNDE	HONDEN NIET TOEGELATEN
BØRNEBAD	KINDERBAD
NUDISTSTRAND	NATURISTENSTRAND

WATERSPORT

Kan ik ... huren?
Kan jeg leje ...
kâ jêj **lej**e ...

duikspullen	dykkerudstyr *o*	**duk**keroe(ð)stuur
een motorboot	en motorbåd	en **moo**torbô(ð)
een roeiboot	en robåd	en **roo**bô(ð)
een surfplank	et surfbræt	et **surf**brêt
waterski's	vandski *fmv*	**wân**skie
een zeilboot	en sejlbåd	en **sejl**bô(ð)

brandingsurfen	surfriding *f*	**surf**raiding
canyoning	canyoning	**kân**juning
duiken	dykke	**duk**ke
flyboarden	stå på flyboard	stô pô **flêj**boord
kanovaren	kanosejlads *f*	**kâ**nosejlâs
kitesurfen	kitesurfe	**kêjt**surfe
motorbootvaren	motorbådssejlads *f*	**moo**torbôôssejlâs
roeien	roning *f*	**roo**ning

129

parasailen	parasejle	**pa**rasêjle
plankzeilen (windsurfen)	windsurfing f	**wind**surfing
raften	rafte	**raaf**te
snorkelen	snorkle	**snork**le
wakeboarden	wakeboarde	**week**bôrde
waterscooter	vandscooter	**wân**skoeter
waterskiën	vandskisport f	**wân**skiesport
zeilen	sejle	**sêj**le

Is hier een jachthaven?
Er er en lystbådehavn her?
êr dêr en **lust**bôôe**hauwn** hêr

Waar is het havenkantoor?
Hvor er havnekontoret?
woor êr **hauw**nekon**too**ret

Wat kost hier een ligplaats?
Hvad koster en liggeplads her?
wâ **kô**ster en **ligh**ghe**plâs** hêr

Mag hier gedoken worden?
Er det tilladt at dykke her?
êr dee **til**låt åt **duk**ke hêr

Is daar een vergunning voor nodig?
Skal man have tilladelse til det?
skå mân hå **til**lâôelse til dee

Is hier een zeilschool?
Er der her en sejlskole?
êr dêr hêr een **sêjl**skoole

Wat kost een les?
Hvad koster en time?
wå **ko**ster en **tie**me

boei	bøje f	**bui**e
buitenboordmotor	påhængsmotor f	**pô**hêngs**moo**tor
catamaran	katamaran	kâtâma**raan**
decompressiekamer	dekompressionstank f	**dee**kompress**joons**tank
duikbril	dykkerbriller fmv	**duk**ker**bril**ler
flippers	svømmefødder	**swum**mefuôôer
havenmeester	havnemester f	**hauw**nemê**ster**
ligplaats	liggeplads f	**ligh**ghe**plâs**
peddels	pagajer fmv	på**ghaj**er
reddingsboei	redningsbælte o	**re**(ð)nings**bêl**te
roeiboot	robåd f	**roo**bô(ð)
roeiriemen	årer fmv	**ô**rer
snorkel	snorkel f	**snor**kel
speedboot	speedbåd f	**spied**bô(ð)
steiger	anløbsbro f	**ân**leubs**broo**
zeilboot	sejlbåd f	**sejl**bô(ð)
zuurstoffles	iltflaske f	ielt**flâ**ske
zwemvest	redningsvest f	**ree**(ð)ningswest

PAARDRIJDEN

Is hier een manege/rijschool?
Er der en ridebane/rideskole her?
êr dêr en **rie**ðebâne/**rie**ðeskoole hêr

Kan ik een paard/pony huren?
Kan jeg leje en hest/pony?
kâ jêj **lêje** en hêst/**pon**nie

Kunnen kinderen hier les krijgen?
Kan børn få undervisning her?
kâ beurn fô **oon**ner**wies**ning hêr

Wat kost de huur/les per uur?
Hvor meget er lejen/undervisningen pr. time?
woor **mej**et êr **lêj**en/**oon**ner**wies**ningen per **tie**me

Ik kan nog niet paardrijden
Jeg kan ikke ride endnu
jêj kâ **ik**ke **rie**ðe ennoe

Het paard is mij te wild
Jeg synes, hesten er for vild
jêj **suu**nes, **hêst**en êr for wiel

EEN FIETS HUREN

Waar kan ik een fiets huren?
Hvor kan jeg leje en cykel?
woor kâ jêj **lêje** en **suu**kel

Wat kost dit per dag/uur?
Hvad koster det pr. dag/time?
wå **kos**ter dee per då/**tie**me

◀ **U moet een borgsom betalen**
De skal betale et depositum
die skå be**tâle** et de**poo**si**toom**

◀ **Kunt u zich legitimeren?**
Kan De legitimere Dem?
kâ die leghiti**mee**re dêm

Ik wil een fiets met (3) versnellingen
Jeg vil gerne have en cykel med (3) gear
jêj wil **ghêr**ne hâ een **suu**kel með (tree) gier

Kan de fiets op slot?
Kan cyklen låses?
kâ **suuk**len **lô**ses

Wilt u het zadel voor mij afstellen?
Vil De indstille sadlen for mig?
wil die **in**stille **sâ**ðlen for mêj

Het staat te hoog/te laag
Den er for høj/for lav
den êr for hui/for lâw

crossfiets	crosscykel	**kros**suukel
damesfiets	damecykel f	**dâ**me**suu**kel
elektrische fiets	el-cykel	**êl**-suukel
fietshelm	cykelhjelm	**suu**keljelm
fietspomp	cykelpumpe	**suu**kelpompe
fietsverhuur	cykeludlejning f	**suu**keloe(ð)lejning
herenfiets	herrecykel f	**her**re**suu**kel
kabelslot	kabellås f	**kâ**bellôs
kinderfiets	børnecykel f	**beurne**suukel
kinderzitje	barnestol f, cykelstol f	**barne**stool, **suu**kelstool

131

mountainbike	mountainbike	**maun**tenbêjk
ringslot	ringlås f	**ring**lôs
tandem	tandem f	**tân**deem

Zie ook onder 'Onderdelen van de fiets' op blz. 57.

Hebt u informatie over fietsroutes?   **Hebt u een fietskaart?**
Har De information om cykelruter?   Har De et cykelkort?
har die informå**sjoon** om **suu**kel**roe**ter   har die et **suu**kelkort

WANDELEN / KLIMMEN

abseilen	glide ned	**ghlie**ðe neeð
(af)dalen	gå/stige ned	ghô **nee**ð
bergbeek	bjergbæk	**bjêrw**bêk
berghut	bjerghytte	**bjêrw**huutte
bergtop	bjergtop	**bjêrw**top
bergklimmen	bjergklatring	**bjêrw**klâtring
dal	dal	dål
gletsjer	gletsjer	**ghlêt**sjer
gids	guide	gêjd
markering	markering	mar**kee**ring
klimhal	klatrehal	**klâ**trehål
klimmen	klatre	**klâ**tre
kloof	kløft	kluft
stijgen	stige (op)	**stie**je (**op**)
rotsen	klipper	**klip**per
route	rute	**roe**te
rugzak	rygsæk	**ruugh**sêk
stijgijzers	pløkker	**pluk**ker
uitzichtpunt	udsigtspunkt	**oe**ðsiktspoenkt
wandelpad	vandresti	**wan**drestie
wandelschoenen	vandrestøvler	**wan**dresteuwler

GOLF

buggy	buggy	**bugh**ghie
club	kølle	**kul**le
golfbaan	golfbane	**gholf**bâne
green fee	green	ghrien
handicap	handicap	**hân**dikâp
holes	huller	**hoel**ler
parcours	bane	**bâ**ne
trolley	trolley	**trol**lie

Is er vandaag een leuke wedstrijd?
Er der en god kamp i dag?
êr dêr en ghoo kamp ie dâ

Hoe laat begint het?
Hvornår begynder den?
woor**nôr** be**ghun**ner den

Een zitplaats/staanplaats a.u.b.
Må jeg bede om en siddeplads/ståplads
mô jêj bee om en **si**ð ðe plås/**stô**plås

buitenspel	offside	off**sajd**
doel	mål *o*	môl
doelpunt	mål *o*	môl
gele kaart	gult kort *o*	ghoelt kort
gelijk spel	uafgjort kamp *f*	**oe**auwghjoort kamp
grensrechter	linievogter *f*	**lin**jewo(gh)ter
hoekschop	hjørnespark *o*	**jeur**nespark
keeper	målmand *f*	môl**mân**
lijnrechter	liniedommer *f*	**lin**jedommer
middenveldspeler	midtbanespiller *f*	**mitbâne**spiller
nederlaag	nederlag *o*	**nee**ðerlâ(gh)
overwinning	sejr *f*	sêjer
pauze	pause *f*	**pauw**se
rode kaart	rødt kort *o*	reut kort
scheidsrechter	dommer *f*	**dôm**mer
speelhelft	halvleg *f*	**hâl**lej
spits	angreb *o*	**ân**ghreeb
strafschop	straffespark *o*	**straf**fespark
verdediging	forsvar *o*	**for**swar
verlenging	forlængelse *f*	forl**êng**else
voetbalstadion	fodboldstadiet *f*	foo ð bôl**stâ**dieet
vrije schop	frispark *o*	**frie**spark
wedstrijd	kamp *f*	kamp

Waar is de/het ...?
Hvor er ...?
woor êr ...

klimhal	klatrehal	**klâ**trehâl
sporthal	idrætshallen *f*	**ie**drêts**hâl**len
sportpark	idrætsparken *f*	**ie**drêts**par**ken
tennisbaan	tennisbanen *f*	**ten**nis**bâ**nen

aerobics	aerobic	ee**ro**bik
atletiek	atletik *f*	âtle**tiek**
autosport	bilsport *f*	**biel**sport
badminton	badminton	**bed**minton
basketbal	basketball	**ba**sketbôl
biljarten	billard	**bil**jard
boksen	boksning *f*	**boks**ning
bowling	bowling	**bowl**ing
bungyjumpen	springe elastikspring	**spring**e eelâ**stiek**spring
draf- en rensport	trav- og galopsport *f*	trauw- ouw gha**lop**sport
fitness	fitness	**fit**nes
golf	golf	gholf
hockey	hockey	**hôk**kie
inline skaten	skate på inliners	**skee**te pô **in**lêjners
joggen	jogging	**djogh**ghing
judo	judo	**joe**do
karate	karate	kâ**ra**te
motorsport	motorsport *f*	**moo**torsport
paardrijden	ridesport *f*	**rie**δesport
paragliding	paragliding	**pa**raghlêjding
parapente	parapente	**pa**rapênte
roeien	rosport *f*	**roo**sport
schaken	skak *f*	skak
schermen	fægtning *f*	**fê(gh)t**ning
tafeltennis	bordtennis *f*	**boor**tennis
tennis	tennis *f*	**ten**nis
voetbal	fodbold *f*	**foo**(δ)bôl
volleybal	volleyball *f*	**wollie**bôl
wielrennen	cykelsport *f*	**suu**kelsport
zwemmen	svømning *f*	**sweum**ning

ONTSPANNEN

badhuis	bad	bâδ
bubbelbad	boblebad	**bob**lebâδ
massage	massage	mås**sâs**je
sauna	sauna	**sau**nâ
solarium	solarium	soo**laar**ie-om
Turks stoombad	tyrkisk dampbad	**tuur**kiesk **damp**bâδ
wellness	wellness	**wêl**nês

Winkelen

DE WEG VRAGEN

Waar vind ik hier een winkelstraat/supermarkt/winkelcentrum?
Hvor kan jeg finde en butiksgade/et supermarked/et butikscenter?
woor kå jêj **fin**ne en boe**tieks**ghâde/et **soe**permar**ke**(δ)

Hoe laat gaan de wikels hier open/dicht?
Hvornår lukker butikkerne op/lukker butikkerne?
woor**nôr look**ker boe**tiek**kerne ôp/**look**ker boe**tiek**kerne

Is er een middagpaze/koopavond?
Er der en frokostpause/indkøbsaften?
êr dêr en **fro**kôst**pau**se/**in**keubs**âf**ten

Waar vind ik een makt/vlooienmarkt?
Hvor kan jeg finde et torv/loppemarked?
woor kå jêj **fin**ne et tôrw/**lôp**pemar**ke**(δ)

Is er een winkel die op zondag/'s avonds open is?
Er der en butik, der har åbent om søndagen/om aftenen?
êr dêr en boe**tiek**, dêr har **ô**bent om **seun**då(gh)en/om **af**tenen

GESPREKKEN MET HET WINKELPERSONEEL

◄ **Kan ik u ergens mee helpen?**
Er der noget, jeg kan hjælpe Dem med?
êr dêr **nô**et, jêj kå **jêl**pe dêm mê(δ)

Ik kijk zo maar wat rond
Jeg kigger bare lidt rundt
jêj **kiegh**gher **ba**re lit roond

Hebt u voor mij een ...?
Har De en/et ...?
har die en/et ...

Hebt u ook ...?
Har De også ...?
har die **ôs**se ...

◄ **Nee, dat hebben wij niet/dat is helaas uitverkocht**
Nej, det har vi ikke/det er desværre udsolgt
nêj, dee har wie **ik**ke/dee êr des**wêr**re **oe**(δ)sôlt

Hebt u een andere ...?
Har De en anden/et andet ...?
har die en **ân**nen/et **ân**net ...

Wat kost dit/deze?
Hvad koster den/det/disse?
wå **kôs**ter den/dee/**dies**se

NEDERLANDS - DEENS

AANBIEDING	TILBUD
ANTIEK	ANTIKVITETER
APOTHEEK	APOTEK
BAKKERIJ	BAGERI
BANKETBAKKER	KONDITORI
BEDDEGOED/DEKENS	SENGETØJ/DYNER/TÆPPER
BIJOUX	BIJOUTERI
BLOEMEN	BLOMSTER
BOEKEN	BØGER
BOEKHANDEL	BOGHANDEL
BROOD	BRØD
CADEAUARTIKELEN	GAVEARTIKLER
CHEMISCH REINIGEN	KEMISK RENSNING
CURIOSA	TING OG SAGER
DAMESKAPPER	DAMEFRISØR
DAMESKLEDING	DAMETØJ
DELICATESSENHANDEL	VIKTUALIER/DELIKATESSER
DOE HET ZELF	GØR DET SELV
FIETSENMAKER	CYKELSMED
FRUIT	FRUGT
GEOPEND	ÅBEN
GESLOTEN	LUKKET
GLAS	GLAS
GOUD(SMID)	GULD(SMED)
GROENTEHANDEL	GRØNTHANDLER
HANDWERK	HÅNDARBEJDE
HERENKAPPER	HERREFRISØR
HERENKLEDING	HERRETØJ, HERREEKVIPERING
HORLOGER	URMAGER
INGANG	INDGANG
JUWELEN	SMYKKER
KANTOORBOEKHANDEL	KONTORARTIKLER
KAPPER	FRISØR
KINDERKLEDING	BØRNETØJ
KLEERMAKER	SKRÆDDER
KUNSTNIJVERHEID	BRUGSKUNST, KUNSTHÅNDVÆRK

Dat is mij te duur
Det er for dyrt for mig
dee êr for duurt for mêj

Hebt u iets goedkopers?
Har De noget billigere?
har die **nô**et **biel**li(gh)ere

LEDERWAREN	LÆDERVARER
MELKHANDEL	MÆLKEUDSALG
MEUBELS	MØBLER
MUNTEN	MØNTER
OPTICIËN	OPTIKER, BRILLER
OVERHEMDEN	SKJORTER
PAPIERWAREN	PAPIRHANDEL
PORSELEIN	PORCELÆN
POSTZEGELS	FRIMÆRKER
REFORMWINKEL	HELSEBUTIKK
REISARTIKELEN	REJSEARTIKLER
REISBUREAU	REJSEBUREAU
RIJWIELEN	CYKLER
ROMMELMARKT	LOPPEMARKED
ROOKWAREN	TOBAKSHANDEL
SCHOENEN	FODTØJ, SKO
SCHOENMAKER	SKOMAGER
SCHOONHEIDSVERZORGING	SKØNHEDSSALON
SLAGER	SLAGTER
SLIJTERIJ	VINHANDEL, SPIRITUOSA
SPEELGOED	LEGETØJ
STOMERIJ	RENSERI
TWEEDEHANDS ARTIKELEN	MARSKANDISER, BRUGTE TING
TIJDSCHRIFTEN	AVISER OG BLADE
UITGANG	UDGANG
UITVERKOCHT	UDSOLGT
UITVERKOOP	UDSALG
VISHANDEL	FISKEHANDEL
VLEESWAREN	KØD OG PÅLÆG
WARENHUIS	STORMAGASIN
WASSERETTE	MØNTVASK
WERKDAGEN	HVERDAGE
WONINGINRICHTING	BOLIGHUS
WIJNHANDEL	VINHANDEL
IJZERWAREN	ISENKRÆMMER
ZON- EN FEESTDAGEN	SØN- OG HELLIGDAGE

WINKELEN

Dit/deze neem ik
Jeg tager den/det/disse
jêj târ den/dee/**dies**se

Dit/deze past mij niet
Den/det/disse passer ikke
den/dee/**dies**se **pås**ser **ik**ke

137

ANTIKVITETER	ANTIEK
APOTEK	APOTHEEK
AVISER	KRANTEN
BAGERI	BAKKERIJ
BIJOUTERI	BIJOUX
BLADE	TIJDSCHRIFTEN
BLOMSTER	BLOEMEN
BOGHANDEL	BOEKHANDEL
BOLIGHUS	WONINGINRICHTING
BRILLER	OPTICIËN
BRUGSKUNST	KUNSTNIJHERHEID
BRUGTE TING	TWEEDEHANDS ARTIKELEN
BRØD	BROOD
BØGER	BOEKEN
BØRNETØJ	KINDERKLEDING
CYKELSMED	FIETSENMAKER
CYKLER	RIJWIELEN
DAMEFRISØR	DAMESKAPPER
DAMETØJ	DAMESKLEDING
DELIKATESSER	DELICATESSENHANDEL
DYNER	DONZEN DEKENS
DØGNBUTIK	AVONDWINKEL
FISKEHANDEL	VISHANDEL
FODTØJ	SCHOENEN
FRIMÆRKER	POSTZEGELS
FRISØR	KAPPER
FRUGT	FRUIT
GAVEARTIKLER	CADEAUARTIKELEN
GLAS	GLAS
GRØNTHANDLER	GROENTEHANDEL
GULD(SMED)	GOUD(SMID)
GØR DET SELV	DOE HET ZELF
HELSEBUTIKK	REFORMWINKEL
HERREEKVIPERING	HERENKLEDING
HERREFRISØR	HERENKAPPER
HERRETØJ	HERENKLEDING
HVERDAGE	WERKDAGEN
HÅNDARBEJDE	HANDWERK
INDGANG	INGANG

ISENKRÆMMER	IJZERWAREN
KEMISK RENSNING	CHEMISCH REINIGEN
KONDITORI	BANKETBAKKER
KONTORARTIKLER	KANTOORBOEKHANDEL
KØD OG PÅLÆG	VLEESWAREN
LEGETØJ	SPEELGOED
LOPPEMARKED	ROMMELMARKT
LUKKET	GESLOTEN
LÆDERVARER	LEDERWAREN
MARSKANDISER	TWEEDEHANDS ARTIKELEN
MÆLKEUDSALG	MELKHANDEL
MØBLER	MEUBELS
MØNTER	MUNTEN
MØNTVASK	WASSERETTE
OPTIKER	OPTICIËN
PAPIRHANDEL	PAPIERWAREN
PORCELÆN	PORSELEIN
REJSEARTIKLER	REISARTIKELEN
RENSERI	STOMERIJ
SENGETØJ	BEDDENGOED
SKJORTER	OVERHEMDEN
SKO	SCHOENEN
SKOMAGER	SCHOENMAKER
SKRÆDDER	KLEERMAKER
SKØNHEDSSALON	SCHOONHEIDSSPECIALISTE
SLAGTER	SLAGER
SMYKKER	JUWELEN
STORMAGASIN	WARENHUIS
SØN- OG HELLIGDAGE	ZON- EN FEESTDAGEN
TILBUD	AANBIEDING
TING OG SAGER	CURIOSA
TOBAKSHANDEL	ROOKWAREN
TÆPPER	VLOERKLEDEN
UDGANG	UITGANG
UDSALG	UITVERKOOP
UDSOLGT	UITVERKOCHT
VIKTUALIER	DELICATESSENHANDEL
VINHANDEL	WIJNHANDEL
VIN OG SPIRITUOSA	SLIJTERIJ
ÅBEN	GEOPEND

WINKELEN

Hij/Het is te ...
Den/Det er for ...
den/dee êr for ...

breed	bred(t)	bree(δ)/breet
klein	lille	**liel**le
kort	kort	kort
lang	lang(t)	lang(t)
nauw	snæver(t)	**snê**wer(t)
smal	smal(t)	smål(t)
wijd	vid(t)	wie(δ)/wiet

Wilt u het voor me inpakken?
Vil De pakke det ind?
wil die **pâk**ke dee in

Kan dit rechtstreeks naar Nederland/België worden gestuurd?
Kan dette sendes direkte til Holland/Belgien?
kân **det**te **sen**nes **die**rekte til **Hôl**lân/**Bêl**ghieen

Dit is het adres
Her er adressen
hêr êr â**dres**sen

◀ **Nog iets van uw dienst?**
Var der ellers noget?
war dêr **êl**lers **nô**et

Nee dank u, dit was het
Nej tak, det var alt
nêj tak, dee war âlt

◀ **U kunt betalen aan de kassa**
De kan betale ved kassen
die kâ be**tâ**le we(δ) **kâs**sen

◀ **U kunt het binnen 8 dagen ruilen**
De kan bytte det inden 8 dage
die kâ **buut**te dee **in**nen ôte **dâ**(gh)e

◀ **Hebt u hier een rekening?**
Har De en konto her?
har die en **kôn**to hêr

Kan ik pinnen?
Kan jeg betale med bankkort?
kâ jêj be**tâ**le mê(δ) **bank**koort

Kan ik betalen met een bankpas?
Kan jeg betale med mit bankkort?
kâ jêj be**tâ**le mê(δ) miet **bank**koort

Kan ik betalen met een creditcard?
Kan jeg betale med en et kreditkort?
kâ jêj be**tâ**le mê(δ) en et kre**diet**kort

Ik wil dit graag ruilen
Jeg vil gerne bytte dette
jêj wil **ghêr**ne **buut**te **det**te

Hier is de kassabon
Her er bon'en
hêr êr **bông**en

◀ **U kunt dit doen bij de klantenservice**
De kan bytte det ved vores kundeservice
die kâ **buut**te dee wee(δ) **wô**res **koon**ne**seur**wis

Kan ik het geld terugkrijgen?
Kan jeg få pengene tilbage?
kå jij fô **pêng**ene til**bâ**(ghe

◄ **Nee, u krijgt een tegoedbon**
Nej, De får en tilgodeseddel
nêj, die fôr en til**ghoo**ðesêðel

KLEUREN, VARIËTEITEN

Zie de lijst onder 'Kleding en schoenen'.

MATEN, GEWICHTEN, HOEVEELHEDEN

een doos	en æske	en **ê**ske
een blik	en dåse	en **dô**se
een pak	en pakke	en **pak**ke
één stuk	et stykke	et **stuk**ke
een paar	et par	et par
een set	et sæt	et sêt
een fles	en flaske	en **flâ**ske
een rol	en rulle	en **roel**le
een tube	en tube	en **toe**be
een zak	en pose	en **po**se
100 gram (ons)	hundrede gram	**hoen**reð gram
250 gram (half pond)	tohundrede og halvtreds gram (et halvt pund)	**too**hoenred ouw hål**trees** gram (et hålt poen)
500 gram (pond)	femhundrede gram (et pund)	**fêm**hoenreð gram (et poen)
1000 gram (kilo)	tusind gram (et kilo)	**toe**sen gram (et **kie**lo)
liter	liter	**lie**ter
meter	meter	**mee**ter

LEVENSMIDDELEN, GROENTEN, FRUIT, ENZ.

Zie ook hoofdstuk 'Eten en drinken'.

aardappelen	kartofler *fmv*	kar**tôf**ler
abrikozen	abrikoser *fmv*	âbrie**ko**ser
appels	æbler *omv*	**êb**ler
augurken	agurker *fmv*	å**goer**ker
azijn	eddike	**ê**ððike
bananen	bananer *fmv*	bâ**nâ**ner
bier	øl *o*	eul
boter	smør *o*	smur

brood	brød o	breu(δ)
wit brood	franskbrød o	**fransk**breu(δ)
bruin brood	sigtebrød, klidbrød o	**si(gh)te**breu(δ), **klie(δ)**breu(δ)
roggebrood	rugbrød o	**roe(gh)**breu(δ)
broodjes	rundstykke o, horn o, krydder f, birkes o, bolle f	**roon**stukke, hoorn, **kruu**δer, bierkes, **bôl**le
chocolade	chokolade f	sjoko**lâ**δe
conserven	konserves f	kôn**ser**wes
druiven	vindruer fmv	**win**droeer
eieren	æg o	êgh
frambozen	hindbær omv	**hin**bêr
frisdranken	sodavand o	so**dâwân**
gebak	kaffebrød o, konditorkage f	**kâf**febreu(δ), kôn**die**tor**kâ**(gh)e
haantje	kylling f	**kuul**ling
ham	skinke f	**skin**ke
hamburger	hamburger f	**ham**boer(gh)er
ijs	is f	ies
kaas	ost f	ost
kassa	kasse f	**kâs**se
kersen	kirsebær omv	**kier**sebêr
kip	høne f, hønsekød o	**heu**ne, **heun**sekeu(δ)
koek	kage f	**kâ**(gh)e
koekjes	småkager fmv	**smôkâ**(gh)er
koffie	kaffe f	**kâf**fe
oploskoffie	Nescafé, pulverkaffe f	**nês**ca**fee**, **pool**wer**kâf**fe
koffiefilter	kaffefilter	**kaf**fefilter
kruiden	krydderier	kruδδe**rie**-er
kwark	kvark f	kwark
lucifers	tændstikker fmv	**tên**stikker
mayonaise	mayonnaise f	mâjo**nê**se
meel	mel o	meel
(volle) melk	sødmælk f	**seu**(δ)mêlk
karnemelk	kærnemælk f	**kêr**nemêlk
halfvolle melk	letmælk f	**lêt**mêlk
meloen	melon f	me**loon**
watermeloen	vandmelon f	**wân**me**loon**
mineraalwater	mineralvand o	mine**râl**wân
mosterd	sennep f	**sên**nep
scherp/mild	stærk/mild	stêrk/miel
olie	olie	**ool**je
pasta	pasta	**pâ**stâ
peren	pærer fmv	**pê**rer

perzik	fersken *f*	**fêr**sken
plastic zak	plastpose *f*	**plâst**poose
room	fløde *f*	**fleu**ðe
zure room	creme fraiche *f*	krêm frêsj
slagroom	piskefløde *f*	pieske**fleu**ðe
salade	salat *f*	så**lât**
servetten	servietter *fmv*	serwi**jet**ter
sinaasappels	appelsiner *fmv*	âppel**sie**ner
sla	hovedsalat *f*	**hoo**we(ð)så**lât**
snoep	slik *o*	slik
soep	suppe *f*	**soop**pe
suiker	sukker *o*	**sook**ker
thee	te *f*	tee
theezakjes	tebreve *omv*	**tee**breewe
tomaten	tomater *fmv*	to**mât**er
vleeswaren	pålæg *o*	**pôl**ê(gh)
vruchtensap	frugtsaft *f*	**froo(gh)t**såft
winkelwagentje	indkøbsvogn *f*	**in**keubswouwn
wijn	vin *f*	wien
yoghurt	yoghurt *f*	**jogh**oert
zout	salt *o*	sålt

DROGISTERIJARTIKELEN

Zie ook onder 'Kapper', 'Schoonheidssalon' en 'Bij de apotheek'.

Hebt u een middel tegen ... ?
Har De et middel imod ... ?
har die et **mi**ðel iemoo(ð) ...

brandwonden	brandsår *omv*	**bran**sôr
diarree	diarre *f*	die**âr**ree
griep	influenza *f*	infloe**en**sa
hoest	hoste *f*	**hoo**ste
hoofdpijn	hovedpine *f*	**hoo**we(ð)**pie**ne
hooikoorts	høfeber *f*	heu**fee**ber
insectenbeten	insektstik *omv*	in**sêkt**stik
een kater	tømmermænd *fmv*	**tum**mermên
keelpijn	ondt i halsen *f*	oont ie **hâl**sen
koorts	feber *f*	**fee**ber

maag- en darmstoornissen	mave- og
	  tarmforstyrrelser *fmv*
		mâwe- ouw
		  tarmfor**stuurr**elser

oorpijn	ørepine *f*	**eu**re**pie**ne

verkoudheid	forkølelse f	forkeulelse
wagenziekte	køresyge f	keuresuu(gh)e
wondinfectie	sårbetændelse f	sôrbetênnelse
zonnebrand	solskoldning f	soolskôlning

◄ **Dat is alleen verkrijgbaar bij een apotheek/op recept**
Det kan kun fås på et apotek/på recept
dee kå koen fôs pô et âpo**teek**/pô re**cept**

◄ **U kunt beter eerst een arts raadplegen**
De kan bedre først konsultere en læge
die kå **bê**ôre feurst konsoel**te**re en **lê**(gh)e

◄ **Dit mag niet aan kinderen verkocht worden**
Dette må ikke sælges til børn
dette mô **ik**ke **sêl**(gh)es til beurn

◄ **Dit middel beïnvloedt de rijvaardigheid, voorzichtigheid is geboden**
Dette middel kan medføre døsighed, hvorfor forsigtighed tilrådes ved bilkørsel
dette **mi**ðel kå meðfeure **deu**sie(gh)**hee**(ð), woor**for** forsi**(gh)**ti(gh)**hee**(ð) **til**rôðes wee(ð)
bielkeursel

◄ **Dit is giftig/brandbaar/gevaarlijk voor kinderen**
Dette er giftigt/brændbart/farligt for børn
dette êr **ghief**tiet/**brên**bart/**far**liet for beurn

aftershave	barberlotion f, after shave	bar**beer**los**joon**, after shave
beschermingsfactor	beskyttelsesfaktor	be**skuut**telses**fak**tor
borstel	børste f	**beur**ste
condoom	kondom	kon**doom**
deodorant	deodorant f	deo**do**rant
eau de cologne	eau de Cologne f	o de ko**lon**je
fopspeen	narresut f	**nar**resoet
haarborstel	hårbørste f	**hôr**beurste
hoestdrank	hostesaft f	**hoo**stesâft
huidcrème	hudcreme f	**hoe**ðkrêm
jodium	jod f	joo(ð)
kalmeringsmiddel	beroligende middel o	be**roo**lie(gh)enne **mi**ðel
kam	kam f	kâm
kammetje	lommekam f	**lom**me**kâm**
keelpastilles	halstabletter fmv, sugetabletter fmv	**hâls**tâb**let**ter, **soe**(gh)e**tâb**let**ter

koortsthermometer	termometer *o*	**têr**mo**mee**ter
laxeermiddel	afføringsmiddel *o*	**auw**feurings**mi**ðel
lippenstift	læbestift *f*	**lê**bestift
lippenzalf	læbesalve *f*	**lê**be**sâl**we
maandverband	hygiejnebind *o*	huughie**êj**ne**bin**
muggenolie, muggenstick	myggeolie *f*, myggestift *f*	**muugh**ghe**ool**je, **muugh**ghestift
nagelborstel	neglebørste *f*	**nêj**le**beur**ste
nagellak	neglelak *f*	**nêj**lelak
nagelvijl	neglefil *f*	**nêj**lefiel
neusdruppels	næsedråber *fmv*	**nê**se**drô**ber
oogschaduw	mascara *f*	**mâska**ra
oordruppels	øredråber *fmv*	**eu**re**drô**ber
oorwatjes	vatpinde *fmv*	**wât**pinne
papieren zakdoekjes	papirlommetørklæder *omv*	pa**pier**lôm**meteur**kl**ê**ðer
parfum	parfume *f*	par**fuu**me
pijnstiller	smertestillende middel *o*	**smêr**testillenne **mi**ðel
pleisters	plastre *omv*	**plâ**stre
rekverband	elastisk bind *o*	e**lâ**stiesk bin
schaar	saks *f*	saks
scheermesjes	barberblade *omv*	bar**beer**blâðe
scheerkwast	barberkost *f*	bar**beer**koost
scheerzeep	barbersæbe *f*	bar**beer**sêbe
shampoo	shampoo *f*	**sjam**po
slaaptabletten	sovetabletter *fmv*	**souw**e**tâb**letter
speen	sut *f*	soet
spons	svamp *f*	swâmp
sunblock	sunblock	**son**blok
tampons	tamponer *fmv*	tam**pong**er
tandenborstel	tandbørste *f*	**tân**beurste
tandpasta	tandpasta *f*	**tân**pâsta
toiletpapier	toiletpapir *o*	toa**let**pa**pier**
verbandgaas	gazebind *o*	**ghâ**sebin
verbandtrommel	forbindskasse *f*	for**bin**skâsse
vitaminetabletten	vitamintabletter *fmv*	wietâ**mien**tâb**letter**
vlekkenwater	pletmiddel *o*	**plêt**miðel
voorbehoedsmiddel	præservativ *o*	**prê**ser**watiew**
watten	vat *o*	wât
wegwerpluiers	cellstofbleer *fmv*	**cel**stof**blee**er
wondzalf	sårsalve *f*	**sôr**sâlwe
zeep	sæbe *f*	**sê**be
zonnebrandolie	sololie *f*	**soo**lool**je
zuigfles	sutteflaske *f*	**soet**te**flâ**ske

Ik heb het liefst iets in het ...
Jeg vil helst have noget i ...
jêj wil hêlst hå **nô**et ie ...

beige	beige	**bê**sje
blauw	blåt	blôt
bruin	brunt	broent
geel	gult	ghoelt
groen	grønt	ghreunt
grijs	gråt	ghrôt
lila	lilla	**li**lå
oranje	orange	o**rang**sje
rood	rødt	rut
roze	rosa	**roo**sa
wit	hvidt	wiet
zwart	sort	sort
bont	spraglet, kulørt	**spra(gh)**let, koe**leurt**
donkerblauw/lichtblauw	mørkeblåt/lyseblåt	**meur**keblôt/**luu**seblôt

Ik geef de voorkeur aan ...
Jeg foretrækker ...
jêj **fo**retrêkker

een bloemmotief	blomstret	**blom**stret
effen	ensfarvet	**eens**farwet
geruit	ternet	**têr**net
geblokt	ternet	**têr**net
gestippeld	prikket	**prik**ket
gestreept	stribet	**strie**bet

Is dit gemaakt van ...?
Er det lavet af ...?
êr dee **lâ**wet å ...

flanel	flonel	flo**nel**
fluweel	fløjl	fluil
kant (machinaal)	blondestof	**blôn**destof
kant (handwerk)	knipling	**knip**ling
katoen	bomuld	**bôm**oel
kunstleer	kunstlæder, kunstskind	**koonstlê**ðer, **koonst**skin
kunststof	syntetisk stof	suun**tee**tiesk stof
kunstzijde	kunstsilke	**koonst**silke

kunstvezel	kunstfiber	**koonst**fieber
(rund)leer	oksehud, okseskind	**ok**sehoe(δ), **ok**seskin
linnen	lærred	**lêr**re(δ)
nylon	nylon	**naj**lon
ribfluweel	jernbanefløjl	**jêrn**bånefluil
scheerwol	ren uld	reen oel
stretch	strækkeevne/elastisk	**strêk**ke-eewne/eelå**stiek**
vilt	filt	fielt
zijde	silke	**sil**ke

Is dit kleurecht/krimpvrij?
Er det farveægte/krympefri?
êr dee **far**we**êgh**te/**kruum**pefrie

Kan dit worden gestreken/in de machine worden gewassen?
Kan det/den stryges/vaskes i maskine?
kå dee/den **struu**(gh)es/**wå**skes ie må**skie**ne

Mijn maat is...
Min størrelse er ...
mien **steur**relse êr ...

Dit is mij te groot/klein
Den/det er for stor(t)/lille
den/dee êr for stoor(t)/**liel**le

De schoenen knellen hier
Skoene klemmer her
skooene **klêm**mer hêr

Hij valt te nauw/wijd
Den/det er for snæver(t)/vid(t)
den/dee êr for **snê**wer(t)/wie(δ)/wiet

Hebt u een maatje groter/kleiner?
Har De en større/mindre størrelse?
har die en **steur**re/**min**dre **steur**relse

Kan het vermaakt worden?
Kan den/det forandres?
kå den/dee for**an**dres

Wanneer is het klaar?
Hvornår er den/det færdig(t)?
woor**nôr** êr den/dee **fêr**die(gh)(t)

Mag ik het passen?
Må jeg prøve den/det?
mô jêj **preu**we den/dee

Waar is de paskamer?
Hvor er prøveværelset?
woor êr **preu**we**wê**relset

Waar is een spiegel?
Hvor er der et spejl?
woor êr dêr et spêjl

Waar is een schoenmaker?
Hvor er der en skomager?
woor êr dêr en **skoo**må(gh)er

Ik wil nieuwe zolen/hakken
Jeg vil gerne have nye såler/hæle
jêj wil **ghêr**ne hå **nuu**e **sô**ler/**hê**le

147

Kunnen deze schoenen/kan deze schoen worden gerepareerd?
Kan De reparere disse sko/denne sko?
kå die repa**ree**re **die**sse skoo/denne skoo

beha	brystholder f, bh f	**brust**høller, beehô
blouse	bluse f	**bloe**se
bontjas	pels f	pêls
broekriem	livrem f	**lieuw**rem
broekspijp	bukseben	**boek**sebeen
ceintuur	bælte o	**bêl**te
colbert	jakke	**jak**ke
damesvest	damecardigan f	**dâ**me**kar**dieghân
das	slips o	slips
garen	tråd f	trô(δ)
handschoenen	handsker fmv	**hân**sker
hemd	undertrøje f, chemise f	**oon**ner**truie**, sjemiese
herenconfectie	herrekonfektion, herreekvipering f	**hêr**rekonfek**sjoon**, **hêr**re-ekwie**pee**ring
hoofddoek	hovedtørklæde o	**hoo**we(δ)**teur**klêδe
jurk	kjole f	**kjoo**le
kamerjas	slåbrok f, kimono f	**slô**brok, **kie**mono
kinderkleding	børnetøj o	**beur**netui
knopen	knapper fmv	**knâp**per
kostuum	jakkesæt o, habit f	**jak**kesêt, hâ**biet**
laarzen	støvler fmv	**steuw**ler
legging	legging	**lêgh**ghing
mantel	frakke f	**frâk**ke
mantelpak	spadseredragt f	spå**see**redra(gh)t
mouw	ærme	**êr**me
muts	hue f	hoee
nachtjapon	natkjole f	**nât**kjoole
onderbroek	underbukser mv	**oon**ner**book**ser
ondergoed	undertøj o	**oon**nertui
onderhemd	undertrøje f	**oon**ner**truie**
overhemd	skjorte f	**skjor**te
pantalon	benklæder mv, bukser mv	**been**klêδer, **book**ser
pantoffels	tøfler fmv	**tuf**ler
panty	strømpebukser mv	**streum**pe**book**ser
paraplu	paraply f	para**pluu**
pyjama	pyjamas f	puu**djâ**mas
regenjas	regnfrakke f	**rêjn**frâkke
ritssluiting	lynlås f	**luun**lôs

rok	nederdel f	nee∂erdeel
sandalen	sandaler fmv	sån**dâl**er
schoenen	sko fmv	skoo
schoenlepel	skohorn o	**skoo**hoorn
schoenpoets	skopudsemiddel f	**skoo**svêrte
schoenveters	snørebånd omv	**sneu**rebôn
short	shorts fmv	sjorts
slipje	trusser mv	**troes**ser
slippers	hjemmesko	**jêm**meskoo
sneakers/gymschoenen	sneakers/gymnastiksko	**snie**kers/**guum**nås**tiek**skoo
sokken	sokker fmv	**sok**ker
spijkerbroek	cowboybukser mv	**kow**boj**book**ser
spijkerjasje	cowboyjakke f	**kow**bojj**åk**ke
sportkleding	sportstøj o	**sports**tui
string	string	string
teenslippers	klipklappere	**klipklap**pere
T-shirt	T-shirt	**tie**sjurt
trainingspak	joggingsæt o	**jogh**ghingsêt
trui	trøje f, sweater f	**trui**e, **swê**ter
vest	cardigan f, vest f	**kar**die**ghân**, west
zakdoek	lommetørklæde o	**lôm**me**teur**klê∂e
zool	sål f	sôl

FOTOGRAFEREN EN FILMEN

Ik wil graag een...
Jeg vil gerne have en ...
jêj wil **ghêr**ne hå en ...

kleurenfilm	farvefilm f	**far**wefilm
diafilm	film f til diapositiver omv	film til **dia**posi**tie**wer
van 100 ASA	på 100 ASA	pô hoenôred åså
voor 20/36 opnamen	til 20/36 optagelser	til **tuu**we/seksouw**trê**∂we ô**ptå**(gh)elser

Ik wil graag een videofilmcassette
Jeg vil gerne have et videobånd
jêj vil **ghêr**ne hå et **wie**deo**bôn**

Kunt u 4 pasfoto's maken?
Kan De lave fire pasbilleder?
kå die **lå**we **fie**re **pås**bille∂er

149

Kunt u deze film voor mij ontwikkelen en afdrukken?
Kan De fremkalde og kopiere denne film for mig?
kå die **frem**kålle ouw kopi**ee**re **den**ne film for mêj

mat	mat	mât
glanzend	højglans	**hui**ghlâns
10 x 15 cm	10 x 15 cm	**tie** ghange **fêm**ten
(digitaal) afdrukken/printen	(digital) printning	**(dieghietâl) print**ning
cd branden	brænde cd	**bran**ne **seedee**

Wanneer zijn ze klaar?
Hvornår er de færdige?
woor**nôr** êr die **fêr**die(gh)e

Kan deze camera worden gerepareerd?
Kan dette kamera repareres?
kå **det**te **kâ**mera repa**ree**res

Er is een defect aan de ...
Der er en defekt ved ...
dêr êr en de**fekt** wee(δ) ...

◄ **U moet de camera naar de fabriek sturen**
De skal sende kameraet til fabrikken
die skål **sên**ne **kâ**meraet til fâ**brik**ken

◄ **Dit zal veel gaan kosten**
Det vil blive dyrt
dee wil blie duurt

APS	APS	â-pee-**ês**
batterij	batteri o	**bât**te**rie**
belichtingsmeter	lysmåler f	**luus**môler
dia	diapositiv o	**dia**posi**tiew**
diaraampjes	rammer omv til diapositiver	**ram**mer til **dia**posi**tie**wer
digitale camera	digitalt kamera	dieghie**tâlt kâ**mera
filmcamera	filmkamera o	**film**kâmera
filmtransport	filmfremføring f	**film**fremfeuring
filter	filter o	**fiel**ter
kleurenfilter	farvefilter o	**far**we**fiel**ter
UV-filter	UV-filter o	oe wee-**fiel**ter
flitser	blitzapparat o	bliets**âppâraat**
flitslicht	blitzlys o	bliets**luus**
formaat	format o	for**mât**
foto-cd	foto-cd	**foo**tooseedee
fototoestel	fotokamera o	**fo**to**kâ**mera
geheugenkaart	hukommelseskort	hoe**kom**melses**koort**
groothoeklens	vidvinkelobjektiv o	**wie**δwinkel**ô**bjek**tiew**
lens	objektiv o, linse f	**ô**bjek**tiew**, **lin**se

lenskap	objektivhætte f	ôbjek**tiew**hête
negatief	negativ o	nee**gh**â**tiew**
objectief	objektiv o	ôbjek**tiew**
35 mm	femogtredive millimeter	fêmouw**tre**(δ)we **milli**meeter
70 mm	halvfjerds millimeter	hål**fjêrs milli**meeter
135 mm	hundredeogfemogtredive millimeter	hoenreδouw**fêm**ouw**tre**δwe **milli**meeter
onderwatercamera	undervandskamera o	**oon**nerwâns**kâ**mera
oplader	oplader	**op**lâδer
pixels	pixels	**pik**sels
resolutie	opløsning	**op**leusning
sluiter	lukker f	**look**ker
statief	stativ o	stâ**tiew**
USB-kabel	USB-kabel	oe-ês-**bee**-**kâ**bel
vergroting	forstørrelse f	for**steur**relse
videocamera	videokamera o	**wie**deo**kâ**mera
videocassette	videokassette f	**wie**deokâs**set**te
videorecorder	videobåndoptager f	**wie**deo**bôn**optâ(gh)er
zoeker	søger f	**seu**(gh)er
zonnekap	solkappe f	**sool**kâppe
zoomlens	zoomlinse f	**zoem**linse

BOEKEN, TIJDSCHRIFTEN, SCHRIJFWAREN

Waar is een boekhandel/kantoorboekhandel/kiosk?
Hvor er der en boghandel/butik med kontorartikler/kiosk?
woor êr dêr en bo**(gh)**hânnel/boe**tiek** mê(δ) kon**toor**arti**k**ler/ki**osk**

Hebt u vertaalde Deense literatuur?
Har De dansk litteratur i oversættelse?
har die dânsk lietera**toer** ie ouwer**sêt**telse

Hebt u Nederlandse/Duitse/Engelse kranten/tijdschriften ?
Har De hollandske/tyske/engelske aviser/blade?
har die **hôl**lânske/**tuu**ske/**êng**elske â**wie**ser/**blâ**δe

Hebt u boeken in het Nederlands/Duits/Engels over ...?
Har De bøger på hollandsk/tysk/engelsk om ...?
har die **beu**(gh)er pô **hôl**lânsk/tuusk/**eng**elsk om ...

deze streek	denne omegn	**den**ne om**êj**n
deze stad	denne by	**den**ne buu
het natuurschoon	skønne naturområder	**skeun**ne nâ**toer**omrôδer

151

geschiedenis	historie	histooriee
monumenten	mindesmærker, monumenter	minnesmêrker, monoementer
fietstochten	cykelture	suukeltoere
wandelingen	vandreture	wandretoere
met veel foto's	med mange billeder	mê(ð) mânge billeðer
ansichtkaarten	postkort omv	pôstkort
atlas	atlas o	âtlås
balpen	kuglepen f	koe(gh)lepen
boek	bog f	bô(gh)
buitenlandse kranten	udenlandske aviser fmv	oeðenlånske âwieser
calculator	lommeregner f	lommerêjner
dagblad	dagblad o	da(gh)blâ(ð)
detectiveroman	kriminalhistorie f	krieminâlhiestoriee
elastiekjes	gummibånd omv	goommibôn
enveloppen	konvolutter fmv	kônwoloetter
voor luchtpost	til luftpost f	til looftpôst
inkt(patronen)	blæk o (patroner fmv)	blêk (pâtroner)
kinderboeken	børnebøger fmv	beurnebeu(gh)er
kleurpotloden	farveblyanter fmv	farwebluuânter
kookboek	kogebog f	kô(gh)ebô(gh)
krant	avis f	âwies
kunstboeken	kunstbøger fmv	koonstbeu(gh)er
landkaart	landkort o	lânkort
lijm	lim f	liem
lineaal	lineal f	lieneâl
literatuur	litteratur f	lieteratoer
maandblad	månedsblad f	môneðsblâ(ð)
opruiming	udsalg o	oeðsål(gh)
pakpapier	indpakningspapier o	inpakningspâpier
paperclips	papirclips fmv	papierclips
papier	papir o	papier
plakband	tape f	têjp
plattegrond	kort o	kort
pockets	pocketbooks fmv	pôketboeks
potlood	blyant f	bluuânt
punaises	tegnestifter fmv	têjnestifter
puntenslijper	blyantspidser f	bluuântspisser
reisgids	rejsefører f, guidebog f	rêjsefeurer, gaidboo(gh)
kunstreisgids	kunstrejsefører f	koonstrêjsefeurer
schrift	hæfte o	hêfte
schrijfblok	skriveblok f	skrieweblôk
speelkaarten	spillekort omv	spillekort

WINKELEN

topografische kaart	topografisk kort *o*	topoghrafisk kort
tijdschrift	tidsskrift *o*, blad *o*	**tie**δsskrift, blâ(δ)
viltstift	filtpen *f*	**fielt**pen
vlakgom	viskelæder *o*	**wi**skel**ê**δer
vulpen	fyldepen *f*	**fuul**lepen
wandelgids	vandrefører *f*	**wan**dre**feu**rer
wandelkaart	vandrekort *o*	**wan**drekort
weekblad	ugeblad *o*	**oe**(gh)eblâ(δ)
wegenkaart	færdselskort *o*	**fêr**selskort
woordenboek	ordbog *f*	**oor**bô(gh)
Nederlands-Deens	hollandsk-dansk	**hôl**lânsk-dânsk
Deens-Nederlands	dansk-hollandsk	dânsk-**hôl**lânsk

JUWELEN EN HORLOGES

Kunt u dit horloge/deze armband/deze ketting repareren?
Kan De reparere dette ur/armbånd/denne kæde?
kå die rep**â**ree**re det**te oer/**arm**bôn/**den**ne **kê**δe

Het horloge loopt voor/achter
Uret vinder/taberKan
oeret **win**ner/**tâ**berkå

Kunt u dit schoonmaken?
De rense dette?
die **rên**se **det**te

Wanneer is het klaar?
Hvornår er det færdigt?
woor**nôr** êr dee **fêr**diet

◄ **Dit is onherstelbaar**
Det kan ikke repareres
dee kå **ik**ke repa**ree**res

◄ **De batterij moet vervangen worden**
Batteriet skal udskiftes
bâtte**rie**et skål **oe**δskieftes

Kan deze naam erin gegraveerd worden?
Kan dette navn indgraveres i det?
kå **det**te nauwn **in**ghra**wee**res ie dee

Hoeveel karaat is dit?
Hvor mangee karat er dette?
woor **man**ge kå**raat** êr **det**te

◄ **14/18 karaat**
fjorten/atten karat
fjôrten/**ât**ten kå**raat**

armband	armbånd *o*	**arm**bôn
batterij	batteri *o*	bâtte**rie**
briljant	brillant *f*	briel**jant**
broche	broche *f*	**brô**sje
bladgoud	bladguld *o*	**blâ**δghoel
chroom	krom *o*	kroom
dameshorloge	damearmbåndsur *o*	**dâ**me**arm**bônsoer

diamant	diamant f	diamânt
doublé	dublé f	doeblee
glas	glas o	ghlâs
goud	guld o	ghoel
halsketting	halskæde f	hâlskêðe
herenhorloge	herrearmbåndsur o	hêrrearmbônsoer
horloge	ur o	oer
digitaal	digitalt	dieghietâlt
met wijzers	med visere	mê(ð) wiesere
horlogebandje	urrem f	oerrêm
horlogeketting	urkæde f	oerkêðe
juwelenkistje	smykkeskrin o	smukkeskrien
kristal	krystal o	kruustâl
kwartshorloge	kvartsur o	kwartsoer
leer	læder o	lêðer
messing	messing o	mêssing
oorbellen	øreclips	eureclips
opwindknopje	knap til at trække ur op	knâp til at trêkke oer op
parelmoer	perlemor o	pêrlemoor
parelsnoer	perlekæde f	pêrlekêðe
platina	platin o	plâtien
polshorloge	armbåndsur o	armbônsoer
(reis)wekker	(rejse)vækkeur o	(rêjse)wêkkeoer
ring	ring f	ring
trouwring	giftering f	ghieftering
zegelring	signetring f	sie(gh)neetring
robijn	rubin f	roebien
roestvrij staal	rustfrit stål o	roostfriet stôl
(rood)koper	kobber o	kower
saffier	safir f	sâfier
schakelarmband	leddelt armbånd	leeðdeelt armbônd
smaragd	smaragd f	smâra(gh)d
speld	nål f	nôl
tafelzilver	sølvtøj o	seultui
tin	tin o	tin
topaas	topas f	topâs
veer	fjeder f	fjeðer
vestzakhorloge	lommeur o	lommeoer
witgoud	hvidguld o	wie(ð)ghoel
zilver	sølv o	seul

eerste-dagenveloppe	førstedagskuvert *f*	**feur**stedâ(gh)skoe**wert**
gelegenheidsmunten	specialmønter *fmv*	spesi**âlmun**ter
gelegenheidspostzegels	specialfrimærker *omv*	spesi**âlfrie**mêrker
gelegenheidsstempel	specialstempel *o*	spesi**âlstêm**pel
gestempeld	stemplet	**stêm**plet
getand	takket	**tâk**ket
gewone zegels	almindelige frimærker *omv*	âl**min**nelie **frie**mêrker
gouden munten	guldmønter *fmv*	**ghoel**munter
jaarcollectie	årsmappe *f*	**ôrs**mâppe
losbladig	løsbladet	**leus**blâðet
muntenalbum	møntalbum *o*	**munt**âlbom
muntproef	prøvemønt	**preu**wemunt
ongetand	ikke-takket	**ik**ke-**tâk**ket
postzegel	frimærke *o*	**frie**mêrke
postzegelalbum	frimærkealbum *o*	**frie**mêrke**al**bom
serie	serie *f*	**see**riee
vel	ark *o*	ark
zeer fraai	meget smuk(t)	**mê**jet smook(t)
zilveren munten	sølvmønter *fmv*	**seul**munter

Kan deze bril gerepareerd worden?
Kan disse briller repareres?
kâ **dis**se **bril**ler repa**ree**res

Hebt u voor mij een zonnebril?
Har De et par solbriller?
har die et par **sool**briller

Ik heb +1,5
Jeg har plus 1,5
jêj haar ploes hâl**ân**nen

Ik heb -2,25
Jeg har minus 2,25
jêj haar **mie**noes too **kom**mâ **fem**otuuwe

Biedt deze zonnebril UV-bescherming?
Giver disse solbriller UV-beskyttelse?
ghie-er disse **sool**briller oe-**wee**-be**skuut**telse

opticiën	optiker	**op**tieker
contactlenzen	kontaktlinser *fmv*	kon**takt**linser
vloeistof voor contactlenzen	væske *f* til kontaktlinser *fmv*	**vê**ske til kon**takt**linser
harde lenzen	hårde linser	**hô**re **lin**ser
zachte lenzen	bløde linser	**blu**ðe **lin**ser
bijziend	nærsynet	**nêr**suunet
verziend	langsynet	**lang**suunet

ROOKARTIKELEN

Hebt u buitenlandse sigaren/sigaretten?
Har De udenlandske cigarer/cigaretter?
har die **oe**ðenlânske si**gha**rer/sigha**ret**ter

aansteker	lighter	**lêj**ter
filtersigaretten	cigaretter *fmv* med filter	sigha**ret**ter **me**ð **fiel**ter
lucifers	tændstikker *fmv*	**tên**stikker
pijp	pibe	**pie**be
shag	shag *f*	sjêk
tabak	tobak *f*	to**bak**
vloei	cigaretpapir	siegha**rat**papier

WASSERETTE EN REINIGING

Waar is een wasserette?
Hvor er der et møntvaskeri?
woor êr dêr et **munt**wâske**rie**

Waar kan ik kleding laten reinigen?
Hvor kan jeg få renset tøj?
woor kâ jêj fô **rên**set tui

Kan dit voor mij gereinigd/gestoomd worden?
Kan dette blive renset?
kâ **det**te **bli**we **rên**set

◄ **Deze vlek krijgen wij er niet uit**
Denne plet kan vi ikke fjerne
denne plet kâ wie **ik**ke **fjêr**ne

chemisch reinigen	kemisk rensning *f*	**ke**misk **rêns**ning
droogtrommel	tumbler *f*	**tom**bler
hoofdwas	vask *f*	wâsk
kreukvrij	krølfri(t)	**krul**frie(t)
lauw wassen	lunken vask	**loon**ken wâsk
met de hand wassen	vaskes i hånden	**wâs**kes ie **hôn**nen
niet strijken	strygefri	**struu**(gh)e**frie**
op 40° wassen	vaskes ved 40°	**wâs**kes wee(ð) **fur**re **gha**ðer celsioes
stomen	rense	**rên**se
strijken	stryge	**struu**(gh)e
synthetisch	syntetisk	suun**tee**tiesk
voorwas	forvask	**for**wâsk
wasautomaat	vaskemaskine	**wâs**kemâ**skie**ne
wassen	vaske	**wâs**ke
waterdicht	vandtæt	**wân**têt
zeeppoeder	vaskepulver	**wâs**ke**pool**wer

dameskapper	damefrisør f	**dâ**mefrie**seur**
herenkapper	herrefrisør f	**hêr**refrie**seur**

Kan ik een afspraak maken?	**Hoe lang kan het duren?**
Kan jeg få en tid	Hvor længe varer det?
kå jêj fô en tie(ð)	woor **lêng**e **wa**rer dee

Knipt u ook kinderen?	**Knippen en scheren a.u.b.**	**Iets korter**
Klipper De også børn?	Klipning og barbering	Lidt kortere
klipper die **ôs**se beurn	**klip**ning ouw bar**bee**ring	lit **kor**tere

Niet te kort	**Wassen en verven a.u.b.**	**Wilt u alleen de punten bijknippen?**
Ikke for kort	Vask og farve	Vil De bare studse håret?
ikke for kort	wåsk ouw **far**we	wil die **bâ**re **stoes**se **hô**ret

bovenop	ovenpå hovedet	**ou**wenpô **hoo**ðet
in de nek	i nakken	ie **nak**ken
aan de achterkant	bag på hovedet	bå(gh) pô **hoo**ðet
aan de zijkanten	på siderne	pô **sie**ðerne

baard	skæg o	skê(gh)
bakkebaard	bakkenbart f	**båk**ken**bart**
coupe soleil	coupe soleil	koep so**lêj**
droog haar	tørt hår o	teurt hôr
droogkap	tørrehjelm f	**teur**rejêlm
föhnen	fønbølgning f	**feun**beul(gh)ning
gel	pomade f	po**mâ**ðe
haarlak	hårlak f	**hôr**lak
haarversteviger	middel til at gøre håret kraftigere	**mie**ðel til at geure **hô**ret **kraf**tie(gh)ere

kam	kam f	kâm
kammen	frisere	frie**see**re
kapsel	frisure f	frie**suu**re
kleurspoeling	farveskylning f	**far**we**skul**ning
knippen	klippe	**klip**pe
krullen	krølle	**krul**le
lang haar	langt hår o	langt hôr
manicure	manicure f	mâni**kuu**re
paardestaart	hestehale f	**hês**te**hâ**le
permanent	permanentbølgning f	permâ**nentbeul**(gh)ning
roos	skæl o	skêl

shampoo	shampoo *f*	**sjam**poo
snor	overskæg *o*	**ouw**erskê(gh)
spoeling	skylning *f*	**skul**ning
verven	farve	**far**we
vet haar	fedtet hår *o*	**feet**tet hôr
vlecht	fletning *f*	**flêt**ning
watergolf	vandondulation *f*	**wân**ondoelâ**sjoon**

SCHOONHEIDSSALON

Kan ik een afspraak maken?	**Hoe lang kan het duren?**
Kan jeg få en tid?	Hvor længe varer det?
kâ jèj fô en tie(δ)	woor **lêng**e **wâ**rer dee

gezichtsmasker	ansigtsmaske *f*	**ân**si(gh)tsmâske
gezichtsverzorging	ansigtspleje *f*	**ân**si(gh)ts**plê**je
manicure	manicure *f*	**mâni**e**kuu**re
modderbehandeling	mudderbehandling *f*	**moe**δerbehân**ling
ontharen	hårfjernelse *f*	**hôr**fjêrnelse
pedicure	pedicure *f*	pedie**kuu**re
scheren	barbere	barbee**re
volledige behandeling	komplet behandling *f*	kom**plet** behân**ling

ELEKTRONICA

computerspelletje	computerspil	kom**pjoe**terspil
cd(-speler)	cd(-spiller)	seedee(**spil**ler)
dvd(-speler)	dvd(-spiller)	deewee**dee**(spiller)
mp 3-speler	mp3-afspiller	êmpee**tree**-auwspiller

SPEELGOED

bal	bold	bold
barbiepop	barbiedukke	**bar**biedoekke
dobbelstenen	terninger	**têr**ninger
iPod	iPod	**êj**pod
kaartspel	kortspil	**koort**spil
kleurboek	malebog	**mâl**e**boow**
knuffelbeest	bamse	**bam**se
potloden	blyanter	**bluu**ânter
puzzel	puslespil	**poes**lespil
strandschepje	strandskovl	**stran**skouwl
zwemband	badering	**bâ**δering

WINKELEN

Toerisme

OP HET VERKEERSBUREAU OF VVV-KANTOOR

Waar is het VVV-kantoor?
Hvor er turistinformationen?
woor êr toe**riest**informâ**sjo**nen

Spreekt u Duits/Engels/Frans?
Taler De tysk/engelsk/fransk?
tâler die tuusk/**eng**elsk/frânsk

Ik wil graag inlichtingen/een folder hebben over ...
Jeg vil gerne have information/en folder om ...
jêj wil **ghêr**ne hå informâ**sjoon**/en **fôl**ler om ...

amusement voor kinderen	forlystelser for børn	for**lust**elser for beurn
autoverhuur	biludlejning	**bieloe**(δ)lêjning
bungalows	sommerhuse *omv*	**sôm**mer**hoe**se
busdiensten	buslinjer *fmv*	**boes**linjer
dagexcursies	dagture *fmv*	**da(gh)**toere
evenementen	begivenheder *fmv*	be**ghie**wen**hee**δer
fietsverhuur	cykeludlejning *f*	**suu**keloe(δ)lêjning
hotels	hoteller *omv*	ho**tel**ler
jeugdherbergen	ungdomsherberger *omv*	**oong**domsh**êr**bêr(gh)er
kampeerterreinen	campingpladser *fmv*	**kâm**ping**plås**ser
meerdaagse excursies	ture på flere dage	**toe**re pô **flee**re **dâ**(gh)e
monumenten	monumenter *omv*	monoe**mên**ter
musea	museer *omv*	moe**sêer**
openbaar vervoer	kollektiv trafik *f*	**kôl**lektiew tra**fiek**
pensions	pensionater *omv*	pangsjo**nâ**ter
rondvaarten	rundfarter *fmv*	roon**vaar**ter
stadswandelingen	byvandringer *fmv*	**buuwân**dringer
treinen	tog *omv*	tô(gh)
trekkershutten	vandrerhjem *omv*	**wân**drer**jêm**
uitgaansmogelijkheden	forlystelser *fmv*	for**lust**elser
vakantiehuisjes	feriehuse *omv*	**feerieehoe**se
vissen	fiske	**fi**ske
wandelingen	vandreture *fmv*	**wân**dre**toe**re
watersport	søsport *f*	**seu**sport

Hebt u folders in het Nederlands/Duits/Engels/Frans?
Har De foldere på hollandsk/tysk/engelsk/fransk?
har die **fôl**lere pô **hôl**lånsk/tuusk/**eng**elsk/fransk

Hebt u een stadsplattegrond/streekkaart?
Har De et kort over byen/omegnen?
har die et kort **ouw**er **buu**en/**om**êjnen

Hebt u fietskaarten/wandelkaarten?
Har De cykelkort/vandrekort?
har die **suu**kelkort/**wån**drekort

Kunt u de route intekenen?
Vil De indtegne ruten?
wil die **int**êjne **roe**ten

Wat zijn de belangrijkste bezienswaardigheden?
Hvad er de vigtigste seværdigheder?
wå êr die **wi(gh)**tie(gh)ste see**wêr**die(gh)**hee**ðer

Waar vind ik de/het ...?
Hvor ligger ...?
woor **ligh**gher ...

aquarium	akvariet	å**kwa**rieet
botanische tuin	botanisk have	bo**tå**nisk **hå**we
dierentuin	zoologisk have	zoo**lo**ghisk **hå**we
grotten	grotterne	**ghrôt**terne
kapel	kapellet	kå**pel**let
kasteel	slottet	**slôt**tet
kathedraal, dom	domkirken	**dôm**kierken
kerk	kirken	**kier**ken
klooster	klostret	**klô**stret
markt	torvet	**tôr**wet
museum	museet	moes**êe**t
paleis	paladset	på**lås**set
park	parken	**par**ken
parlementsgebouw	rigsdagsbygningen	**rie(gh)**sdå(gh)s**buugh**ningen
raadhuis	rådhuset	**rôd**hoeset
ruïne	ruinen	roe**ie**nen
schouwburg	teatret	te**â**tret
toren	tårnet	**tôr**net
t.v.-toren	fjernsynsmasten	**fjêrn**suuns**mâ**sten
uitzichtpunt	udsigtspunktet	**oe**(ð)si(gh)ts**poonk**tet
vesting	fæstningen, borgen	**fêst**ningen, **bôr**(gh)en

Kunt u het op de plattegrond aanwijzen?
Vil De vise det på kortet?
wil die **wie**se dee pô **kor**tet

Is het vandaag geopend?
Er der åbent i dag?
êr dêr **ô**bent ie **då**(gh)

Moet er entree betaald worden?
Skal man betale entré?
skå mân be**tâ**le ang**tree**

Verkoopt u ook gidsen/kaarten/plattegronden?
Sælger De også førere/kort?
sôl(gh)er die **ôs**se **feu**rere/kort

Van waar vertrekken de bussen?
Hvor afgår busserne?
woor **auw**ghôr **boes**serne

◀ **U wordt bij uw hotel afgehaald**
De bliver hentet ved Deres hotel
die blier **hên**tet wee(δ) **dê**res ho**tel**

Waar is het ...museum/museum voor ...?
Hvor ligger museet for ...?
woor **ligh**gher moe**sê**et for ...

beeldende kunst	billedkunst	**bil**leδkoonst
beeldhouwkunst	skulptur	skoelp**toer**
folklore	folklore	fôl**kloo**re
geologie	geologi	gheolo**ghie**
geschiedenis	historie	his**too**riee
keramiek	keramik	kera**miek**
kunstnijverheid	kunsthåndværk	**koonst**hônwêrk
landbouw	landbrug	**lân**broe(gh)
leger	hæren	**hê**ren
letterkunde	litteratur	littera**toer**
muziekgeschiedenis	musikhistorie	moe**siek**his**too**riee
natuurwetenschappen	naturvidenskaber	nâ**toer**wieδen**skâ**ber
oosterse kunst	orientalsk kunst	orien**tâlsk** koonst
openluchtmuseum	frilandsmuseet	**frie**lânsmoe**sê**et
oudheidkunde	arkæologi	arkêolo**ghie**
post	postvæsenet	**pôst**vêsenet
postzegels	frimærker	**frie**mêrker
prehistorie	forhistorie	**for**his**too**riee
rijtuigen	køretøjer	**keu**re**tui**er
scheepvaart	skibsfart	**skiebs**faart
spoorwegen	jernbaner	**jêrn**bâner
stadsgeschiedenis	byhistorie	**buu**his**too**riee
streekgeschiedenis	lokalhistorie	lo**kâl**his**too**riee
textielnijverheid	tekstilindustri	têk**stiel**indoe**strie**
verkeer	trafik	trâ**fiek**
visserij	fiskeri	fiske**rie**
volkenkundig museum	folkemindesamling	**fôl**keminne**sâm**ling
volkskunst	almuekunst	**âl**moeekoonst
toegepaste kunst	brugskunst	**broe(gh)**skoonst
techniek	teknik	têk**niek**
zoölogie	zoologi	zoolo**ghie**

TOERISME

Is het museum vrij toegankelijk?
Er der fri adgang til museet?
êr dêr frie **â**(δ)ghang til moe**sê**et

◄ **Nee, alleen met een rondleiding**
Nej, kun med rundvisning
nêj, koen mê(δ) **roon**wiesning

Hoeveel bedraagt de entree?
Hvor meget er entréen?
woor **mê**jet êr ang**tree**en

◄ **Het bezoek is gratis**
Der er gratis adgang
dêr êr **ghra**ties **â**(δ)ghang

Twee kaartjes voor volwassenen
To billetter til voksne
too biel**let**ter til **wôks**ne

Twee kinderkaartjes
To børnebilletter
too **beur**nebiel**let**ter

Is er een bijzondere tentoonstelling?
Er der en særudstilling?
êr dêr en **sêroe**(δ)stillingmô

Mag ik fotograferen?
Må man fotografere?
mân fotoghra**fee**re

◄ **Alleen tegen betaling**
Kun mod betaling
koen moo(δ) be**tâ**ling

◄ **Alleen zonder flitslicht en zonder statief**
Kun uden blitzlys og uden stativ
koen **oe**δen **blits**luus ouw **oe**δen stâ**tiew**

Hebt u een plattegrond/gids/catalogus?
Har De et kort/en fører/et katalog?
har die et kort/en **feu**rer/et kâtâ**loo**(gh)

Is er een.../Waar is de/het...?
Er der/hvor er ...
êr dêr/woor êr ...

cafetaria	et cafeteria/cafeteriet	et kafe**tee**ria/kafe**tee**rieet
crèche	en vuggestue/ vuggestuen	en **woegh**ghestoe-e/ **woegh**ghestoe-en
filmvoorstelling	en filmforevisning/ filmforevisningen	en **film**fore**wies**ning/ **film**fore**wies**ningen
garderobe	en garderobe/ garderoben	en gharde**ro**be/ gharde**ro**ben
koffieautomaat	en kaffeautomat/ kaffeautomaten	en **kâf**feauwto**mât**/ **kâf**feauwto**mâ**ten
lezing	et foredrag/foredraget	et **fore**dra(gh)/**fore**dra(gh)et
museumwinkel	en museumsbutik/ museumsbutikken	en moe**sê**oomsboe**tiek**/ moe**sê**oomsboe**tiek**ken
,		
restaurant	en restaurant/restauranten	en resto**rang**/resto**rang**en
suppoost	en kustode/kustoden	en koe**sto**δe/koe**sto**δen
toilet	et toilet/toilettet	et toâ**let**/toâ**let**tet
uitgang	en udgang/udgangen	en **oe**(δ)ghang/**oe**(δ)ghangen

FOTOGRAFERING IKKE TILLADT	VERBODEN TE FOTOGRAFEREN
FRI ADGANG	VRIJ TOEGANKELIJK
ADGANG FORBUDT	GEEN TOEGANG
MÅ IKKE BERØRES	NIET AANRAKEN

IN KASTELEN, KERKEN ENZ.

Zie voor de vragen over entree onder 'Museumbezoek'.

Hoe laat begint de rondleiding?
Hvornår begynder rundvisningen?
woor**nôr** be**ghun**ner **roon**wiesningen

Is er een rondleiding in het Duits/Engels?
Er der rundvisning på tysk/engelsk?
êr dêr **roon**wiesning pô tuusk/**eng**elsk

Mogen we hier vrij rondkijken?
Må vi gå rundt og kigge her?
mô wie gô roont ouw **kiegh**ghe hêr

kasteel	slot *o*	slot
paleis	palads *o*, slot *o*	på**lâs**, slot
koninklijk	kongeligt	**kông**eli(gh)t
hertogelijk	hertugeligt	her**toe(gh)**eli(gh)t
grafelijk	greveligt	**ghree**weli(gh)t
bisschoppelijk	biskoppeligt	**bies**koppeli(gh)t
landhuis	herregård	**her**reghôrd
ridderzaal	riddersal *f*	**rie**ð ðersâl
ontvangsthal	modtagelseshal *f*	**moo**ðtâ(gh)elseshål
balzaal	balsal *f*	**bâl**sål
vesting	fæstning *f*, borg *f*	**fêst**ning, bor(gh)
vestingwal	fæstningsvold *f*	**fêst**nings**wôl**
bastion	bastion *f*	bå**stjong**
rondeel	rundt tårn *o*	roont tôrn
munitiekamer	ammunitionsrum *o*	âmmoeni**sjoons**room
kerker	fangehul *o*, fængsel *o*	**fang**ehool, **fêng**sel
klooster	kloster *o*	**klô**ster
kathedraal	katedral *f*, domkirke *f*	kâte**draal**, **dôm**kierke
kerk	kirke *f*	**kier**ke
synagoge	synagoge *f*	suunâ**ghoo**(gh)e
schip	skib *o*	skieb
koor	kor *o*	koor

TOERISME

altaar	alter o	**âl**ter
gewelf	hvælving f	**wêl**wing
schatkamer	skatkammer o	**skâtkam**mer
benedictijnen	benediktinere fmv	benedik**tie**nere
cisterciënzers	cisterciensere fmv	sister**sjen**sere
dominicanen	dominikanere fmv,	domini**kâ**nere
	sortebrødre fmv	**sor**te**breu**(δ)re
franciscanen	franciskanere fmv,	frânsis**kâ**nere,
	gråbrødre fmv	**grô**breuδre
jezuïeten	jesuitter fmv	jesoe**iet**ter
prehistorisch	forhistorisk	**for**histo**ri**sk
romaans	romansk	ro**mân**sk
middeleeuws	middelalderlig(t)	**mi**δel**âl**lerli(gh)t
uit de vikingtijd	fra vikingetiden f	fra **wie**kinge**tie**δen
preromaans	førromersk	**feur**romersk
Romeins	romersk	**ro**mersk
gotisch	gotisk	**gho**tisk
renaissance	renæssance f	renês**sang**se
barok	barok f	bâ**rok**
rococo	rokoko f	ro**kô**ko
classicistisch	klassicistisk	**klâs**sisie**stis**k
neogotisch	neogotisk	**ne**ogho**ti**sk
modernistisch	modernistisk	moder**nie**stisk
modern	moderne	mo**der**ne
eigentijds	nutidig(t)	**noe**tieδigt
16de-eeuws*	fra 1500-tallet	fra **fem**ten**hoen**δreδ**tâl**let

* Bij het benoemen van de eeuwen gaat men uit van de eerste twee cijfers van het jaartal:
18de eeuw = 1700-1799, dus men spreekt van 1700-tallet (de jaren 1700) en niet van
1800-tallet.

UITLEG

Achter alle zelfstandige naamwoorden vindt u het geslacht vermeld: f = mannelijk/
vrouwelijk *(fælleskøn)*, o = onzijdig, *fmv* resp. *omv* = meervoud. Woorden die alleen in de
meervoudsvorm bestaan, worden aangeduid met *mv*.

Bij gebrek aan een duidelijk onderscheid tussen mannelijke en vrouwelijke zelfstandige naamwoorden hoeven we van de bijvoeglijke naamwoorden slechts één vorm te
vermelden. Zo nodig wordt deze gevolgd door (t), waarmee wordt aangeduid dat bij de
onzijdige vorm er een t aan wordt toegevoegd: god(t) = god (mnl./vrl.), godt (onz.).
Voor zelfstandige naamwoorden die een beroep of functie aanduiden bestaat meestal
geen afzonderlijke vrouwelijke variant (leraar/lerares = lærer f). De weinige uitzonderingen zijn apart opgenomen; naast **koning** - konge f vindt u ook **koningin** - dronning f.

A

aanbevelen	anbefale	**ân**befâle
aanbieden	tilbyde	**til**buuðe
aanbieding	tilbud o	**til**boeð
aangebrand	brændt på	brênt pô
aangenaam (behaaglijk)	rart, behageligt	raart, be**hâ**jeliet
aangetekend	anbefalet	**ân**befâlet
aanhangwagen	påhængsvogn f	**pô**hêngswouwn
aankomen (ter plekke)	ankomme	**ân**komme
aankomen (in gewicht)	tage på	tâ pô
aankomst (tijd)	ankomst(tid) f	**ân**komst(tieð)
aannemen (veronderstellen)	antage, formode	**ân**tâ, for**moo**ðe
aannemen (accepteren)	acceptere, godkende	aksêp**tee**re, **gho**ðkênne
aanrijding	påkørsel f	**pô**keursel
aansteker	lighter f	**lêj**ter
aantal	antal o	**ân**tâl
aantrekken (kleding)	tage på	tâ pô
aantrekken (aanlokken)	tiltrække	**til**trêkke
aanvraagformulier	ansøgningsblanket f	**ân**seuningsblankêt
aanvragen	ansøge, bestille	**ân**seu-e, be**stil**le
aanwijzen	anvise	**ân**wiese
aardappels	kartofler *fmv*	kar**tof**ler
aarde	jord f	joor

165

aardewerk	keramik *f*, lertøj *o*	keera**miek**, leer**toj**
aardig (sympathiek)	tiltalende, sympatisk	**til**tålenne, suum**på**tiesk
accu	batteri *o*	bâtte**rie**
achter (ligging)	bag	bâj
achteraf (ligging)	afsides	**auw**sieðes
achterkant	bagside *f*	**bauw**sieðe
achterlopen (van klok)	tabe	**tâ**be
achternaam	efternavn *o*	**êf**ternauwn
achteruit	tilbage, baglæns	til**bâ**je, **bauw**lêns
adem	åndedræt *o*	**ôn**nedrat
ademnood	åndenød *f*	**ôn**nenuð
adres	adresse *f*	a**dres**se
advocaat	advokat *f*	âðwoo**kât**
afdeling	afdeling *f*	**auw**deeling
afdruk (foto)	kopi *f*	ko**pie**
afgesloten (versperd)	lukket	**loek**ket
afgesloten (beëindigd)	afsluttet	**auw**sloettet
afgesproken	aftalt	**auw**tålt
afrekenen	betale	be**tâ**le
afspraak(je)	aftale *f*	**auw**tåle
afspreken (tijd/datum)	aftale	**auw**tåle
afstand	afstand *f*	**auw**stån
afvaart	afsejling *f*	**auw**sêjling
afval	affald *o*	**auw**fål
afwijken	afvige	**auw**wie-e
afzeggen (reservering)	afbestille	**auw**bestille
afzeggen (afspraak)	sende afbud	**sên**ne **auw**boeð
afzender	afsender *f*	**auw**sênner
agent (politie)	betjent *f*	be**tjeent**
agent (vertegenwoordiger)	agent *f*, repræsentant *f*	â**gênt**, reepreesên**tânt**
alarmnummer	alarmnummer *o*	a**laarm**noommer
algemeen	almindelig	ål**min**nelie
alleen (zonder gezelschap)	alene	â**lee**ne
alleen (uitsluitend)	udelukkende	oeðeloekkenne
alleen (slechts)	kun	koen
alles	alt	ålt
alstublieft (geven)	værsågod	**wêr**sghoo
alstublieft (vragen)	vær så venlig	**wêr**sôwênlie
altijd	altid	**ål**tieð
ambassade	ambassade *f*	ambas**så**ðe
ambtenaar	tjenestemand *f*	**tjee**nestemån
ambulance	ambulance *f*	amboe**lang**se
ander(e)	anden, andet, andre	**ân**nen, **ân**net, andre

anders (verschillend)	anderledes	**an**nerleeðes
anders, ergens	et andet sted *o*	it **ân**net steeð
anders, iemand	en anden	een **ân**nen
andersom	omvendt	**om**wênt
angst	angst *f*	angst
angstig	bange	**ban**ge
ansichtkaart	postkort *o*	**post**koort
antiek	antikviteter *fmv*	ântiekwie**tee**ter
antiquair	antikvitetshandler *f*	ântiekwie**teets**hânler
antivries	frostvæske *f*	**frost**wêske
antwoord	svar *o*	swaar
antwoorden	svare	**swaa**re
apotheek	apotek *o*	apo**teek**
appel	æble *o*	**eeb**le
appelsap	æblemost *f*	**eeb**lemost
arm (financieel)	fattig	**fât**tie
arm (lichaamsdeel)	arm *f*	aarm
armband	armbånd *o*	**aarm**bôn
as (sigaret)	aske *f*	**âs**ke
as (wiel)	aksel *f*	**ak**sel
asbak	askebæger *o*	**âs**kebeejer
auto	bil *f*	biel
automatisch	automatisk	autoo**mâ**tiesk
auto (snel)weg	motorvej *f*	**moo**torwêj
avond	aften *f*	**af**ten
avondeten	aftensmad *f*	**af**tensmâð
avonds, 's	om aftenen *f*	om **af**tenen
azijn	eddike *f*	e**ðð**ike

B

baai	bugt *f*	boeght
baard	skæg *o*	skeegh
baas	chef *f*	sjeef
babyvoeding	babymad *f*	**bee**biemâð
bad (kuip)	badekar *o*	**bâ**ðekaar
baden	bade	**bâ**ðe
badhanddoek	badehåndklæde *o*	**bâ**ðehônkleeðe
badkamer	badeværelse *o*	**bâ**ðewêrelse
badpak	badedragt *f*	**bâ**ðedraght
badschuim	skumbad *o*	**skoem**bâð
bagage	bagage *f*	bå**ghâ**sje
bagagedepot	bagageopbevaring *f*	bå**ghâ**sje-**op**bewaaring
bagagekluis	bagageboks *f*	bå**ghâ**sjeboks

bagagerek	bagagenet o, bagagehylde f	bâ**ghâ**sjenet, bâ**ghâ**sjehuule
bagageruimte	bagagerum o	bâ**ghâ**sjeroem
bakken (brood)	bage	**bâ**je
bakken (vlees)	stege	**stê**je
bakker	bager f	**bâ**jer
bal (speelgoed)	bold f	bold
balkon (huis)	altan f	âl**tân**
balkon (theater)	balkon f	bâl**kong**
balpen	kuglepen f	**koe**lepên
band (wiel)	dæk o	dêk
band (relatie)	bånd o	bôn
band (verpakking)	bånd o	bôn
band (muziekgroep)	band o	bând
bang zijn	frygte, være bange	**fruugh**te, **wê**re **ban**ge
bank (kantoor)	bank f	bank
bank (zitplaats)	bænk f	bênk
bank (gestoffeerd)	sofa f	**soo**fâ
bankbiljet	pengeseddel f	**pên**gesêðð̂el
barst	revne f	**reew**ne
barsten	revne	**reew**ne
batterij	batteri o	bâtte**rie**
bed	seng f	sêng
bedanken	takke	**tak**ke
bedienen	betjene	be**tjee**ne
bediening (inbegrepen)	betjening f (inklusive)	be**tjee**ning (inkloesiewe)
bedoelen	mene	**mee**ne
bedoeling	mening f, hensigt f	**mee**ning, **hên**sight
bedorven	fordærvet	for**dêr**wet
bedrag	beløb o	be**leub**
been	ben o	been
beest	dyr o , bæst o (scheldwoord)	duur, beest
beet (hap)	bid f	bieð
beet! (sportvissen)	bid!	bieð
beetje, een	lidt, en lille smule f	lit, een **liel**le **smoe**le
begane grond	stueetage f	**stoe**-e-ee**tâ**sje
begin	begyndelse f	be**ghun**nelse
beginnen	begynde	be**ghun**ne
begrijpen	forstå	for**stô**
behalve (uitgezonderd)	undtagen	**oen**tâjen
behandeling	behandling f	be**hân**ling
beide	begge	**bêgh**ghe
bekend	kendt	kênt
bekeuring	bøde f	**beu**ðe

bel	klokke *f*	**klok**ke
belangrijk	vigtig	**wigh**tie
Belg	belgier *f*	**bél**ghie-er
België	Belgien	**bél**ghie-en
Belgisch	belgisk	**bél**ghiesk
bellen (aanbellen)	ringe på	**rin**ge pô
bellen (opbellen)	ringe op, telefonere	**rin**ge op, teelefoo**nee**re
belofte	løfte *o*	**luf**te
beloven	love	**loo**we
benauwd (in ademnood)	i åndenød *f*	ie **ôn**nenuð
benauwd	beklumret, indelukket	be**kloem**ret, **in**neloekket
benauwdheid	åndedrætsproblemer *omv*	**ôn**nedratsproo**bleem**er
beneden	nede	**nee**ðe
benzine	benzin *f*	bên**sien**
benzinestation	benzinstation *f*	bên**sien**stasjoon
benzinetank	benzintank *f*	bên**sien**tank
bericht	meddelelse *f*	**mê**ðdeelelse
berm	rabat *f*	ra**bât**
beroemd	berømt	be**rumt**
beroep (vak)	profession *f*	proofes**sjoon**
beroep (appel)	bøn *f*, anmodning *f*	bun, **ân**mooðning
beroep (juridisch)	appel *f*	ap**pél**
beschadigd	beskadiget	be**skâ**ðie-et
beschadigen	beskadige	be**skâ**ðie-e
beschadiging	beskadigelse *f*	be**skâ**ðie-else
besmettelijk	smitsom	**smiet**som
bespreken (reserveren)	reservere	reesêr**wee**re
bespreken (erover praten)	tale om, diskutere	**tâ**le om, diskoe**tee**re
best(e)	bedst(e)	bêst(e)
beste ... (aanhef)	kære ...	**kê**re
bestek (tafelgerei)	bestik *o*	be**stik**
bestellen (order)	bestille	be**stil**le
bestellen (bezorgen)	bringe	**brin**ge
bestelling (order)	bestilling *f*	be**stil**ling
bestemming	bestemmelse *f*	be**stêm**melse
betalen	betale	be**tâ**le
betekenen	betyde	be**tuu**ðe
beter (... dan)	bedre (... end)	**bê**ðre (... ên)
beter worden	komme sig, blive rask	**kom**me sêj, blie rask
betrouwbaar	pålidelig	pô**lie**ðelie
bevolking (inwoners)	befolkning *f*	be**folk**ning
bevolking (volk)	befolkning *f*	be**folk**ning
bewaakt	bevogtet	be**wogh**tet

bewaker	vagt *f*, opsynsmand *f*	waght, **op**suunsmå
bewaking	bevogtning *f*, opsyn *o*	be**woght**ning, **op**suun
bewijs	bevis *o*	be**wies**
bewijsje (reçu)	bevis *o*	be**wies**
bewolkt	overskyet	**ouw**erskuu-et
bewusteloos	bevidstløs	be**wist**leus
bezichtigen	se	see
bezienswaardigheid	severdighed *f*	see**wêr**dieheeð
bezoek	besøg *o*	be**seu**
bezoeken	besøge	be**seu**-e
bezwaar	indvending *f*	**in**wênning
bezwaar (nadeel)	ulempe *f*	**oe**lêmpe
bezwaarschrift	ankeskrift *o*	**an**keskrift
bieden	byde	**buu**ðe
bier (in fles)	øl *f/o*	eul
bier (van de tap)	fadøl *f/o*	**fâ**ðeul
bij (voorz.)	ved, hos	weeð, hos
bij (insekt)	bi *f*	bie
bijna	næsten	**nês**ten
bijten (hond)	bide	**bie**ðe
bijten (insect)	stikke	**stik**ke
bijzonder	speciel	spee**sjêl**
biljet (affiche)	plakat *f*	pla**kât**
biljet (kaartje)	billet *f*	biel**lêt**
biljet (bank)	pengeseddel *f*	**pên**gesêðel
binnen (een grens)	indenfor	**in**nenfor
binnen (in huis)	inde, indenfor	**in**ne, **in**nenfor
binnenkomen	komme ind	**kom**me in
binnenlands	indenlandsk	**in**nenlânsk
binnenplaats	gård *f*	gôr
binnenweggetje	bivej *f*	**bie**wêj
bioscoop	biograf *f*	biejoo**ghraaf**
bitter	bitter	**bit**ter
blaar	vable *f*	**wâb**le
blad (papier)	ark *o*	aark
blad (tijdschrift)	blad *o*	blâð
blad (boom)	blad *o*	blâð
blauw	blå	blô
blauwe plek	blå plet *f*	blô plêt
bleek	bleg	blêj
blij	glad	ghlâð
blijdschap	glæde *f*	**ghlê**ðe
blijven	blive	blie

170

blik (oogopslag)	blik o	blik
blik (materiaal)	blik o	blik
blik (verpakking)	dåse f	**dô**se
blikgroente	konserves mv	kon**sêr**wes
blikopener	dåseåbner f	**dô**seôbner
blind	blind	blin
bloed	blod o	blooð
bloem (meel)	hvedemel o	**wee**ðemeel
bloem (bloesem)	blomst f	blomst
bloot	nøgen	**noj**en
blussen	slukke	**sloek**ke
bocht (kromming)	bugt f, sving o	boeght, swing
bochtig	bugtet	**boegh**tet
bodem (grond)	jordbund f	**joor**boen
boek	bog f	boow
boeken (reserveren)	reservere, booke	reesêr**wee**re
boekhandel	boghandel f	**boow**hânnel
boer	bonde f, landmand f	**bon**ne, **lân**mân
boerderij	bondegård f	**bon**neghôr
boete	bøde f	**beu**ðe
boodschap (bericht)	besked f	be**skee**ð
boodschappen doen	gå ærinder omv	ghô **êr**ner
boom	træ o	tree
boomgaard	frugtplantage f	**froeght**plântâsje
boord, aan	om bord o	om boor
boot	båd f	bôð
bonen (bruine)	(brune) bønner fmv	(**broe**ne) **bun**ner
bonen (witte)	(hvide) bønner fmv	(**wie**ðe) **bun**ner
bord (school)	tavle f	**tauw**le
bord(je) (ter aanduiding)	skilt o, tavle f	skielt, **tauw**le
bord (eten)	tallerken f	tal**lêr**ken
borst	bryst o	brust
borstel	børste f	**bur**ste
bos	skov f	skouw
bosweg	skovvej f	**skouw**wêj
bot (onscherp)	sløv	sleuw
bot (been)	knogle f, ben o	**knouw**le, been
boter	smør o	smeur
boterham	mellemmad f, smørrebrød o	**mêl**lemmâð, **smur**rebruð
botsing	sammenstød o	**sam**menstuð
bouwen	bygge	**buugh**ghe
boven (voorz.)	over	**ouw**er
boven (bijw.)	oppe	**op**pe

bovenop	ovenpå	**ouw**enpô
braden	stege	**stê**je
braken	kaste op	**kås**te op
brand	brand *f*	bran
brandblusser	ildslukker *f*	**iel**sloekker
brandmelder	brandmelder *f*	**bran**mêller
brandweer	brandvæsen *o*	**bran**weesen
brandwond	brandsår *o*	**bran**sôr
brandwondenzalf	brandsalve *f*	**bran**sêlwe
breed	bred	breeδ
breedte	bredde *f*	**bree**de
breken	brække, (slå) itu, (gå) itu	**brêk**ke, (slô) **i**toe, (ghô) **i**toe
brengen (hierheen)	bringe (herhen)	**brin**ge (**hêr**hin)
brengen (daarheen)	bringe (derhen)	**brin**ge (**dêr**hin)
breuk	brud *o*	broeδ
brief	brev *o*	breew
briefje (notitie)	notits *f*, seddel *f*	noo**tiets**, sê**δ**δel
briefkaart	brevkort *o*	**breew**koort
briefpapier	brevpapir *o*	**breew**pâpier
brievenbus	postkasse *f*	**post**kâsse
bril	briller *mv*	**bril**ler
broek (kort)	korte bukser *mv*, shorts	**kor**te **book**ser, sjorts
broek (lang)	lange bukser *mv*, benklæder *mv*	**lan**ge **book**ser, **been**kleeδer
broeder (verpleger)	sygeplejerske *f*	**suu**jeplêjerske
broer	bror *f*	broor
bromfiets	knallert *f*	**knål**lert
brood	brød *o*	bruδ
broodje (belegd)	smørrebrød *o*, sandwich *f*	**smur**rebruδ, **sân**witsj
brug	bro *f*	broo
brugwachter	brovagt *f*	**broo**waght
bruiloft	bryllup *o*	**brul**lop
bruin	brun	broen
bruin (door de zon)	solbrændt	**sool**brant
buik	mave *f*, underliv *o*	**mâ**we, **oon**nerliew
buikpijn	mavepine *f*	**mâ**wepiene
buiten (ligging)	på landet	pô **lân**net
buiten (niet in huis)	udenfor	**oe**δenfor
buitenland	udlandet *o*	**oe**δlânnet
buitenlander	udlænding *f*	**oe**δlânning
buitenverblijf	feriehus *o*	**feer**jehoes
bumper	kofanger *f*	**koo**fanger
bureau (kantoor)	kontor *o*	kon**toor**

bureau (schrijftafel)	skrivebord *o*	**skrie**weboor
burgemeester	borgmester *f*	borw**mêster**
bus (auto)	rutebil *f*, omnibus *f*	**roe**tebiel, **omn**ieboes
bus (touring)	turistbus *f*	toe**rist**boes
bus (verpakking)	dåse *f*, dunk *f*	**dô**se, donk
bushalte	busstoppested *o*	**boes**stoppesteeð
busstation	busstation *f*	**boes**stasjoon
buurt (wijk)	kvarter *o*	kwar**teer**
buurt van, in de	i nærheden af	ie **nêr**hiðen â

C

cadeau	gave *f*	**gâ**we
café (koffiehuis)	café *f*, konditori *o*	ka**fee**, kondie**too**rie
cake	sandkage *f*	**sân**kåje
camera	kamera *o*	**kâ**mera
campingwinkel	campingbutik *f*	**kâm**pingboetiek
caravan	campingvogn *f*	**kâm**pingwouwn
carburateur	karburator *f*	karboe**ra**tor
carrosserie	karrosseri *o*	karrosse**rie**
centimeter	centimeter *f*	**sên**tiemeeter
centrale	central *f*	sên**traal**
centrale verwarming	centralvarme *f*	sên**traal**waarme
centrum	centrum *o*, center *o*	**sên**trom, **sên**ter
chartervlucht	charterrejse *f*	**tsjar**terrêjse
chassis	chassis *o*, stel *o*	sjas**sie**, stêl
chef	chef *f*	sjeef
chocolade (eten/drank)	chokolade *f*	sjookoo**lâ**ðe
citroen	citron *f*	sie**troon**
compleet	komplet	kom**plêt**
compliment (prijzend)	kompliment *f*	komplie**mang**
concert	koncert *f*	kon**sêrt**
condoom	kondom *o*	kon**doom**
conducteur	konduktør *f*	kondoek**teur**
confectiekleding	konfektion *f*	konfek**sjoon**
contract	kontrakt *f*	kon**trakt**
controle	kontrol *f*	kon**trol**
corresponderen (brieven)	korrespondere	korrespon**dee**re
couchette	liggeplads *f*	**ligh**gheplås
coupé	kupé *f*	koe**pee**

D

daar (aanwijzing)	der	dêr
daarna	derefter	**dêr**êfter

daarom	derfor	**dêr**for
dadelijk	om lidt	om lit
dag	dag *f*	dâ
dag! (bij aankomst)	goddag	ghoo**dâ**
dag! (bij vertrek)	farvel	faar**wêl**
dagschotel	dagens ret *f*	**dâ**jens rat
dal	dal *f*	dâl
dam	dæmning *f*	**dêm**ning
dames	damer *fmv*	**dâ**mer
damestoilet	dametoilet *o*	**dâ**metoalet
dank	tak *f*	tak
dansen	danse	**dân**se
darm	tarm *f*	taarm
darminfectie	tarmbetændelse *f*	**taarm**betênnelse
das (strop)	slips *o*	slips
das (sjaal)	halstørklæde *o*	**hâls**teurkleeðe
dat (aanwijzend)	det	di
dat (voegwoord)	at	ât
datum	dato *f*	**dâ**too
deel	del *f*	deel
Deen	dansker *f*	**dân**sker
Deens	dansk	dânsk
defect	defekt	dee**fêkt**
deken	tæppe *o*, dyne *f*	**têp**pe, **duu**ne
demonstratie	demonstration *f*	deemonstra**sjoon**
Denemarken	Danmark	**dân**mark
dependance	anneks *o*	an**nêks**
dessert	dessert *f*, efterret *f*	dees**sêrt**, **êf**terrat
deur	dør *f*	deur
deurknop	dørhåndtag *o*, dørgreb *o*	**deur**hôntâ, **deur**ghreeb
deze (aanwijzend)	denne	**dên**ne
dia	diapositiv *o*	**die**âpoosie**tiew**
diaprojector	diaprojektionsapparat *o*	**die**âproojêk**sjoons**appa**raat**
diarree	diarré *f*	dieâr**ree**
dicht	tæt	têt
dicht (op slot)	lukket	**loek**ket
dicht bij	tæt ved	têt weeð
dichtbij	i nærheden *f*	ie **nêr**hiðen
die (aanwijzend)	den	dên
die (betr. vnmw.)	som, der	som, dêr
dieet	diæt *f*	die-**eet**
dieetvoeding	diætkost *f*	die-**eet**kost
dief	tyv *f*	tuuw

diefstal	tyveri *o*	tuuwe**rie**
dienstregeling	køreplan *f*	**keu**replån
diep	dyb	duub
diepte	dybde *f*	**duub**de
diepvries	dybfrost *f*	**duub**frost
diepvriezer	fryser *f*	**fruu**ser
dier	dyr *o*	duur
dierentuin	zoologisk have *f*	zooloo**ghiesk** håwe
dierenvoedsel	dyrefoder *o*	**duu**refooõer
dieselolie	dieselolie *f*	**die**seloolje
dik (compact, corpulent)	tyk	tuuk
ding	ting *f*	ting
direct (rechtstreeks)	direkte	**die**rekte
direct (onmiddellijk)	straks	straks
dit	det(te)	**dêt**(te)
dochter	datter *f*	**dât**ter
dodelijk	dødelig	**du**õelie
doek (stof)	klæde *o*	**klee**õe
doek (lapje)	klud *f*	kloeõ
doel (oogmerk)	formål *o*	**for**môl
doel (voetbal)	mål *o*	môl
doen	gøre	**gheu**re
dokter	læge *f*	**lê**je
dood	død *f*	duõ
doodlopend	blind	blin
doof	døv	deuw
door (beweging)	igennem	ie**ghên**nem
door (oorzaak)	på grund af	pô ghroen â
doorgang (passage)	passage *f*, gennemkørsel *f*	pås**sâs**je, **ghên**nemkeursel
doos	æske *f*, kasse *f*	**ês**ke, **kâs**se
dop(je)	skruelåg *o*	**skroe**-elô
dorp	landsby *f*	**lâns**buu
dorst hebben	være tørstig	**wê**re **teur**stie
douane	told *f*	tol
douche	brusebad *o*	**broe**sebâõ
draad	tråd *f*	trôõ
draaien	dreje, skrue	**drê**je, **skroe**-e
dragen (kleding)	have på	hâ pô
dragen (verplaatsen)	bære	**bê**re
dringend	tvingende nødvendigt	**twing**enne nuõ**wên**diet
drinken	drikke	**drik**ke
drinkwater	drikkevand *o*	**drik**kewân
drogen	tørre	**tur**re

droog	tør	tur
druk (pressie)	tryk *o*	truk
druk hebben, het	have travlt	hâ trauwlt
drukken (beweging)	trykke	**truk**ke
drukken (boeken)	trykke	**truk**ke
dubbel	dobbel	**dob**bel
duiken	dykke	**duk**ke
duikplank	springbræt *o*	**spring**brat
duim	tommelfinger *f*	**tom**melfinger
Duits	tysk	tuusk
Duitser	tysker *f*	**tuus**ker
Duitsland	Tyskland	**tuus**klân
duizeligheid	svimmelhed *f*	**swim**melheeð
dun	tynd	tun
duren	vare	**waa**re
durven	turde	**toe**re
duur (tijd)	varighed *f*	**waar**ieheeð
duur (prijzig)	dyr	duur

E

echt	ægte, rigtig	**êgh**te, **righ**tie
echtgenoot	ægtefælle *f*	**êgh**tefêlle
eenpersoonskamer	enkeltværelse *o*	**ên**keltwêrelse
eenrichtingsverkeer	ensrettet færdsel *f*	**eens**rattet **fêr**sel
eenvoudig	enkel, nem	**ên**kel, nêm
eergisteren	i forgårs	ie for**ghôrs**
eerlijk	ærlig	**êr**lie
eerste	første	**fur**ste
eetbaar	spiselig	**spie**selie
eeuw	århundrede *o*	ôr**hoen**reðe
ei (hard gekookt)	hårdkogt æg *o*	hôr**kogkht** êgh
ei (zacht gekookt)	blødkogt æg *o*	bluð**kogkht** êgh
ei (gebakken)	spejlæg *o*	**spêjl**êgh
eigendom	ejendom *f*	**êj**endom
eigenaar	ejer *f*	**êj**er
eiland	ø *f*	eu
eind(e)	ende *f*, slutning *f*	**ên**ne, **sloet**ning
eindpunt	endestation *f*	**ên**nestasjoon
elastiekje	gummibånd *o*	**ghoem**miebôn
elektrisch	elektrisk	ê**lêk**triesk
elk	hver	wêr
elleboog	albue *f*	**âl**boe-e
emmer	spand *f*	spån

Engeland	England	**êng**lån
Engels	engelsk	**êng**elsk
Engelsman	englænder *f*	**êng**lênner
enige (unieke)	eneste	**een**este
enige (enkele)	nogle	**noo**-en
enkele reis	enkeltbillet *f*	**ên**keltbiel**lêt**
envelop	konvolut *f*	konwoo**loet**
erg (zeer)	meget	**mê**jet
erg (ernstig)	forfærdelig	for**fêr**delie
ergens	et eller andet sted *o*	it **êl**ler **ân**net steeð
ergens anders	på et andet sted *o*	pô it **ân**net steeð
etalage	butiksvindue *o*	boe**tieks**windoe
eten	spise	**spie**se
eten(swaar)	mad *f*	måð
even (getal)	lige	**lie**je
even(tjes)	lige	**lie**je
evenwijdig aan	parallel med	paral**lêl** mêð
excuses	undskyldning *f*	**oen**skuulning
expresse, per	ekspres	êks**prês**
ezel	æsel *o*	**ee**sel

F

fabriek	fabrik *f*	fa**brik**
familie	familie *f*	fa**miel**je
familie zijn van	være i familie med	**wê**re ie fa**miel**je mêð
feest	fest *f*	fêst
feestdag	helligdag *f*	**hêl**liedå
feestvieren	fejre fest *f*	**fêj**re fêst
fel	skarp	skaarp
feliciteren	lykønske	**luk**unske
fiets	cykel *f*	**suu**kel
fietsenmaker	cykelsmed *f*	**suu**kelsmeeð
fietspad	cykelsti *f*	**suu**kelstie
fietsroute	cykelrute *f*	**suu**kelroete
fietstocht	cykeltur *f*	**suu**keltoer
fijn (plezierig)	dejlig	**dêj**lie
fijn (niet grof)	fin	fien
file	bilkø *f*	**biel**keu
film (bioscoop)	film *f*	fielm
filmcamera	filmkamera *o*	**fielm**kåmera
filmrolletje	film *f*	fielm
filter	filter *o*	**fiel**ter
filterkoffie	kaffe *f*	**kaf**fe

filtersigaret	filtercigaret *f*	**fiel**tersieg**harat**
flat (appartement)	lejlighed *f*	**lêj**lieheeð
flat (gebouw)	lejkaserne *f*	**lê**jeka**sêr**ne
flauw (zoutarm)	flov	flouw
flauw (saai)	kedelig	**kee**ðelie
flauwte	besvimelse *f*	be**swie**melse
flauwvallen	besvime	be**swie**me
fles	flaske *f*	**flâs**ke
flets	farveløs	**faur**weleus
fluiten	fløjte	**floj**te
fontein	springvand *o*	**spring**wån
fooi	drikkepenge *mv*	**drik**kepênge
formaat	format *o*	for**mât**
foto	foto *o*, billede *o*	**foo**too, **biel**leðe
fotograaf	fotograf *f*	footoo**ghraaf**
fotokopie	fotokopi *f*	**foo**tookoopie
fototoestel	fotokamera *o*	**foo**tookâmera
fout (bijv. nw.)	forkert	for**keert**
fout (zelfst. nw.)	fejl *f*	**fêjl**
foutloos	fejlfri	**fêjl**frie
frame	ramme *f*, stel *o*	**ram**me, stêl
frankeren	frankere	fran**keere**
Frankrijk	Frankrig	**fran**krie
Frans	fransk	fransk
Fransman	franskmand *f*	**fransk**mån
fris (vers)	frisk	frisk
fris (kil)	kølig	**keu**lie
frisdrank	sodavand *o*	**soo**dâwân
fruit	frugt *f*	froeght
fruitstalletje	frugtbod *f*	**froeght**boð

G

gaan (te voet)	gå	ghô
gaan (op andere wijze)	tage afsted, rejse, køre	tå å**stee**ð, **rêj**se, **keu**re
gaar	mør	meur
gal	galde *f*	**ghâl**le
gang (gebouw)	gang *f*, korridor *f*	ghang, korrie**dor**
gang (beweging)	gang *f*	ghang
gans	gås *f*	ghôs
garage (parkeerruimte)	garage *f*	gha**ra**sje
garage (werkplaats)	bilværksted *o*	**biel**wêrksteeð
garantie	garanti *f*	gha**ran**tie
garantiebewijs	garantibevis *o*	gha**ran**tiebewies

178

garderobe (bewaarplaats)	garderobe *f*	gharde**roo**be
garen	tråd *f*, garn *o*	trôδ, ghaarn
gas	gas *f*	ghås
gasfles	gasflaske *f*	**ghås**flåske
gast	gæst *f*	ghêst
gastheer	vært *f*	wêrt
gastvrij	gæstfri	**ghêst**frie
gastvrouw	værtinde *f*	wêrt**in**ne
gat	hul *o*	hoel
gauw	snart, hurtig	snaart, **hoer**tie
gebakje	konditorkage *f*	kon**die**torkåje
gebakken	bagt, stegt	baght, stêght
gebied (regio)	område *o*	**om**rôôe
gebied (vakterrein)	område *o*	**om**rôôe
geboortedatum	fødselsdato *f*	**fu**δselsdâtoo
geboren	født	feut
gebouw	bygning *f*	**buugh**ning
gebraden	stegt	stêght
gebroken	brækket, itu	**brêk**ket, ie**toe**
gebruik (het benutten)	brug *f*	broe
gebruik (traditie)	skik *f*	skik
gebruiken	bruge	broe-e
gebruiksaanwijzing	brugsanvisning *f*	**broes**ânwiesning
gedachte	tanke *f*	**tan**ke
gedeelte	del *f*	deel
geduld	tålmodighed *f*	tôl**moo**δieheeδ
geel	gul	ghoel
geen	ingen/intet	**in**gen/**in**tet
gehakt (vlees)	fars *f*	faars
geheel (bijv. nw.)	hel	heel
geheel (zelfst. nw.)	helhed *f*	**heel**heeδ
gehoor (publiek)	tilhørere *fmv*, publikum *o*	**til**heurere, **poeb**liekom
gehoor (orgaan)	hørelse *f*	**heu**relse
gehoorapparaat	høreapparat *o*	**heu**re
gehuwd	gift	ghieft
geit	ged *f*	gheeδ
gekoeld	kølet	**keu**let
gekookt	kogt	koght
geld	penge *mv*	**pên**ge
gelijk (zelfst.nw.)	ret *f*	rat
gelijk (bijv.nw.)	ens	eens
gelijk hebben	have ret *f*	hå rat

gelijkvloers	stueetage f	**stoe**-eet**â**sje
geluid	lyd f	luuð
geluidshinder	støjforurening f	**stoj**foroe**ree**ning
gemak voelen, zich op zijn	føle sig hjemme	**feu**le sèj **jêm**me
gemakkelijk	nem, magelig	nêm, **mâ**jelie
gemeente (administratief)	kommune f	kom**moe**ne
gemeente (kerkelijk)	sogn o	souwn
gemeentehuis	rådhus o	**rô**ðhoes
gemeenteraad	kommunalbestyrelse f	kommoen**âl**be**stuu**relse
gemengd	blandet	**blân**net
geneesmiddel	medicin f	meedie**sien**
genezen (hersteld)	helbredt, rask	**hêl**breet, rask
genieten (plezier hebben)	nyde	**nuu**ðe
genoeg	nok	nok
genoegdoening	skadesløsholdelse f	**skâ**ðesleus**hol**lelse
genoegen	fornøjelse f	for**no**jelse
gepast geld	aftalte penge	**auw**tâlte **pên**ge
gepensioneerd	pensioneret	pangsjo**nee**ret
gerecht (maaltijd)	ret f	rat
gerecht (rechtbank)	ret f, domstol f	rat, **dom**stool
gereedschap	redskab o	**ree**ðskâb
gereserveerd (besproken)	reserveret	resêr**wee**re
gering	ringe, lidt	**rin**ge, lit
gerookt (vlees)	røget	**roj**et
geroosterd	ristet	**ris**tet
gescheiden (afzonderlijk)	særskilt, separat	**sêr**skielt, seepa**raat**
gescheiden (juridisch)	fraskilt	**fra**skielt
geschenk	gave f	**gê**we
gesp	spænde o	**spên**ne
gestreept	stribet	**strie**bet
getal	tal o	tâl
getij	tidevand o	**tie**ðewân
getuige	vidne o	**wie**ðne
geur	duft f	doeft
geurig	duftende	**doeft**enne
gevaar	fare f	**faa**re
gevaarlijk	farlig	**faar**lie
gevarendriehoek	advarselstrekant f	**â**ðwaarsels**tree**kânt
gevel	gavl f, mur f	ghauwl, moer
geven	give	ghie
gevoel (zintuig)	følelse f	**feu**lelse
gevoel (sentiment)	følelse f	**feu**lelse
gevoelig	følsom	**feul**som

gevogelte	fjerkræ o	**fjêr**kree
gevolg (resultaat)	resultat o	reesoel**tât**
gevonden	fundet	**foen**net
gevuld	fyldt	fuult
gewicht	vægt f	wêght
gewond	såret	**sô**ret
gewoon (normaal)	almindelig	âl**min**nelie
gewoonte	vane f	**wâ**ne
gezellig	hyggelig	**huugh**ghelie
gezicht	ansigt o	**ân**sight
gezicht (zintuig)	syn o	suun
gezicht op	udsigt over	oeδsight **ou**wer
gezin	familie f	fa**miel**je
gezond	sund	soen
gezondheid	sundhed f, helbred o	**soen**heeδ, **hêl**breeδ
gids (boek/persoon)	rejsefører f	**rêj**sefeurer
gif	gift f	ghieft
giftig	giftig	**ghief**tie
glad (glibberig)	glat	ghlât
glad (effen)	jævn, plan	jeewn, plân
gladheid	glatføre o	**ghlât**feure
glas (materiaal + voorwerp)	glas o	ghlâs
goed (bijv. nw.)	god	ghoo
goed (bijw.)	godt	ghot
goedkoop	billig	**biel**lie
gordel	sele f, bælte o	**see**le, **bêl**te
gordijn	gardin o	ghar**dien**
goud	guld o	ghoel
gouden	gylden, af guld o	**ghuul**len, å ghoel
graag	gerne	**ghêr**ne
graat	fiskeben o	**fis**kebeen
graden (temperatuur)	grader fmv	**ghraa**δer
gras	græs o	ghras
grasveld	græsplæne f	**ghras**pleene
gratis	gratis	**ghraa**tis
graven	grave	**ghrau**we
grens	grænse f	**ghran**se
griep	influenza f	infloe-**ên**sa
grijs	grå	ghrô
groen	grøn	ghrun
groente	grøntsager fmv	**ghrunt**sâjer
groentehandelaar	grønthandler f	**ghrunt**hânler
groep	gruppe f	**ghroep**pe

groet	hilsen *f*	**hiel**sen
groeten uit	hilsen fra	**hiel**sen fraa
groeten doen aan	hilse	**hiel**se
grond (land)	jord *f*	joor
grond (reden)	grund *f*	ghroen
grond (vloer)	gulv *o*	ghoelw
grondzeil	teltunderlag *o*	**têlt**oennerlå
groot	stor	stoor
grootte (omvang)	størrelse *f*	**stur**relse
grot	grotte *f*	**ghrot**te
gunstig	gunstig	**ghoen**stie

H

haai	haj *f*	hêj
haak	krog *f*	kroow
haar	hår *o*	hôr
haarlak	hårlak *f*	**hôr**lak
haast (zelfst. nw.)	hast *f*	håst
hagel	hagl *f*	hauwl
hak	hæl *f*	heel
hakken	hakke	**hak**ke
hal	hal *f*	hâl
halen	hente	**hên**te
half	halv	hål
hals	hals *f*	håls
halte	stoppested *o*	**stop**pesteeð
ham	skinke *f*	**skin**ke
hamer	hammer *f*	**ham**mer
hand	hånd *f*	hôn
handdoek	håndklæde *o*	**hôn**kleeðe
handel	handel *f*	**hân**nel
handig (nuttig)	praktisk	**prak**tiesk
handig (bekwaam)	dygtig	**duugh**tie
handleiding	vejledning *f*	**wêj**leeðning
handrem	håndbremse *f*	**hôn**brêmse
handtasje	håndtaske *f*	**hôn**tåske
handtekening	underskrift *f*	**oen**nerskrift
handwerk	håndarbejde *o*	**hôn**arbêjde
handwerk (ambachtswerk)	håndværk *o*	**hôn**wêrk
hard (snel)	stærk	stêrk
hard (luid)	høj	hoj
hard (stevig)	hård	hôr
hardhandig	hårdhændet	**hôr**hênnet

hart	hjerte o	**jêr**te
hartig	salt	sâlt
hartpatiënt	hjertepatient f	**jêr**tepasjênt
haven	havn f	hauwn
hebben	have	**hâ**we
heel (geheel)	hel	heel
heel (intact)	hel	heel
heer	herre f	**hêr**re
heerlijk	dejlig	**dêj**lie
heet	hed	heeð
hek	stakit o, indhegning f	sta**kiet, in**hêjning
helder	klar	klaar
helemaal	helt	heelt
helft	halvdel f	**hâl**deel
helling	skråning f	**skrô**ning
hemd (overhemd)	skjorte f	**skjoor**te
hemd (onderhemd)	undertrøje f, chemise f	**oen**nertroje, sjee**mie**se
hemel	himmel f	**him**mel
herfst	efterår o	**êf**terôr
herhalen	gentage	**ghên**tâ
herhaling	gentagelse f	**ghên**tâjelse
hersenschudding	hjernerystelse f	**jêr**nerustelse
herstellen (repareren)	reparere	reepa**ree**re
herstellen (genezen)	komme sig, helbredes	**kom**me sêj, **hêl**breeðes
hetzelfde	det samme, i lige måde	di **sam**me, ie **lie**je **mô**ðe
heup	hofte f	**hof**te
heuvel	bakke f	**bak**ke
hier	her	hêr
hierheen	herhen	**hêr**hin
hoe (vragend)	hvordan	woor**dân**
hoe (wijze)	hvordan	woor**dân**
hoed	hat f	hât
hoek (buitenzijde)	hjørne o (yderside), vinkel f	**jur**ne (**uu**ðersieðe), **win**kel
hoek (binnenzijde)	hjørne o (inderside), vinkel f	**jur**ne (**in**nersieðe), **win**kel
hoe lang (tijd)	hvor længe	woor **lên**ge
hoesten	hoste	**hoo**ste
hoeveel (vragend)	hvor meget, hvor mange	woor **mê**jet, woor **man**ge
hoeveel (mate)	hvor meget	woor **mê**jet
hond	hund f	hoen
hondsdolheid	hundegalskab f	**hoen**negâl**skâb**
honger hebben	være sulten	**wê**re **soel**ten
hoofd (lichaam)	hovede o	**hoo**weð
hoofd (chef)	chef f	sjeef

hoofdstraat	hovedgade *f*	**hoo**weðghâðe
hoofdweg	hovedvej *f*	**hoo**weðwêj
hoog	høj	hoj
hoogte	højde *f*	**hoj**de
hoogte, op de	vide besked *f*	**wie**ðe be**skee**ð
hoogtevrees	højdeskræk *f*	**hoj**deskrêk
horen	høre	**heu**re
horens	horn *omv*	hoorn
horloge	ur *o*	oer
houdbaar	holdbar	**hol**baar
houden (bewaren)	beholde	be**hol**le
houden (vasthouden)	holde	**hol**le
houden van (lekker vinden)	kunne lide	**koen**ne lie
houden van (liefhebben)	holde af, elske	**hol**le å, **êl**ske
hout	træ *o*	tree
houtskool	trækul *o*	**tree**koel
huid	hud *f*	hoeð
huilen	græde	**ghra**ðe
huis	hus *o*	hoes
huisarts	læge *f*	**lê**je
huishoudelijke artikelen	husholdningsartikler *fmv*	**hoes**holnings-ar**tiek**ler
huishouding (verzorging)	husholdning *f*	**hoes**holning
huishouding (gezin)	husstand *f*	**hoes**stån
huisvrouw	husmoder *f*	**hoes**moor
huiswerk	hjemmearbejde *o*, lektier *fmv*	**jêm**mear**bêj**de, **lêk**sjer
hulp	hjælp *f*	jêlp
huren	leje	**lê**je
hut (gebouw)	hytte *f*	**huut**te
hut (schip)	kahyt *f*	ka**huut**
huur	leje *f*	**lê**je
huurauto	udlejningsbil *f*	**oe**ðlêjnings**biel**
huwelijk	ægteskab *o*	**êgh**teskâb

ideaal	ideel	iedee-**êl**
identificatie	identifikation *f*	iedêntiefiekâ**sjoon**
identiteitsbewijs	identitetskort *o*	iedentie**teets**koort
ieder	hver	wêr
iedereen	enhver, alle	ên**wêr**, **âl**le
iemand	nogen, en eller anden	**noo**-en, een **êl**ler **ân**nen
iets	noget, et eller andet	**noo**-et, it **êl**ler **ân**net
ijs (bevroren water)	is *f*	ies
ijs (consumptie)	is *f*	ies

ijsblokjes	isterninger *fmv*	**ies**têrninger
ijzel	isslag *o*	**ies**slâ
ijzer	jern *o*	jêrn
ijzerdraad	ståltråd *f*	**stôl**trôð
ijzeren	af jern *o*	â jêrn
imitatie	imitation *f*, efterligning *f*	iemietå**sjoon**, **êf**terliening
imperiaal	tagbagagebærer *f*	**tauw**bâghâsje**bê**rer
inbegrepen	iberegnet, inklusive	**ie**berêjnet, **in**kloesiewe
indeling	inddeling *f*	**in**deeling
inderdaad	rigtignok	**righ**tienok
ineens (in één keer)	på en gang *f*	pô **een** ghang
ineens (plotseling)	pludselig	**ploe**selie
infectie	betændelse *f*, infektion *f*	be**tên**nelse, infêk**sjoon**
informatie	information *f*, oplysning *f*	informa**sjoon**, **op**luusning
informatiebureau	informationskontor *o*	Informa**sjoons**-kontoor
informeren (mededelen)	informere, oplyse	infor**mee**re, **op**luuse
informeren naar	informere sig, forespørge	infor**mee**re sêj, **fo**respeurwe
ingewanden	indvolde *mv*	**in**wolle
inhaalverbod	overhalingsforbud *o*	**ouw**erhâlings-**for**boeð
inhalen	overhale	**ouw**erhâle
inham (baai)	bugt *f*	boeght
inheems	hjemmehørende	**jêm**meheurenne
injectienaald	kanyle *f*	kâ**nuu**le
inkopen doen	købe ind	**keu**be in
inkt	blæk *o*	blêk
inktvis	blæksprutte *f*	**blêk**sproette
innemen (medicijn)	tage	tå
in orde!	i orden *f*	ie **or**den
inrijden	køre ind	**keu**re in
inschenken	skænke (i)	**skên**ke (ie)
inschepen	indskibe sig *o*	**in**skiebe sêj
inschrijven	indskrive	**in**skriewe
insect	insekt *o*	in**sêkt**
insectenbeet	insektstik *o*	in**sêkt**stik
instappen	stige ind	**stie**je in
interessant	interessant	interes**sânt**
interlokaal	interlokal	**in**terlokâl
internationaal	international	**in**ternâsjoo**nâl**
invalide	invalid	in**wâlie**ð
invalidenwagen	rullestol *f*	**roel**lestool
invoeren (maatregel)	indføre	**in**feure
invoeren (importeren)	indføre, importere	**in**feure, impor**tee**re
invoerrechten	indførselstold *f*	**in**feursels**tol**

invullen	udfylde	**oe**ðfuule
inwendig	indvendig	**in**wêndie

J

jaar	år *o*	ôr
jaarlijks	årlig	**ôr**lie
jacht (dieren doden)	jagt *f*	jaght
jacht (schip)	jagt *f*	jaght
jack	vindjakke *f*, anorak *f*	**win**jakke, **a**noo**rak**
jam	marmelade *f*	marmel**â**ðe
jammer, het is	desværre	dê**swêr**re
jarig zijn	holde fødselsdag *f*	**hol**le fuðselsdå
jas (lang)	frakke *f*	**frak**ke
jasje (colbert)	jakke *f*	**jak**ke
jeugdherberg	ungdomsherberg *o*	**oeng**domshêr**bêrw**
jeuk	kløe *f*	**kleu**-e
jeuken	klø	kleu
jodium	jod *f/o*	jôð
jong (bijv. nw.)	ung	oeng
jong (dier)	unge *f*	**oeng**e
jongen	dreng *f*	drêng
juist	netop, rigtig	**nê**top, **righ**tie
jurk	kjole *f*	**kjoo**le
juweel	smykke *o*, juvel *f*	**smuk**ke, joe**weel**
juwelier	juvelér *f*	joewee**ler**

K

kaak	kæbe *f*	**kê**be
kaars	stearinlys *o*	stee**rien**luus
kaart	kort *o*	koort
kaarten (spelen) spelle koort	spille kort *omv*	
kaartje	billet *f*	biel**lêt**
kaas	ost *f*	ost
kabel	kabel *o*	**kâ**bel
kachel	kakkelovn *f*	**kak**kelouwn
kade	kaj *f*	kaj
kader (rang)	kadre *f*	**kâ**ðre
kader (omlijsting)	ramme *f*	**ram**me
kakkerlak	kakkerlak *f*	kakker**lak**
kalfsvlees	kalvekød *o*	**kâl**wekuð
kam	kam *f*	kam
kamer	værelse *o*	**wêr**else

kamermeisje	stuepige *f*	**stoe**-epieje
kamp (leger)	lejr *f*	lêjr
kampeerterrein	campingplads *f*	**kâm**pingplås
kampeeruitrusting	kamperingsudstyr *o*	kâm**pee**rings-oeðstuur
kampeerverbod	kamperingsforbud *o*	kâm**pee**ringsforboeð
kampeervergunning	kamperingstilladelse *f*	kâm**pee**rings-tillâðelse
kamperen	kampere	kâm**pee**re
kampkaart	campingkort *o*	**kâm**pingkoort
kampvuur	lejrbål *o*	**lêjr**bôl
kampwinkel	campingbutik *f*	**kâm**pingboetiek
kan	kande *f*	**kân**ne
kanaal	kanal *f*	kâ**nâl**
kano	kano *f*	**kâ**noo
kans	chance *f*	**sjang**se
kant (zijde, richting)	side *f*	**sie**ðe
kant (materiaal)	knipling *f*, blonde *f*	**knip**ling, **blon**de
kantoor	kontor *o*	kon**toor**
kantoorbehoeften	kontorartikler *fmv*	kon**toor**ar**tiek**ler
kap (van motor)	motorhjelm *f*	**moo**torjêlm
kapot	i stykker *omv*	ie **stuk**ker
kappen (bomen)	fælde	**fêl**le
kappen (haar verzorgen)	frisere	frie**see**re
kapper	frisør *f*	frie**seur**
kar	vogn *f*	wouwn
karaf	karaffel *f*	ka**raf**fel
karnemelk	kærnemælk *f*	**kêr**nemêlk
kassa	kasse *f*	**kâs**se
kast	skab *o*	skâb
kasteel	slot *o*	slot
kat	kat *f*	kât
kater (nawerking)	tømmermænd *fmv*	**tum**mermån
kathedraal	domkirke *f*	**dom**kierke
katholiek (rooms)	katolsk	kâ**toolsk**
katoen	bomuld *f*	**bo**moel
kauwen	tygge	**tuugh**ghe
kauwgom	tyggegummi *o*	**tuugh**ghe**ghoem**mie
keel	hals *f*, strube *f*	hâls, **stroe**be
keelpijn	ondt i halsen *f*	ont ie **hâl**sen
kelder	kælder *f*	**kêl**ler
kennis (wetenschap)	kundskab *f*	**koen**skåb
kennis (bekende)	bekendt *f*	be**kênt**
kennismaken	gøre bekendtskab *o*	**gheu**re be**kênt**skåb
kerk	kirke *f*	**kier**ke

kerkdienst	gudstjeneste f	**ghoe**ôstjeeneste
kerkhof	kirkegård f	**kier**keghôr
ketting	kæde f	**kee**ôe
keuken	køkken o	**kuk**ken
kies	kindtand f	**kin**tân
kiespijn	tandpine f	**tân**piene
kiezen (een keus maken)	vælge	**wêl**je
kijken	kigge	**kiegh**ghe
kin	hage f	**hâ**je
kind	barn o	baarn
kinderbedje	barneseng f	**baar**nesêng
kinderstoel	barnestol f	**baar**nestool
kinderwagen	barnevogn f	**baar**newouwn
kiosk	kiosk f	kie-**osk**
kip	høne f	**heu**ne
kippevlees	hønsekød o	**hun**sekuô
kist	kasse f, kiste f	**kâs**se
klaar (gereed)	færdig	**fêr**die
klacht	klage f	**klâ**je
klachtenboek	klagebog f	**klâ**jeboow
klagen (klacht indienen)	klage	**klâ**je
klagen (jammeren)	klage sig	**klâ**je sêj
klasse	klasse f	**klâs**se
kleding	tøj o	toj
klein	lille	**liel**le
kleingeld	småpenge mv	**smo**pênge
kleinkind	barnebarn o	**baar**nebaarn
klep	klap f	klap
kleren	tøj o	toj
klerenhanger	bøjle f	**boj**le
klerenkast	klædeskab o	**klee**ôeskâb
kleur	farve f	faurwe
kleuren (blozen)	rødme	**ru**ôme
klimaat	klima o	**klie**mâ
klip	klint f, klippe f	klint, **klip**pe
klok	klokke f, ur o	**klok**ke, oer
klokkentoren	klokketårn o	**klok**ketôrn
klontje	klump f	kloemp
kloof	kløft f	kluft
klooster	kloster o	**klos**ter
kloostergang	klostergang f	**klos**terghang
kloosterhof	klostergård f	**klos**terghôr
kloostertuin	klosterhave f	**klos**terhêwe

kloosterzuster	nonne *f*	**non**ne
kloppen (op de deur)	banke (på)	**ban**ke (pô)
klopt, het	det stemmer	di **stêm**mer
klosje (garen)	rulle *f*	**roel**le
klosje (houten)	klods *f*	klos
knie	knæ *o*	knee
knieschijf	knæskal *f*	**knee**skål
knippen	klippe	**klip**pe
knipperlicht	blinklys *o*	**blink**luus
knoflook	hvidløg *o*	**wie**ðloj
knoop (in draad)	knude *f*	**knoe**ðe
knoop (van kledingstuk)	knap *f*	knap
knop (deur)	greb *o*, håndtag *o*	ghreeb, **hôn**tå
knop (bloem)	knop *f*	knop
knop (druk)	knap *f*	knap
koek	kage *f*	**kâ**je
koekje	småkage *f*	**smo**kâje
koel	kølig	**keu**lie
koelkast	køleskab *o*	**keu**leskâb
koers (geld, richting)	kurs *f*	koers
koffer	kuffert *f*	**koef**fert
koffie	kaffe *f*	**kaf**fe
koffieboon	kaffebønne *f*	**kaf**febunne
koffiepot	kaffekande *f*	**kaf**fekânne
kok	kok *f*	kok
koken (eten)	koge, lave mad *f*	**koo**-e, **lâ**we mâð
komen	komme	**kom**me
kompas	kompas *o*	kom**pâs**
koning	konge *f*	**kon**ge
koningin	dronning *f*	**dron**ning
kool	kål *o*	kôl
koop, te	til salg *o*	til **sâlj**
koorts	feber *f*	**fee**ber
kopen	købe	**keu**be
koper (iemand die koopt)	køber *f*	**keu**ber
koper (metaal)	kobber *o*	**koow**wer
kopje	kop *f*	kop
koppeling	kobling *f*	**kob**ling
kort	kort	koort
korting	rabat *f*	ra**bât**
kortsluiting	kortslutning *f*	**koort**sloetning
kosten (zelfst. nw.)	omkostninger *fmv*	**om**kostninger
kosten	koste	**kos**te

kostuum	jakkesæt *o*, habit *f*, dragt *f*	**jak**kesêt, hå**biet**, draght
koud	kold	kol
kousen	strømper *fmv*	**strum**per
kraag	krave *f*	**krau**we
kraamkliniek	fødeklinik *f*	**feu** δeklie**niek**
kraampje	bod *f*	bôδ
kraan (water)	vandhane *f*	**wân**hâne
kraan (wagen)	kranbil *f*	**kraan**biel
krab	krabbe *f*	**krab**be
krant	avis *f*	âwies
kreeft (zee)	hummer *f*	**hoem**mer
krijgen	få	fô
krik	donkraft *f*	**don**kraft
kruiden	krydderier *omv*	kruδδe**rie**-er
kruidenier (winkel)	købmand *f*	**kub**mân
kruidenierswaren	kolonialvarer *fmv*	kooloonie-**âl**waarer
kruik	dunk *f*, krukke *f*	doonk, **kruk**ke
kruis	kors *o* , kryds *o*	koors, kruus
kruising	krydsning *f*	**kruus**ning
kuil	fordybning *f*, kule *f*	for**duub**ning, **koe**le
kuit (been)	læg *f*	lee
kunnen (geleerd hebben)	kunne	**koen**ne
kunnen (in de gelegenheid zijn)	kunne	kunne **koen**ne
kunst	kunst *f*	koenst
kunstenaar	kunstner *f*	**koenst**ner
kunstgebit	protese *f*	proo**tee**se
kunstmatig(e ademhaling)	kunstig(t åndedræt)	**koen**stie(t **ôn**nedrat)
kurk (van fles)	prop *f*	prop
kurk (materiaal)	kork *f*	kork
kurkentrekker	proptrækker *f*	**prop**trêkker
kus	kys *o*	kus
kussen (zelfst. nw.)	kysse	**kus**se
kussen (zelfst. nw.)	pude *f*	**poe**δe
kussensloop	pudebetræk *o*	**poe**δebe**trêk**
kust (wacht)	kyst(vagt) *f*	**kust**(waght)
kwaal	kval *f*, sygdom *f*	kwâl, **suu**dom
kwal (dier)	vandmand *f*	**wân**mân
kwaliteit	kvalitet *f*	kwâlie**teet**
kwalijk nemen (verwijten)	være vred	**wê**re wreeδ
kwalijk, neem mij niet	undskyld	**on**skuul
kwart	kvart *f*	kwaart
kwartier	kvarter *o*	kwar**teer**
kwijt zijn	miste	**mis**te

kwijtraken	bortkomme	**boort**komme
kwijtschelden	eftergive	**êf**tergie
kwitantie	kvittering *f*	kwiet**te**ring

L

laag (bijv. nw.)	lav	lâw
laag (zelfst. nw.)	lag *o*	lâ
laars	støvle *f*	**steuw**le
laat	sen	seen
laatst (onlangs)	sidst	siest
laatste	sidste	**sies**te
lachen	le	lee
laken (beddengoed)	lagen *o*	**lee**jen
lam (verlamd)	lammet	**lam**met
lam (svlees)	lammekød *o*	**lam**mekuð
lamp	lampe *f*	**lam**pe
land (grond)	jord *f*	joor
land (staat)	land *o*	lân
landelijk (van het platteland)	landlig	**lân**lie
landen (luchtvaart)	lande	**lân**ne
landing	landing *f*	**lân**ning
landkaart	landkort *o*	**lân**koort
landschap	landskab *o*	**lân**skâb
lang (mens)	høj	hoj
lang (afstand)	lang	lang
lang (tijd)	længe	**lên**ge
langdurig	langvarig	**lang**waarie
langs	langs	langs
langzaam	langsom	**lang**som
langzamerhand	efterhånden	êfter**hôn**nen
lantaarn (straat)	lygte *f*	**luugh**te
lap (stof)	klud *f*, stykke *o* stof *o*	kloeð, **stuk**ke stof
lap grond	jordstykke *o*, parcel *f*	**joor**stukke, par**sêl**
lassen	svejse	**swêj**se
last (gewicht)	last *f*, byrde *f*	last, **buur**de
last, ik heb last van	besvær *o*	be**swêr**
lastig	besværlig	be**swêr**lie
lastigvallen	genere	sje**nee**re
lauw (temperatuur)	lunken	**loen**ken
lawaai	støj *f*	stoj
lawaaierig	støjende	**stoj**enne
laxeermiddel	afføringsmiddel *o*	**auw**feuringsmiððel
leeg	tom	tom

leeglopen (zaal)	tømmes	**tum**mes
leeglopen (band)	tømmes for luft f	**tum**mes for loeft
leer (materiaal)	læder o, skind o	**lee**ðer, skin
leggen	lægge	**lêgh**ghe
legitimatiebewijs	legitimationsbevis o	leegietiemâ**sjoons**bewies
lek (zelfst. nw.)	læk f	lêk
lekke band	punkteret dæk o	poenk**tee**ret dêk
lekker	lækker	**lêk**ker
lelijk	grim	ghrim
lenen aan	udlåne	oe**ð**lône
lenen van	låne	**lô**ne
lengte (mens)	højde f	**hoj**de
lengte (afstand)	længde f	**lêng**de
lens	linse f, objektiv o	**lin**se, objêk**tiew**
lente	forår o	**for**ôr
lepel	ske f	skee
lepeltje	teske f	**tee**skee
leren (onderwijzen)	lære, undervise	**lee**re, oen**ner**wiese
leren (studeren)	lære, studere, læse	**lee**re, stoe**dee**re, **lee**se
leuk	morsom	**moor**som
leunen op	læne sig til	**lee**ne sêj til
leuning (stoel)	armlæn o, ryglæn o	**aarm**leen, **ruugh**leen
leuning (trap)	gelænder o	ghe**lên**ner
leven	leve	**lee**we
leven (zelfst. nw.)	liv o	liew
levend	levende	**lee**wenne
levensmiddelen	levnedsmidler omv	**lee**wneeðsmiðler
lezen	læse	**lee**se
lichaam	krop f, legeme o	krop, **lee**jeme
lichamelijk	legemlig	**lee**jemlie
lichamelijke opvoeding	gymnastik f	ghuumnâ**stiek**
licht (gewicht)	let	lêt
licht (gemakkelijk)	nem, let	nêm, lêt
licht (van kleur)	lys	luus
licht (zelfst. nw.)	lys o	luus
lichting (post)	tømning f	**tum**ning
lief	sød	suð
liefde	kærlighed o	**kêr**lieheeð
liefhebberij	hobby f	**hob**bie
liegen	lyve	**luu**we
liever hebben	hellere	**hêl**lere
lift (hijswerktuig)	elevator f	eele**wâ**tor
lift (geven)	lift o	lieft

liften	lifte, blaffe	**lief**te, **blaf**fe
lifter	blaffer *f*	**blaf**fer
liggen (op iets)	ligge	**ligh**ghe
liggen (gelegen zijn)	ligge	**ligh**ghe
ligstoel	liggestol *f*	**ligh**ghestool
lijm	lim *f*	liem
lijmen	lime	**lie**me
lijn (streep, bus)	linie *f*	**lien**je
lijn (draad)	line *f*	**lie**ne
likken	slikke	**slik**ke
links (af)	(til) venstre	(til) **wên**stre
linnen (bijv. nw.)	af lærred *o*	å **lêr**reð
linnen (zelfst. nw.)	lærred *o*	**lêr**reð
linnengoed	hvidevarer *fmv*	**wie**ðewaarer
lint	bånd *o*	bôn
lip	læbe *f*	**lee**be
lippenstift	læbestift *f*	**lee**bestift
liter	liter *f*	**lie**ter
logeren	overnatte	**ouw**ernâtte
logies en ontbijt	overnatning *f*, morgenmad *f*	**ouw**ernâtning, **môr**renmâð
	inkluderet	**in**kloedeeret
loket	kasse *f*	**kâs**se
long	lunge *f*	**loen**ge
lopen (te voet)	gå	ghô
lopen (hard)	løbe	**leu**be
lopen (mechaniek)	gå, køre, virke	ghô, **keu**re, **wier**ke
los	løs	leus
losmaken	løsne	**leus**ne
lossen (lading)	losse	**los**se
lucht (hemel)	luft *f*, himmel *f*	loeft, **him**mel
lucht (natuurk.)	luft *f*	loeft
luchtballon	ballon *f*	bål**long**
luchtbed	luftmadras *f*	**loeft**madras
luchten (verfrissen)	lufte	**loef**te
luchthaven	lufthavn *f*	**loeft**hauwn
luchtpost, per	luftpost *f*	**loeft**post
luchtvaart	luftfart *f*	**loeft**faart
luchtziek	luftsyg	**loeft**suu
lucifer	tændstik *f*	**tên**stik
luciferdoosje	tændstikæske *f*	**tên**stikêske
lui	doven	**doo**wen
luid	høj	hoj
luier	ble *f*	blee

luisteren	lytte	luutte
luisteren (gehoorzamen)	adlyde	âδluuδe
luis	lus f	loes
lunch	frokost f	frookost
lunchpakket	frokostpakke f, madpakke f	frookostpakke, mâδpakke

M

maag (pijn)	mave(pine) f	mêwe(piene)
maagzuur	mavesyre f	mêwesuure
maand	måned f	mône δ
maandverband	hygiejnebind o	huugieéjnebin
maat (kleding)	størrelse f	sturrelse
machtiging	fuldmagt f	foelmaght
mager	mager	mâjer
magneet	magnet f	mauwneet
makelaar	mægler f	meeler
maken (vervaardigen)	lave	lâwe
maken (repareren)	reparere	reepareere
makkelijk	nem	nêm
man	mand f	mån
man (echtgenoot)	mand f	mån
mand	kurv f	koerw
mank	halt	hâlt
marmer	marmor o	maarmor
massief (bijv. nw.)	massiv	måssiew
mast	mast f	mâst
matras	madras f	madras
maximum snelheid	maksimum hastighed f	maksiemom hâstieheeδ
mededeling	meddelelse f	mêδdeelelse
medicijn	medicin f	meediesien
meel	mel o	meel
meer (zelfst. nw.)	sø f	seu
meer (bijw.)	mere, flere	meer, fleer
meer dan	mere end	meer ên
meer dan (aantal)	mere/flere end, over	meer/fleer ên
meisje	pige f	pieje
melk	mælk f	mêlk
melkpoeder	mælkepulver o, tørmælk f	mêlkepoelwer, turmêlk
meloen	melon f	meloon
mes	kniv f	kniew
mevrouw	fru(e) f	froe
middag	eftermiddag f	êftermiddâ
middageten	middag f, middagsmad f	middâ, middâsmåδ

midden	midte *f*	**mit**te
middernacht	midnat *f*	**mi**ðnât
mier	myre *f*	**muu**re
minder	mindre, færre	**min**dre, **fêr**re
minder dan (hoedanigheid)	ringere end	**ring**ere ên
minder dan (aantal)	færre end	**fêr**re ên
misschien	måske	mô**skee**
misselijk zijn	have kvalme *f*	hå **kwâl**me
mist	tåge *f*	**tô**we
misverstand	misforståelse *f*	**mis**forstô-else
modder	mudder *o*	**moe**ððer
moe	træt	trat
moeder	mor *f*	moor
moeilijk	vanskelig	**wân**skelie
moer	møtrik *f*	**meu**trik
moeras	morads *o*	moo**ras**
moeten	skulle	**skoel**le
mogelijk	mulig	**moe**lie
molen	mølle *f*	**mul**le
mond	mund *f*	moen
mondeling	mundtlig	**moent**lie
monnik	munk *f*	moenk
monteur	montør *f*, mekaniker *f* (auto)	mon**teur**, mee**kâ**nieker
montuur	stel *o*	stêl
mooi	smuk	smoek
morgen (ochtend)	morgen *f*	**môr**ren
morgen (volgende dag)	i morgen	ie **môr**ren
morgens, 's	om morgenen *f*	om **môr**renen
mosterd	sennep *f*	**sên**nep
motor	motor *f*	**moo**tor
motorboot	motorbåd *f*	**moo**torbôð
motorfiets	motorcykel *f*	**moo**torsuukel
motorkap	motorhjelm *f*	**moo**torjêlm
motorpech	motorstop *o*	**moo**torstop
mouw	ærme *o*	**êr**me
mug	myg *o*	muugh
muis	mus *f*	moes
munt	mønt *f*	munt
muntenverzamelaar	møntsamler *f*	**munt**samler
museum	museum *o*	moe**see**-om
muur (wand)	mur *f*	moer
muur (wal)	vold *f*, mur *f*	wol, moer
muziek	musik *f*	moe**siek**

naaien	sy	suu
naald	nål *f*	nôl
naam	navn *o*	nauwn
naast	ved siden af	weô **sie**ôen å
nacht	nat *f*	nât
nachtwaker	nattevagt *f*	**nât**tewaght
nagel	negl *f*	nêjl
nagellak	neglelak *f*	**nêj**lelak
nagelschaartje	neglesaks *f*	**nêj**lesaks
nagelvijltje	neglefil *f*	**nêj**lefiel
nakijken	efterse, kontrollere	**êf**tersee, kontrool**lee**re
namaak	efterligning *f*	**êf**terliening
nat	våd	wôd
nationaliteit	nationalitet *f*	nåsjoonålie**teet**
natuur	natur *f*	nâ**toer**
natuurlijk (vanzelfsprekend)	naturligvis	nâ**toer**liewies
natuurlijk (van de natuur)	naturlig	nâ**toer**lie
nauw	snæver	**snee**wer
nauwelijks	næppe	**nêp**pe
nauwkeurig	nøjagtig, akkurat	nojaghtie, **ak**koeraat
Nederland	Holland	**holl**ân
Nederlander	hollænder *f*	**holl**ênner
Nederlands	hollandsk	**holl**ânsk
neef (kind van oom/tante)	fætter *f*	**fêt**ter
neef (oomzegger)	nevø *f*	ne**weu**
neerzetten	sætte, stille	**sêt**te, **stil**le
negatief (bijv. nw.)	negativ	**nee**ghâtiew
net (bijv. nw.)	pæn	peen
net (zelfst. nw.)	net *o*	nêt
net (zojuist)	netop, lige	**nêt**op, **lie**je
neus	næse *f*	**nee**se
nicht (kind van oom/tante)	kusine *f*	koe**sie**ne
nicht (oomzegger)	niece *f*	**njee**se
niemand	ingen	**ing**en
niets	intet	**in**tet
nieuw	ny	nuu
nieuws	nyt	nuut
nieuwsblad	nyhedsblad *o*	**nuu**heeôsblâô
niezen	nyse	**nuu**se
nodig hebben	behøve, have brug for	be**heu**we, hå **broe** for
nodig zijn	være påkrævet	**wê**re **pô**kreewet

nog	endnu	**ên**noe
nogal	temmelig	**têm**melie
noodrem	nødbremse f	**nu**ðbramse
nooduitgang	nødudgang f	**nu**ðoeðghang
noodverband	nødforbinding f	**nu**ðforbinning
nooit	aldrig	**al**drie
noorden	nord f	noor
Noordse landen, de	Norden f	**noo**ren
noot (vrucht)	nød f	nuð
noot (muziek)	node f	**noo**ðe
normaal	normal	nor**mâl**
nota	nota f	**noo**tå
noteren	notere	noo**tee**re
nu	nu	noe
nummer	nummer o	**noom**mer
nummerplaat	nummerplade f	**noom**merplåðe

O

ober	tjener f	**tjee**ner
ochtend	morgen f	**môr**ren
oever	bred f	breeð
of	eller	**êl**ler
officieel	officiel	offies**jêl**
officier	officer f	offies**seer**
ogenblik	øjeblik o	**oj**eblik
olie	olie f	**ool**je
olijf	oliven f	oo**lie**wen
olijfolie	olivenolie f	oo**lie**wenoolje
omdat	fordi	for**die**
omgeving	omgivelse f	**om**giewelse
omlegging	omkørsel f	**om**keursel
omrijden	køre en omvej f	**keu**re een **om**wêj
omweg	omvej f	**om**wêj
onbeleefd	uhøflig	**oe**huflie
onberijdbaar	ufarbar	**oe**faarbaar
onbewaakt	ubevogtet	**oe**bewoghtet
onder	under	**oen**ner
onderbreken	afbryde	**auw**bruuðe
onderbroek	underbukser mv	**oen**nerboekser
onderdeel (gedeelte)	del f	deel
onderdelen (mechanisme)	reservedele fmv	re**sêr**we**dee**le
ondergronds	underjordisk	**oen**nerjoordiesk
onderin	nederst	**nee**ðerst

onderkant	underside f	oennersieðe
onderschrift	underskrift f	oennerskrift
ondertekenen	underskrive	oennerskriewe
onderzoek	undersøgelse f	oennerseujelse
ondiep	lav	lâw
oneerlijk	uærlig	oe-êrlie
oneven	ulige	oelieje
ongedierte	utøj o	oetoj
ongehuwd	ugift	oeghieft
ongelijk hebben	have uret f	hå oerat
ongeluk	uheld o, ulykke f	oehêl, oelukke
ongelukkig	uheldig, ulykkelig	oehêldie, oelukkelie
ongerust	ængstelig	êngstelie
ongesteld (alg.)	utilpas	oetilpås
ongesteld (menstruatie)	menstruere	mênstroe-eere
ongeveer	omtrent, circa	omtrênt, sierkå
ongunstig	ugunstig	oeghoenstie
onkosten	omkostninger fmv	omkostninger
onmiddellijk	umiddelbar, straks	oemiððelbar, straks
onmogelijk	umulig	oemoelie
onschuldig	uskyldig	oeskuuldie
ontbijt	morgenmad f	môrrenmåð
ontbreken	mangle	mangle
ontdekken	opdage	opdâ
ontmoeten	møde	meuðe
ontmoeting	møde o	meuðe
ontsmetten	desinficere	dêsinfieseere
ontsmettingsmiddel	desinfektionsmiddel o	dêsinfêksjoons-miððel
ontsteking (elektrisch)	tænding f	tênning
ontsteking (infectie)	infektion f, betændelse f	infêksjoon, betênnelse
ontvangen	modtage	moðtâ
ontwikkelen (vormen)	udvikle	oeðwiekle
ontwikkelen (film)	fremkalde	frêmkålle
onvoldoende	utilstrækkelig	oetilstrêkkelie
onweer	uvejr o	oeweer
oog	øje o	oje
oogarts	øjenlæge f	ojenleeje
oogst	høst f	hust
ook	også	osse
oor	øre o	eure
oorsprong	oprindelse f	oprinnelse
oorspronkelijk	oprindelig	oprinnelie
oosten	øst	ust

opbellen	ringe op, telefonere	**rin**ge op, teelefoo**nee**re
opdienen	servere	sêr**wee**re
open	åben	**ô**ben
openen	åbne	**ôb**ne
opeten	spise (op)	**spie**se (op)
opgebroken (rijweg)	brudt op	broet op
opgeven (ophouden)	opgive	**op**ghie
oplichten (bedriegen)	bedrage	be**drauw**e
oplichting	bedrageri *o*	bedrauwe**rie**
opmaken (van eten)	spise op	**spie**se op
opmaken (rekening)	opgøre	**op**gheure
oponthoud	forsinkelse *f*	for**sin**kelse
oppas	babysitter *f*	**bee**biesitter
oppassen (opletten)	passe på	**pâs**se pô
oppassen (bewaken)	passe på	**pâs**se pô
oppompen	pumpe	**poem**pe
opruimen	rydde op	**ruu**δôe op
opruiming (uitverkoop)	udsalg *o*	**oe**δsålj
opschrift	påskrift *f*	**pô**skrift
opstaan (uit bed)	stå op	stô op
opstaan (van stoel)	rejse sig	**rêj**se sêj
opstand	opstand *f*	**op**stån
opstopping	trafikprop *f*	tra**fiek**prop
optellen	lægge sammen	**lêgh**ghe **sam**men
optillen	løfte	**luf**te
oud (mensen)	gammel	**gham**mel
oud (kunst)	gammel, antik	**gham**mel, ân**tiek**
ouders	forældre *mv*	for**êl**dre
over (richting)	over	**ouw**er
over (boven, op)	over, ovenpå	**ouw**er, **ouw**enpô
over (afgelopen)	ovre, forbi	**ouw**re, for**bie**
overbevolking	overbefolkning *f*	**ouw**erbe**folk**ning
overdag	om dagen *f*	om **dâ**jen
overgeven (braken)	kaste op	**kâs**te op
overgeven (capituleren)	overgive sig	**ouw**erghie sêj
overhandigen	overrække	**ouw**er**rêk**ke
overkant, overzijde	på den anden side *f*	pô dên **ân**nen **sie**δe
overmorgen	i overmorgen *f*	ie **ouw**er**môr**ren
overstappen (bus/tram)	stige om	**stie**je om
overstappen (trein)	skifte	**skief**te
oversteken (weg)	gå/køre over vejen	ghô/**keu**re **ouw**er **wêj**en
overtocht (zee)	overfart *f*	**ouw**erfaart
overweg	overskæring *f*	**ouw**erskêring

paal	pæl f	pål
paar (koppel)	par o	paar
paar (enkele)	par o	paar
paard	hest f	hêst
paardekracht	hestekraft f	**hês**tekraft
paardestal	hestestald f	**hês**testål
paardrijden	ride	**rie**ðe
pad (weg)	sti f	stie
paddestoel	paddehat f, svamp f	**pâ**ðehât, swamp
pak (pakket)	pakke f	**pak**ke
pak (kostuum)	jakkesæt o, habit f, dragt f	**jak**kesêt, hå**biet**, draght
paleis	slot o, palæ o	slot, på**lee**
pan	gryde f, pande (koekenpan)	**ghruu**ðe, **pân**ne
panne	vanskeligheder fmv	**wân**skelieheeðer
pannenkoek	pandekage f	**pân**nekåje
panty	strømpebukser mv	**strum**peboekser
papier	papir o	på**pier**
papieren (documenten)	papirer omv	på**pie**rer
papiergeld	seddelpenge mv	**sê**ððelpênge
paraplu	paraply f	para**pluu**
parasol	parasol f	para**sol**
pardon!	undskyld	**on**skuul
parel	perle f	**pêr**le
parfum	parfume f	par**fuu**me
park	park f, anlæg o	paark, **ân**leegh
parkeergarage	parkeringshus o	par**kee**ringshoes
parkeerlicht	parkeringslygte f	par**kee**ringsluughte
parkeermeter	parkometer o	parkoo**mee**ter
parkeerplaats	parkeringsplads f	par**kee**ringsplås
parkeerschijf	parkeringsskive f	par**kee**ringsskiewe
parkeren	parkere	par**kee**re
pasfoto	pasfoto o	**pås**footoo
paskamer	prøveværelse o	**preu**wewêrelse
paspoort	pas o	pås
passen (kleding)	prøve	**preu**we
passen (de goede maat zijn)	passe	**pâs**se
pauze	pause f	**pau**se
pech (ongerief)	uheld o, defekt f	oe**hêl**, dee**fêkt**
pech (materiaal)	uheld o	oe**hêl**
pen (vul)	fyldepen f	**fuul**lepên
pen (bal)	kuglepen f	**koe**lepên

pen (vilt)	filtpen *f*	**fielt**pên
pension (huis)	pensionat *o*	pangsjo**nât**
pension (verzorging)	pension *f*	pang**sjoon**
peper	peber *o*	**pee**wer
per	pr.	pêr
perron	perron *f*	pêr**rong**
persoon	person *f*	pêr**soon**
persoonlijk	personlig	pêr**soon**lie
persoonsbewijs	personbevis *o*	pêr**soon**bewies
pier (havenhoofd)	mole *f*	**moo**le
pijl	pil *f*	piel
pijn	smerte *f*, pine *f*	**smêr**te, **pie**ne
pijnloos	smertefri	**smêr**tefrie
pijnstiller	smertestillende middel *o*	**smêr**testillene
pijp (rookgerei)	pibe *f*	**pie**be
pijptabak	pibetobak *f*	**pie**betoobak
pil	pille *f*	**pil**le
pilaar	pille *f*	**pil**le
plaat (afbeelding)	billede *o*	**biel**leðe
plaat (materiaal)	plade *f*	**plâ**ðe
plaat (muziek)	plade *f*	**plâ**ðe
plaats (plek)	sted *o*	steeð
plaats (stoel)	plads *f*	plås
plaats bespreken	reservere plads	resêr**wee**re plås
plaatskaartje	pladsbillet *f*	**plås**biellêt
plaatsnemen	tage plads	tå **plås**
plak(je)	skive *f*	**skie**we
plakband	tape *f*	teep
plakken	klæbe, klistre	**klee**be, **klie**stre
plan	plan *f*	plân
plan zijn, van	have til hensigt *f*	hâ til **hên**sight
plank	planke *f*, bræt *o*	**plan**ke, brat
plank (in kast)	hylde *f*	**huul**le
plant	plante *f*	**plân**te
plantaardig	vegetabilsk	weeghetå**bielsk**
plastic	plastic *o*, plast *o*	**plås**tik, plåst
plat	flad	flåð
plattegrond	kort *o*, grundplan *f*	koort, **ghroen**plân
plein	plads *f*, torv *o*	plås, toorw
pleister	plaster *o*	**plås**ter
plezier	fornøjelse *f*	for**no**jelse
poeder (alg.)	pulver *o*	**poel**wer
poeder (talk)	pudder *o*	**poe**ðe̊er

poes	mis *f*	mies
poetsen	pudse	**poes**se
polis	police *f*	pooliese
politie (gemeente)	kommunalt politi *o*	kommoe**nâlt** poolie**tie**
politie (rijks)	rigspoliti *o*	**ries**poolie**tie**
politieagent	politibetjent *f*	poolie**tie**betjent
politiebureau	politistation *f*	poolie**tie**stasjoon
pols (slag)	puls *f*	poels
pols (gewricht)	håndled *o*	**hôn**leeð
pomp	pumpe *f*	**poem**pe
pont	færge *f*	**fêr**we
poort	port *f*	poort
pop	dukke *f*	**doek**ke
portefeuille	tegnebog *f*	**têj**neboow
portemonnee	pung *f*	poeng
portie	portion *f*	por**sjoon**
portier (van auto)	dør *f*	deur
portier (persoon)	portier *f*	pô**tjee**
porto	porto *f*	**por**too
post	post *f*	post
postbode	postbud *o*	**post**boeð
postbus	postboks *f*	**post**boks
postkantoor	posthus *o*	**post**hoes
postpakket	postpakke *f*	**post**pakke
postzegel	frimærke *o*	**frie**mêrke
pot	potte *f*	**pot**te
potlood	blyant *f*	**bluu**-ânt
prachtig	pragtfuld	**pracht**foel
precies	præcis	pree**sies**
prijs (kosten)	pris *f*	pries
prijs (beloning)	præmie *f*	**prêm**je
prijskaartje	prismærke *o*	**pries**mêrke
prijslijst	prisliste *f*	**pries**liste
proberen	prøve	**preu**we
proces verbaal	politirapport *f*	poolie**tie**rappoort
proef (test)	prøve *f*	**preu**we
proeven	smage	**smâ**je
proost!	skål	skôl
protestant (hervormd)	protestant *f*	proote**stânt**
pudding	budding *f*	**boe**ðð ing
puist	knop *f*, filipens *f*	knop, fielie**pêns**
pyjama	pyjamas *f*	puu**jâ**mâs

202

R

raam	vindue *o*	**win**doe
rand	rand *f*, kant *f*	ran, kânt
rat	rotte *f*	**rot**te
rauw	rå	rô
rauwkost	råkost *f*	**ro**kost
recept (koken)	opskrift *f*	**op**skrift
recept (dokter)	recept *f*	re**sêpt**
recht	ret *f*	rat
rechtbank	domstol *f*	**dom**stool
rechtdoor	ligeud	**lie**je-oeδ
rechter	dommer *f*	**dom**mer
rechts	højre	**ho**jre
rechtsaf	til højre	til **ho**jre
rechtuit	ligeud	**lie**je-oeδ
redden	redde	**ri**δδe
reddingsboot	redningsbåd *f*	**ri**δningsbôδ
reddingsvest	redningsvest *f*	**ri**δningswêst
rederij	rederi *o*	riδe**rie**
reep (chocolade)	stykke *o*	**stuk**ke
regen	regn *f*	rêjn
regen(jas)	regn(frakke) *f*	**rêjn**(frakke)
reinigen	rense	**ran**se
reis	rejse *f*	**rêj**se
reisbureau	rejsebureau *o*	**rêj**sebuu**roo**
reisleider	rejseleder *f*	**rêj**seleeδer
rem	bremse *f*	**bram**se
reparatie	reparation *f*	reepara**sjoon**
reserve onderdelen	reservedele *fmv*	re**sêr**wedeele
reservewiel	reservehjul *o*	re**sêr**wejoel
retourtje	returbillet *f*	re**toer**biellêt
rib	ribben *o*	**rieb**been
richting	retning *f*	**rêt**ning
riem (broek)	livrem *f*, bælte *o*	**liew**rêm, **bêl**te
riem (veiligheids)	sele *f*	**see**le
riem (roei)	åre *f*	**ô**re
rijbaan	kørebane *f*	**keu**rebâne
rijbewijs	kørekort *o*	**keu**rekoort
rijden (in voertuig)	køre	**keu**re
rijden (op dier)	ride	**rie**δe
rijp	moden	**moo**δen
rijst	ris *f*	ries

ring (sieraad)	ring *f*	ring
rioolbuis	kloakrør *o*	kloo-**aak**reur
risico	risiko *f*	**rie**siekoo
riskant	risikabel	riesie**kâ**bel
rit (in voertuig)	køretur *f*	**keu**retoer
rit (op een dier)	ridetur *f*	**rie**ðetoer
ritssluiting	lynlås *f*	**luun**lôs
rivier	flod *f*	flooð
roeiboot	robåd *f*	**roo**bôð
roeien	ro	roo
roeiriemen	årer *fmv*	**ô**rer
roepen	kalde, råbe	**kâl**le, **rô**be
roer	ror *o*	roor
roest	rust *f*	rost
roesten	ruste	**ros**te
rok	nederdel *f*	**nee**ðerdeel
roken	ryge	**ruu**je
roltrap	rulletrappe *f*	**roel**letrappe
rond (bijv. nw.)	rund	roen
rond (voorz.)	omkring	om**kring**
rondrit	rundtur *f*	**roen**toer
rondvaart	rundfart *f*	**roen**faart
rondweg	ringvej *f*	**ring**wêj
rood	rød	ruð
rookcoupé	rygekupé *f*	**ruu**jekoepee
room	fløde *f*	**fleu**ðe
roos (in het haar)	skæl *o*	skêl
roos (bloem)	rose *f*	**roo**se
roosteren (brood)	riste	**ris**te
roosteren (vlees)	grillstege	**ghril**stêje
rot (overrijp)	rådden	**rô**ððen
rots	klippe *f*	**klip**pe
rotsachtig	stenet	**stee**net
rotsblok	klippeblok *f*	**klip**peblok
route	rute *f*	**roe**te
routine	rutine *f*	roe**tie**ne
rug	ryg *f*	ruugh
rugzak	rygsæk *f*	**ruugh**sêk
ruilen	bytte	**buut**te
rundvlees	oksekød *o*	**ok**sekuð
rusten	hvile	**wie**le
rustig	rolig	**roo**lie
ruw	ru	roe

ruzie	skænderi o	skênne**rie**

s

salade	salat f	så**låt**
salaris	løn f	lun
samen	sammen	**sam**men
sap	saft f	sålt
saus	sovs f	souws
schaafwond	hudafskrabning f	**hoe**ðauwskraabning
schaap	får o	fôr
schaar	saks f	saks
schade	skade f	**skå**ðe
schaduw	skygge f	**skuugh**ghe
schakelaar	kontakt f, afbryder f	kon**takt**, **auw**bruuðer
schakelen	skifte gear o	**skief**te **ghier**
schaken	spille skak f	**spil**le **skak**
scheef	skæv	skeew
scheepvaart	skibsfart f	**skiebs**faart
scheerapparaat	barbermaskine f	bar**beer**måskiene
scheerlijn	teltline f	**têlt**liene
scheermesje	barberblad o	bar**beer**blåð
schelp	muslingeskal f	**moes**lingeskål
schep (gereedschap)	skovl f	skouwl
schep (hoeveelheid)	skefuld f	**skee**foel
scheren	barbere	bar**bee**re
scherp (mes)	skarp	skaarp
scherven	skår omv	skôr
scheur (in kleding)	rift f, flænge f	rift, **flên**ge
scheuren (kleding)	rive, flænge	**rie**we, **flên**ge
schilderij	maleri o	mâle**rie**
schip	skib o	skieb
schoen	sko f	skoo
schoenmaker	skomager f	**skoo**mâjer
schoenpoetser	skopudser f	**skoo**poesser
schoensmeer	skosværte f	**skoo**swêrte
schoenveter	snørebånd o	**sneu**rebôn
school	skole f	**skoo**le
schoon	ren	reen
schoonmaken	gøre rent	**gheu**re **reent**
schotel (bij kopje)	underkop f	**oen**nerkop
schotel (gerecht)	ret f	rat
schouder	skulder f	**skoel**ler
schroef	skrue f	**skroe**-e

schroeven	skrue	**skroe**-e
schroevendraaier	skruetrækker f	**skroe**-etrêkker
schuld (financieel)	gæld f	ghêl
schuldig (juridisch)	skyldig	**skuul**die
seizoen	sæson f	sê**song**
serveerster	servitrice f	sêrwie**trie**se
serveren	servere	sêr**weer**e
servetje	serviet f	sêr**wjêt**
sieraad	smykke o	**smuk**ke
sigaar	cigar	sie**ghaar**
sigaret	cigaret f	siegha**rat**
sinaasappel	appelsin f	appel**sien**
sinaasappelsap	juice f, appelsinsaft f	djoes, appel**sien**saft
sla (krop)	hovedsalat f	**hoo**weðsâlât
slaap	søvn f	seuwn
slaapwagen	sovevogn f	**soo**wewouwn
slaapzak	sovepose f	**soo**wepoose
slachten	slagte	**slagh**te
slager	slagter f	**slagh**ter
slagerij	slagteri o	slaghte**rie**
slagroom (niet geklopt)	piskefløde f	**pies**kefleuðe
slagroom (geklopt)	flødeskum o	**fleu**ðeskoem
slak	snegl f	snêjl
slang (buis)	slange f	**slang**e
slang (reptiel)	slange f	**slang**e
slap	slap	slap
slecht	dårlig	**dôr**lie
slechthorend	tunghør	**toeng**heur
slecht ter been zijn	gangbesværet	**ghang**beswêret
slechtziend	synshæmmet	**suuns**hêmmet
sleepkabel	slæbekabel o	**slee**bekâbel
sleepwagen	kranvogn f	**kraan**wouwn
slepen (voertuig)	slæbe	**slee**be
sleutel	nøgle f	**noj**le
sleutelgat	nøglehul o	**noj**lehoel
slijm	slim f/o	sliem
slingeren (zwaaien)	slingre	**sling**re
slipje	trusser f	**troes**ser
slippen (auto)	skride	**skrie**ðe
sloot	grøft f	ghruft
slot (deur)	lås f	lôs
sluis	sluse f	**sloe**se
sluiten	lukke	**loek**ke

206

sluitingstijd	lukketid *f*	**loek**ketieð
smal	smal	smål
smeermiddel	smøremiddel *o*	**smeu**remiððel
smeren	smøre	**smeu**re
smerig	beskidt	be**skiet**
snee (brood)	skive *f*	**skie**we
snee (wond)	snit(sår) *o*	**sniet**(sôr)
sneeuw	sne *f*	snee
snel	hurtig	**hoer**tie
snelheid	hastighed *f*	**hâ**stieheeð
sneltrein	hurtigtog *o*, lyntog *o*	**hoer**tietoow, **luun**toow
snoepgoed	slik	slik
snoer	ledning *f*, snor *f*	**lee**ðning, snoor
snor	overskæg *o*	**ouw**erskeegh
snorkel	snorkel *f*	**snoor**kel
soda	soda *f*	**soo**dâ
sodawater	mineralvand *o*	miene**raal**wân
soep	suppe *f*	**soep**pe
sok	sok *f*	sok
soort	sort *f*, slags *f*	soort, slaghs
spannend	spændende	**spên**nenne
spanning	spænding *f*	**spên**ning
specialist	specialist *f*	spees**jaliest**
speelgoed	legetøj *o*	**lê**jetoj
speelkaarten	spillekort *omv*	**spille**koort
speelplaats	legeplads *f*	**lêje**plås
spek	spæk *o*, flæsk *o*	spêk, flêsk
speld	nål *f*	nôl
spelen (instrument)	spille	**spille**
spelen (spelletjes)	lege	**lêje**
spellen	stave	**stâwe**
spelletje	spil *o*, leg *f*	spil, lêj
spiegel	spejl *o*	spêjl
spier	muskel *f*	**moeskel**
spierpijn	muskelsmerte *f*	**moeskelsmêrte**
spijker	søm *o*	sum
spijsvertering	stofskifte *o*	**stofskiefte**
spin	edderkop *f*	**êdderkop**
spiritus	sprit *f*	spriet
splinter	splint *f*	splint
spoed, met	hurtigt	**hoer**tiet
spoedbehandeling	akut behandling *f*	**å**koet be**hân**ling
spoedgeval	nødstilfælde *o*	**nu**ðstilfêlle

spoedig	snart	snaart
spons	svamp *f*	swamp
spoorboekje	køreplan *f*	**keu**replån
spoorbomen	jernbanebomme *fmv*	**jêrn**bånebomme
spoorkaartje	togbillet *f*	**toow**biellêt
spoorlijn	jernbanelinie *f*	**jêrn**bånelienje
spoorwegen	jernbaner *fmv*	**jêrn**båner
spoorwegovergang	jernbaneoverskæring *f*	**jêrn**båne-ouwerskêring
sport	sport *f*, idræt *f*	spoort, **ie**drêt
sportterrein	sportsplads *f*, idrætsplads *f*	**spoorts**plås, **ie**drêtsplås
spreekkamer	konsultationsværelse *o*	konsoeltå**sjoons**wêrelse
spreekuur	konsultationstid *f*	konsoeltå**sjoons**tieð
springen	springe	**spring**e
springplank	springbræt *o*	**spring**brat
sproeien	sprøjte	**sproj**te
spuwen	spytte	**sput**te
staal	stål *o*	stôl
staan	stå	stô
staan op (aandringen)	insistere på	insie**stee**re pô
stad	by *f*	buu
stadhuis	rådhus *o*	**rô**ðhoes
stal	stald *f*	stål
stallen	opbevare	**op**bewaare
standbeeld	statue *f*	**stå**toe-e
stank	stank *f*	stank
starten	starte	**staar**te
statief	stativ *o*	stå**tiew**
statiegeld	flaskepant *o*	**flås**kepânt
station	station *f*	sta**sjoon**
steeds	stedse	**stee**ðse
steeds meer	stedse mere	**stee**ðse meer
steen	sten *f*	steen
steenpuist	brandbyld *f*	**bran**buul
steil	stejl	stêjl
stekker	stik *o*	stik
stelpen	standse (blødning)	**stån**se (blu∂ning)
stem	stemme *f*	**stêm**me
stemmen	stemme	**stêm**me
stempel	stempel *o*	**stêm**pel
stempelen	stemple	**stêm**ple
sterk	stærk	stêrk
sterkte (kracht)	styrke *f*	**stuur**ke
stevig	kraftig, solid	**kraf**tie, soo**lie**ð

stijf	stiv	stiew
stil	stille	**stil**le
stilte!	tys!	tuus
stinken	stinke	**stin**ke
stoel	stol *f*	stool
stoep (trottoir)	fortov *o*	**for**toow
stoep (bij deur)	trappesten *f*	**trap**pesteen
stof (materiaal)	stof *o*	stof
stof (vuil)	støv *o*	steuw
stok	stok *f*	stok
stomerij	renseri *o*	ranse**rie**
stop!	stop	stop
stop (zekering)	sikring *f*	**si**kring
stop (afvoer)	prop *f*	prop
stopkontakt	stikkontakt *f*	**stik**kontakt
stoplicht	trafiklys *o*	tra**fiek**luus
stoppen (halthouden)	stoppe	**stop**pe
stoptrein	regionaltog *o*	reeghjoo**nâl**toow
storen (onderbreken)	forstyrre	for**stuur**re
storen (lastigvallen)	forstyrre	for**stuur**re
storm	storm *f*	stoorm
stormlamp	stormlygte *f*	**stoorm**luughte
straat	gade *f*	**ghâ**ðe
strak	stram	stram
straks	om lidt	om **lit**
straks!, tot	på gensyn om lidt	pô **ghên**suun om **lit**
strand	strand *f*	stran
strandstoel	strandstol *f*	**stran**stool
streek (regio)	egn *f*	êjn
streekgerecht	egnsret *f*	**êjns**rat
streep	stribe *f*	**strie**be
strijken (kleding)	stryge	**struu**je
strijken (vlag)	hale ned, stryge	**hâ**le nee δ, **struu**je
strijkijzer	strygejern *o*	**struu**jejêrn
strijkplank	strygebræt *o*	**struu**jebrat
stromen (vloeien)	strømme	**strum**me
stromend water	rindende vand *o*	**rin**nene wân
stroming, stroom	strøm *f*	strum
struik	busk *f*	boesk
student	studerende *f*	stoe**dee**renne
studeren	studere, læse	stoe**dee**re, **lee**se
studie	studium *f*	**stoe**die-om
stuk (exemplaar)	stykke *o*	**stuk**ke

stuk (defect)	i stykker *omv*	ie **stuk**ker
stuk (gedeelte)	stykke *o*	**stuk**ke
stuur (auto)	rat *o*	rat
stuur (tweewieler)	styr *o*	stuur
stuur (schip)	ror *o*	roor
suiker	sukker *o*	**soek**ker
suikerpot	sukkerskål *f*	**soek**kerskôl
suikerziekte	sukkersyge *f*	**soek**kersuuje
supermarkt	supermarked *o*	**soe**permarkeð

T

taai (vlees)	sej	sêj
taai (sterk)	sej	sêj
taal	sprog *o*	sproow
taalgids	parlør *f*	par**leur**
taart	lagkage *f*	**lauw**kåje
taartje	konditorkage *f*	kon**die**torkåje
tabak	tobak *f*	too**bak**
tabakswinkel	tobaksbutik *f*	too**baks**boetiek
tabletje	tablet *f*	tâb**lêt**
tafel	bord *o*	boor
tafelkleedje	dug *f*	doe
tak (boom)	gren *f*	ghreen
tam (mak)	tam	tam
tampon	tampon *f*	tam**pon**
tand	tand *f*	tân
tandarts	tandlæge *f*	**tân**leeje
tandenborstel	tandbørste *f*	**tân**burste
tandpasta	tandpasta *f*	**tân**påstå
tang	tang *f*	tang
tank (vloeistof)	tank *f*	tank
tanken	tanke	tanke
tankstation	benzinstation *f*	bên**sien**stasjoon
tarief	takst *f*	takst
tas(je)	taske *f*	**tâs**ke
taxistandplaats	taxaholdeplads *f*	**tak**saholleplås
te (meer dan nodig)	for	for
te (plaatsaanduiding)	i	ie
teen	tå *f*	tô
tegel (vloer)	flise *f*	**flie**se
tegel (wand)	flise *f*, kakkel *f*	**flie**se, **kak**kel
tegelijkertijd	samtidig	**sam**tieðie
tegen	imod	ie**moo**ð

tegenover	overfor	**ouw**erfor
tegenstander	modstander *f*	**moo**ôstånner
tegenwoordig (nu)	nu, for øjeblikket	noe, ie **oj**eblikket
tegoedbon	tilgodeseddel *f*	til**ghoo**ôeseôôel
teken	tegn *o*	têjn
tekenen	tegne	**têj**ne
tekenen (handtekening zetten)	underskrive	**oen**nerskriewe
telefoon	telefon *f*	teele**foon**
telefoonboek	telefonbog *f*	teele**foon**boow
telefooncel	telefonboks *f*	teele**foon**boks
telefoonnummer	telefonnummer *o*	teele**foon**noommer
telefoneren	telefonere	teelefoo**nee**re
telegram	telegram *o*	teele**ghram**
televisie	fjernsyn *o*, tv	**fjêrn**suun, **tee**wee
temperatuur	temperatur *f*	têmpera**toer**
tennisbaan	tennisbane *f*	**tên**nisbåne
tennissen	spille tennis *f*	spille **tên**nis
tent	telt *o*	têlt
tentharing	pløk *f*	pluk
tentoonstelling	udstilling *f*	**oe**ôstilling
terras	terrasse *f*	têr**ras**se
terug (naar achteren)	tilbage	til**bâ**je
terugkeer, terugreis	tilbagekomst *f*, tilbagerejse *f*	til**bâ**jekomst, til**bâ**jerêjse
tevreden (met)	tilfreds (med)	til**frês** (mêô)
thermometer	termometer *o*	têrmoo**mee**ter
thermoskan	termokande *f*	**têr**mookånne
thuis	hjemme	**jêm**me
thuiskomst	hjemkomst *f*	**jêm**komst
tijd	tid *f*	tieô
tijdelijk	midlertidig	**mi**ôlertieôie
tijdschrift	tidsskrift *o*, blad *o*	**tie**ôsskrift, blåô
tocht (luchtstroom)	træk *f*	trêk
tocht (reis)	tur *f*	toer
tocht, het	det trækker	di **trêk**ker
toegang	adgang *f*	**âô**ghang
toegangshek	indgangslåge *f*, port *f*	**in**ghangslôwe, poort
toegangskaartje	adgangsbillet *f*	**âô**ghangsbiellêt
toeslag	tillæg *o*	**til**leegh
toestaan	tillade	**til**låôe
toestemming	tilladelse *f*	**til**låôelse
toiletpapier	toiletpapir *o*	toa**lêt**pâpier
tolk	tolk *f*	tolk
tomaat	tomat *f*	too**mât**

toneel (bune)	scene *f*	**see**ne
toneelvoorsteling	teaterforestilling *f*	tee**â**terforstilling
tonen (laten zien)	vise	**wie**se
tong (mond)	tunge *f*	**toeng**e
toosten (op)	skåle	**skô**le
top	top *f*	top
toren	tårn *o*	tôrn
touw	tov *o*, reb *o*	touw, reeb
trap (met treden)	trappe *f*	**trap**pe
trap (schop)	spark *o*	spaark
trein	tog *o*	toow
treinkaartje	togbillet *f*	**toow**biellêt
trekken (aan iets)	trække	**trêk**ke
trekken (rondreizen)	rejse omkring	**rêj**se om**kring**
trekkershut	vandrerhytte *f*	**wan**drerhuutte
trommel (instrument)	tromme *f*	**trom**me
trommel (bergplaats)	dåse *f*	**dô**se
trui	trøje *f*, sweater *f*	**tro**je, **swêt**ter
tuin	have *f*	**hâ**we
tunnel	tunnel *f*	**toen**nel
tussen	imellem	ie**mêl**lem
tweedehands	brugt	broeght
tweeling	tvillinger	**twil**linger
tweepersoonsbed	dobbeltseng *f*	**dob**beltsêng
tweepersoonskamer	dobbeltværelse *o*	**dob**beltwêrelse

U

ui	løg *o*	loj
uit	ud	oeδ
uitgaan (ontspanning)	gå ud	ghô **oe**δ
uitgang	udgang *f*	**oe**δghang
uitkijken	se sig for	see sêj **for**
uitlenen	udlåne	**oe**δlône
uitrusten (rust nemen)	hvile ud	**wie**le oeδ
uitrusten (voorzien van)	udstyre	**oe**δstuure
uitrusting	udstyr *o*	**oe**δstuur
uitspraak (taal)	udtale *f*	**oe**δtâle
uitspraak (vonnis)	afsigelse *f*	**auw**siejelse
uitspreken	udtale	**oe**δtâle
uitstapje	udflugt *f*	**oe**δfloeght
uitstekend (prima)	fremragende	**frêm**rauwenne
uitstekend (naar buiten)	fremspringende	**frêm**springenne
uitstel	udsættelse *f*	**oe**δsêttelse

uitverkoop	udsalg *o*	**oe**ôsålj
uitwendig	udvendig	**oe**ôwêndie
uitwijken	vige	**wie**je
uitzicht op	udsigt *f* til	**oe**ôsight til
uitzien op	med udsigt *f* til	mêð **oe**ôsight til
uur	time *f*	**tie**me
uurwerk	urværk *o*	**oer**wêrk

V

vaak	ofte, tit	**of**te, tiet
vaartuig	fartøj *o*	**faar**toj
vaarwel!	farvel	faar**wêl**
vaas	vase *f*	**wâ**se
vader	far *f*	faar
vakantie	ferie *f*	**feer**je
val (jacht)	fælde *f*	**fêl**le
val (omlaag)	fald *o*	fâl
valhelm	styrthjelm *f*	**stuurt**jêlm
vallen	falde	**fâl**le
van (herkomst)	fra	fra
vanaf (plaats)	fra	fra
vanaf (tijd)	fra	fra
vandaag	i dag *f*	ie **dâ**
varen	sejle	**sêj**le
varken(svlees)	svin(ekød) *o*	**swie**nekuð
vast	fast	fâst
vasten	faste	**fâs**te
vastentijd	faste *f*	**fâs**te
vasthouden (in de hand)	holde	**hol**le
vastmaken	fastgøre	**fâst**gheure
vee	kvæg *o*	kwee
veehouder	kvægavler *f*	**kwee**-auwler
veel	meget/megen/mange	**mêj**et/**mêj**en/**mang**e
veel, te	for meget/megen/mange	for **mêj**et/**mêj**en/**mang**e
veemarkt	kvægmarked *o*, dyrskue *o*	**kwee**markeð, **duur**skoe-e
veer (van vogel)	fjer *f*	fjeer
veer (van metaal)	fjeder *f*	fjeer
veerboot	færge *f*	**fêr**we
vegen	feje	**fê**je
vegetarisch	vegetarisk	weeghe**taa**riesk
veilig	sikker	**sik**ker
veiligheid	sikkerhed *f*	**sik**kerheeð
veiligheidsgordel	sikkerhedssele *f*	**sik**kerheeðsseele

veiligheidsspeld	sikkerhedsnål *f*	**sik**kerheeðsnôle
veld	mark *f*	mark
veldfles	feltflaske *f*	**fêlt**flåske
ver	fjern	fjêrn
ver (bijw.)	langt	langt
veranderen	forandre	for**an**dre
verantwoordelijk	ansvarlig	ån**swaar**lie
verbaasd	forbavset	for**bauw**set
verband (relatie)	forbindelse *f*	for**bin**nelse
verband (gaas)	(gaze)bind *o*	(**ghå**se)bin
verbandkist	forbindskasse *f*	for**bins**kåsse
verbazing	forbavselse *f*	for**bauw**selse
verbinden (van twee dingen)	forbinde	for**bin**ne
verbinden (wond)	forbinde	for**bin**ne
verblijfplaats	opholdssted *o*	**op**holssteeð
verblijfsvergunning	opholdstilladelse *f*	**op**holstillåðelse
verblinden	forblinde, blænde	for**blin**ne, **blên**ne
verbod	forbud *o*	**for**boeð
verboden te	forbudt at	for**boet** åt
verbranden (vuur)	brænde	**brên**ne
verbranden (door de zon)	skoldes	**skol**les
verder	videre	**wie**ðre
verdergaan	gå videre, fortsætte	ghô **wie**ðre, **fort**sêtte
verdwalen	fare vild	**faa**re wiel
verf	maling *f*	**mâ**ling
verfkwast	pensel *f*	**pên**sel
vergeten	glemme	**ghlêm**me
vergezellen	ledsage	**lee**ðsâje
vergezeld van	ledsaget af	**lee**ðsâjet å
vergiftiging	forgiftning *f*	for**ghieft**ning
vergissen, zich	tage fejl	tå **fêjl**
vergissing	fejltagelse *f*	**fêjl**tåjelse
vergoeding	godtgørelse *f*	**ghot**gheurelse
vergroting	forstørrelse *f*	for**steur**relse
verguld (materiaal)	forgyldt	for**ghuult**
vergunning	tilladelse *f*	**til**låðelse
verhuizen	flytte	**fluut**te
verhuren	udleje	**oe**ðlêje
verhuurbedrijf	udlejningsfirma *o*	**oe**ðlêjningsfiermå
verhuurd	udlejet	**oe**ðlêjet
verjaardag	fødselsdag *f*	**fu**ðselsdâ
verkeer	trafik *f*, færdsel *f*	tra**fiek**, **fêr**sel
verkeerd	forkert	for**keert**

verkeersbord	færdselstavle *f*	**fêr**selstauwle
verkering hebben	have en kæreste	hå een **kê**reste
verkopen	sælge	**sêl**je
verkoper	sælger *f*, ekspedient *f*	**sêl**jer, êkspeedie**jênt**
verkouden	forkølet	for**keu**let
verkoudheid	forkølelse *f*	for**keu**lelse
verlaten (werkw.)	forlade	for**lâ**ðe
verlaten (afgelegen)	afsides	**auw**sieðes
verleden	fortid *f*	**for**tieð
verlichten (beschijnen)	belyse, oplyse	be**luu**se, op**luu**se
verlichten (minder zwaar maken)	lette	**lêt**te
verlichting (lampen)	belysning *f*	be**luus**ning
verlichting (taak)	lettelse *f*	**lêt**telse
verlies	tab *o*	tâb
verliezen	tabe	**tâ**be
verloofde	forlovede *f*	for**loo**weðe
verloving	forlovelse *f*	for**loo**welse
verlopen (ongeldig)	udløbet	**oe**ðleubet
verloren	tabt	tabt
verminderen	formindske, reducere	for**min**ske, reedoe**see**re
verpleegster	sygeplejerske *f*	**suu**jeplêjerske
verpleger	sygeplejerske *f*	**suu**jeplêjerske
verplicht	forpligtet	for**pligh**tet
verrassing	overraskelse *f*	**ou**werraskelse
vers (bijv. nw.)	frisk	frisk
verschil	forskel *f*	**for**skêl
verschillend	forskellig	for**skêl**lie
versiering	pynt *f*	punt
versleten	slidt	sliet
versnelling (hoger tempo)	fremskyndelse *f*	**frêm**skunnelse
versnelling (mechanisme)	gear *o*	ghier
versperring	afspærring *f*	**auw**spêrring
verstaan (horen)	forstå	for**stô**
verstaan (begrijpen)	forstå, begribe	for**stô**, be**ghrie**be
verstellen (aanpassen)	justere	joe**stee**re
verstopping	forstoppelse *f*	for**stop**pelse
verstopt (verborgen)	skjult, gemt	skjoelt, ghêmt
verstopt (dichtgeraakt)	forstoppet	for**stop**pet
vertalen	oversætte	**ou**wersêtte
vertaling	oversættelse *f*	**ou**wersêttelse
vertraging	forsinkelse *f*	for**sink**else
vertrek (kamer)	værelse *o*	**wê**relse

vertrek (op weg gaan)	afrejse *f*	**auw**rêjse
vertrekken	rejse, tage afsted	**rêj**se, tå å**stee**ð
vervangen (voorwerp)	udskifte	**oe**ðskiefte
vervangen (persoon)	vikariere	wiekarie**jee**re
verwachten	forvente	for**wên**te
verwachting	forventning *f*	for**wênt**ning
verwachting, in	gravid, vente sig	ghra**wie**ð, **wên**te sêj
verwarming	varme *f*	**waar**me
verwisseld	forvekslet	for**wêk**slet
verwonding	kvæstelse *f*	**kwês**telse
verzekeren	forsikre	for**sik**re
verzekering (assurantie)	forsikring *f*	for**sik**ring
verzekeringsmaatschappij	forsikringsselskab *o*	for**sik**rings**sêl**skåb
verzekeringspolis	forsikringspolice *f*	for**sik**ringspoo**lie**se
verzenden	sende	**sên**ne
verzoek	anmodning *f*	**ân**mooðning
verzoeken (vragen)	anmode	**ân**mooðe
vest	cardigan *f,* vest *f*	**kaar**dieghân, wêst
vestigen	nedsætte (sig)	**nee**ðsêtte (sêj)
vesting	fæstning *f*	**fêst**ning
vet (bijv. nw.)	fed, tyk	feeð, tuuk
vet (zelfst. nw.)	fedt *o*	fêt
vierkant (bijv. nw.)	firkantet	**fier**kântet
vierkant (zelfst. nw.)	firkant *f,* kvadrat *o*	**fier**kânt, kwå**draat**
vies	snavset	**snauw**set
vijl	fil *f*	fiel
vinden	finde	**fin**ne
vinden (mening)	synes	suuns
vis	fisk *f*	fisk
visitekaartje	visitkort *o*	wie**siet**koort
visser	fisker *f*	**fis**ker
Vlaams	flamsk	flamsk
Vlaanderen	Flandern	**flân**deren
Vlaming	flamlænder *f*	**flam**lênner
vlag	flag *o*	flå
vlak	plan	plân
vlak bij	tæt ved	têt weð
vlakte	flade *f*	**flå**ðe
vlam	flamme *f*	**flam**me
vlees	kød *o*	kuð
vleeswaren	pålæg *o*	**pô**leegh
vlek	plet *f*	plêt
vlekkenmiddel	pletmiddel *o*	**plêt**miððel

vlieg	flue *f*	floe-e
vliegen	flyve	**fluu**we
vliegtuig	fly *o*, flyvemaskine *f*	fluu, **fluu**wemâskiene
vliegveld	flyveplads *f*	**fluu**weplâs
vlo	loppe *f*	**lop**pe
vloed (getijde)	flod *f*, højvande *o*	flooð, **hoj**wânne
vloedgolf	flodbølge *f*	**floo**ðbulje
vloeien	flyde, strømme	**fluu**ðe, **strum**me
vloeistof	væske *f*	**wês**ke
vloer	gulv *o*	goelw
vlooienmarkt	loppemarked *o*	**lop**pemarkeð
vlucht (luchtvaart)	flyrejse *f*	**fluu**rêjse
vlucht (uit angst)	flugt *f*	floeght
vluchteling	flygtning *f*	**fluught**ning
vluchtig (oppervlakkig)	flygtig	**fluugh**tie
vlug	hurtig	**hoer**tie
vocht	væde *f*	**wê**ðe
vochtig	fugtig	**foegh**tie
vochtwerend	fugthæmmende	**foegh**thêmmenne
voedsel	fødevarer *fmv*, næring *f*	feuðewaarer, **nee**ring
voelen	føle	**feu**le
voet	fod *f*	fooð
voetbal	fodbold *f*	**foo**ðbold
voetbalstadion	fodboldstadion *o*	**foo**ðboldstâdjon
voetganger	fodgænger *f*	**foo**ðghênger
voetpad	fodgængersti *f*	**foo**ðghênger**stie**
vogel	fugl *f*	foewl
vol (gevuld met)	fuld	foel
vol (geen plaats meer)	optaget	**op**tâ-et
volgen	følge	**ful**je
volgend (komend)	næste	**nês**te
volk	folk *o*	folk
volkorenbrood	fuldkornsbrød *o*	**foel**koornsbruð
volkslied	nationalsang *f*	nâsjoon**âl**sang
volledig	fuldstændig	**foel**stândie
vonk	gnist *f*	ghniest
voor (bestemming)	til	til
voor (plaatsbepaling)	foran	**for**ân
voor (tijdstip)	før	feur
vooraan	foran	**for**ân
vooraanstaand (belangrijk)	førende	**feu**renne
voorbehoedsmiddel	præservativ *o*	prees**êr**wâtiew
voorbij (voorz.)	forbi	for**bie**

voorbij (bijv. nw.)	forbigangen	for**bieg**hangen
voorhoofd	pande f	**pân**ne
voorkant	forside f	**for**sieðe
voornaam (naam)	fornavn o	**for**nauwn
voornaam (belangrijk)	vigtig	**wigh**tie
voorrang	forrang f	**for**rang
voorrang verlenen	overholde forkørselsret f	**ou**werholle **for**keurselsrat
voorrangsweg	hovedvej f	**hoo**weðwêj
voorstel	forslag o	**for**slå
voorstellen (uitbeelden)	forestille	**for**estille
voorstellen (introduceren)	præsentere	preesen**tee**re
voorstellen (voorstel doen)	foreslå	**for**eslô
voorstelling (theater)	forestilling f	**for**estilling
voortdurend	kontinuerlig	kontienoe-**eer**lie
voortmaken	skynde sig	**skuun**ne sêj
voortreffelijk	fortrinlig	for**trien**lie
vooruit	fremad	**frêm**åð
vooruit!	kom så!	**kom** sô
voorwaarde	betingelse f	be**ting**else
voorwaardelijk	betinget	be**ting**et
voorzichtig!	pas på!	pås **pô**
vorige week	sidste uge f	**sies**te **oe**we
vork	gaffel f	**ghaf**fel
vorm	form f, facon f	foorm, få**song**
vorst (titel)	fyrste f	**fuur**ste
vorst (het vriezen)	frost f	frost
vraag	spørgsmål o	**speurs**môl
vragen (om een antwoord)	spørge	**speu**re
vragen (verzoeken)	bede	bee
vreemd (buitenlands)	fremmed	**frêm**með
vreemd (verbazingwekkend)	mærkelig	**mêr**kelie
vreemdeling	udlænding f	**oe**ðlênning
vriend	ven f	wên
vriendelijk	venlig	**wên**lie
vrij	fri	frie
vrijen	elske	**êl**ske
vrijgezel	ungkarl f	**oeng**kål
vrijheid	frihed f	**frie**heeð
vroeg	tidlig	**tie**ðlie
vroeger (destijds)	tidligere	**tie**ðliejere
vrouw	kvinde f	**kwin**ne
vrouw (echtgenote)	kone f, hustru f	**koo**ne, **hoes**troe
vrucht (fruit)	frugt f	froeght

vruchtensap	frugtsaft *f*	**froeght**saft
vuil	snavs *o*, snavset (bijw.)	snauws, **snauw**set
vuilnisbak	skraldespand *f*	**skral**lespân
vuilnisman	skraldemand *f*	**skral**lemân
vullen	fylde	**fuul**le
vuur	ild *f*	iel
vuurwerk	fyrværkeri *o*	fuurwêrke**rie**

W

waar (vragend)	hvor	woor
waar (bijv. nw.)	sand	sân
waar, het is	det er sandt	di êr **sânt**
waarde	værdi *f*	wêr**die**
waardeloos	værdiløs	wêr**die**leus
waarheen (vragend)	hvorhen	woor**hin**
waarheid	sandhed *f*	**sân**heeð
waarom (vragend)	hvorfor	woor**for**
waarom (reden gevend)	hvorfor	woor**for**
waarschuwen	advare	**â**ðwaare
waarschuwing	advarsel *f*	**â**ðwaarsel
wachten	vente	**wên**te
wachtkamer	venteværelse *o*	**wên**tewêrelse
wagen (durven)	vove	**wou**we
wagen (auto, rijtuig)	vogn *f*	wouwn
wagenziek	køresyg	**keu**resuu
wal (van vesting)	vold *f*	wol
wandelen	gå, vandre, spadsere	ghô, **wan**dre, spâ**see**re
wandeling	spadseretur *f*, vandretur *f*	spâ**see**retoer, **wan**dretoer
wang	kind *f*	kin
wanneer (vragend)	hvornår	woor**nôr**
wanneer (tijdstip)	når	nôr
wanneer (voorwaarde)	hvis	wis
warenhuis	stormagasin *o*	**stoor**maghâsin
warm	varm	waarm
warmte	varme *f*	**waar**me
wasautomaat	vaskemaskine *f*	**wâs**kemâskiene
wasbenzine	vaskebenzin *f*	**wâs**kebênsien
wasgoed	vasketøj *o*	**wâs**ketoj
wasknijper	tøjklemme *f*	**toj**klêmme
waslijn	tøjsnor *f*	**toj**snoor
wasmiddel	vaskemiddel *o*	**wâs**kemiððel
wasruimte	vaskerum *o*	**wâs**keroem
wassen, zich	vaske sig	**wâs**ke sêj

wassen (wasgoed)	vaske	**wâs**ke
wastafel	vaskekumme *f*	**wâs**kekoemme
wat (vragend)	hvad	wâð
wat (hetgeen)	der	dêr
wat (een beetje)	lidt	lit
water	vand *o*	wân
watersport	sejlsport *f*, søsport *f*	**sêjl**spoort, **seu**spoort
waterskiën	stå på vandski *fmv*	stô pô **wân**skie
watje	vat *o*	wât
w.c.	w.c.	**wee**see
wedstrijd	kamp *f*	kamp
week (slap)	blød	bluð
week (7 dagen)	uge *f*	**oe**we
weer (nogmaals)	igen	ie**ghên**
weer	vejr *o*	weer
weerbericht	vejrmelding *f*	**weer**mêlling
weg (verdwenen)	væk	wêk
weg	vej *f*	wêj
weg!	gå væk!	ghô **wêk**
wegdek	vejbelægning *f*	**wêj**belêghning
wegen	veje	**wêj**e
wegenkaart	færdselskort *o*	**fêr**selskoort
weggaan	gå (væk), tage bort	ghô (**wêk**), tâ **boort**
wegomlegging	vejomlægning *f*, omkørsel *f*	**wêj**omlêghning, om**keur**sel
wegsplitsing	Y- kryds *o*	**uu**kruus
wegwijzer	vejviser *f*	**wêj**wieser
weigeren	nægte	**nêgh**te
weinig	lidt	lit
wekken	vække	**wêk**ke
wekker	vækkeur *o*	**wêk**ke-oer
wèl	dog	douw
welk(e) (vragend)	hvilken/hvilket/hvilke	**wiel**ken/**wiel**ket/**wiel**ke
welk(e) (voornaamw.)	hvilken/hvilket/hvilke	**wiel**ken/**wiel**ket/**wiel**ke
welkom!	velkommen!	**wêl**kommen
welkom (zelfst. nw.)	velkomst *f*	**wêl**komst
welterusten!	sov godt!	**souw** ghot
wens	ønske *o*	**un**ske
wensen (verlangen)	ønske	**un**ske
wensen (toewensen)	ønske	**un**ske
wereld	verden *f*	**wêr**den
werk (arbeid)	arbejde *o*	**aar**bêjde
werk (karweitje)	arbejde *o*	**aar**bêjde
werken (arbeiden)	arbejde	**aar**bêjde

werken (functioneren)	virke	**wier**ke
werkgever	arbejdsgiver *f*	**aar**bêjdsgiewer
werknemer	arbejdstager *f*	**aar**bêjdståjer
wesp	hveps *f*	wêps
westen	vest	wêst
weten	vide	**wie**ðe
wie (vragend voornaamwd)	hvem	wêm
wieg	vugge *f*	**woegh**ghe
wiel	hjul *o*	joel
wijd	vid	wieð
wijk	kvarter *o*	kwar**teer**
wijn	vin *f*	wien
wijnkaart	vinkort *o*	**wien**koort
wijzen	vise	**wie**se
wijzigen	ændre	**ên**dre
wijziging	ændring *f*	**ên**dring
wild (bijv. nw.)	vild	wiel
wild (gerecht)	vildt *o*	wielt
willen	ville	**wiel**le
wind	vind *f*	win
windkracht	vindkraft *f*	**win**kraft
windscherm	læskærm *f*	**lee**skêrm
windvaan	vindfløj *f*	**win**floj
winkel	butik *f*	boe**tiek**
winkelcentrum	butikscenter *o*	boe**tieks**sênter
winkelwagentje	indkøbsvogn *f*	**in**keubswouwn
winter	vinter *f*	**win**ter
wisselen	veksle	**wêk**sle
wisselkantoor	vekselkontor *o*	**wêk**selkontoor
wol	uld *f*	oel
wond	sår *o*	sôr
wonen	bo	boo
woord	ord *o*	oor
worst	pølse *f*	**pul**se
wortel (boom, plant)	rod *f*	rooð
wortel (groente)	gulerod *f*	**ghoe**lerooð
wrijven	gnide	**ghnie**ðe

Y

ij... zie onder i...		
yoghurt	yoghurt *f*	**joo**ghoert

zaad	frø o, sæd f	freu, sêð
zaal	sal f	sål
zacht (bij aanraking)	blød	bluð
zacht (geluid)	lav, dæmpet	lâw, **dêm**pet
zadel (paard)	sadel f	**så**ðel
zadel (tweewieler)	sadel f	**så**ðel
zak (verpakking)	pose f	**poo**se
zak (in kleding)	lomme f	**lom**me
zakdoek	lommetørklæde o	**lom**meteurkleeðe
zaklantaarn	lommelygte f	**lom**melughte
zakmes	lommekniv f	**lom**mekniew
zalf	salve f	**sål**we
zand	sand o	sân
zebra(pad)	fodgængerfelt o	**foo**ðghêngerfêlt
zee	hav o	hauw
zeef	si f	sie
zeep	sæbe f	**see**be
zeer (erg)	meget	**mê**jet
zeer doen	gøre ondt	**gheu**re ont
zeevis	saltvandsfisk f	**sålt**wånsfisk
zeewater	havvand o	**hauw**wån
zeeziek	søsyg	**seu**suu
zeggen	sige	**sie**je
zeil (tent)	teltdug f	**têlt**doew
zeil (schip)	sejl o	sêjl
zeildoek	sejldug f	**sêjl**doew
zeiljack	sejljakke f	**sêjl**jakke
zeiljacht	sejljagt f	**sêjl**jaght
zeilsport	sejlsport f	**sêjl**spoort
zeker (bijw.)	sikkert	**sik**kert
zeker (bijv. nw.)	sikker	**sik**ker
zekerheid	sikkerhed f	**sik**kerheeð
zekering	sikring f	**sik**ring
zelden	sjælden	**sjêl**len
zeldzaam	sælsom	**seel**som
zelf	selv	sêl
zelfde	samme	**sam**me
zelfs	endog, selv	ê**nouw**, sêl
zenden	sende	**sên**ne
zicht (meteorologisch)	udsyn o	**oe**ðsuun
zicht op	overblik o over	**ouw**erblik **ouw**er

zichtbaar	synlig	**suun**lie
ziek	syg	suu
ziekenauto	ambulance f	amboe**lang**se
ziekenfonds	sygekasse f	**suu**jekåsse
ziekenhuis	sygehus o, hospital o	**suu**jehoes, hospie**tâl**
ziekte	sygdom f	**suu**dom
ziektekostenverzekering	sygeforsikring f	**suu**jeforsikring
zien	se	see
zijde (kant)	side f	**sie**δe
zijde (stof)	silke f	**sil**ke
zijdelings	indirekte, sidelæns	**in**dierêkte, **sie**δelêns
zijstraat	sidegade f	**sie**δeghâδe
zilver	sølv o	sul
zin (plezier)	lyst f	lust
zin (taalkundig)	sætning f	**sêt**ning
zin (nut)	nytte f	**nuut**te
zindelijk	renlig	**reen**lie
zinloos	nytteløst, omsonst	**nuut**teleus, om**sonst**
zinvol	nyttig	**nuut**tie
zitplaats	siddeplads f	**si**δδeplâs
zitten (zich bevinden)	være	**wê**re
zitten (op een stoel)	sidde	**si**δδe
zo (aanwijzend)	sådan	**sô**dân
zo (in die mate)	så	sô
zoeken naar	søge efter, lede efter	**seu**je **êf**ter, lee **êf**ter
zoekraken	bortkomme, blive væk	**boort**komme, blie **wêk**
zoen	kys o	kus
zoet (smaak)	sød	suδ
zoet (braaf)	sød, artig	suδ, **aar**tie
zoetjes (zoetstof)	sakkarin f	saghghâ**rien**
zoetwaren	konfekture f	konfêk**tuur**e
zoetwater	ferskvand o	**fêrsk**wân
zoetzuur	sødsur	**su**δsoer
zolder	loft o	loft
zomer	sommer f	**som**mer
zomertijd	sommertid f	**som**mertieδ
zomervakantie	sommerferie f	**som**merfeerje
zon	sol f	sool
zonnebaden	tage solbad o	tå **sool**bâδ
zonnebrand	solskoldning f	**sool**skolning
zonnebrandcrème	solcreme f	**sool**kreem
zonnebrandolie	sololie f	**sool**oolje
zonnebril	solbriller mv	**sool**briller

zonnescherm	markise *f*	mar**kie**se
zonnesteek	solstik *o*	**sool**stik
zool	sål *f*	sôl
zoon	søn *f*	sun
zorgen voor (verzorgen)	passe	**pâs**se
zorgen voor (op zich nemen)	sørge for	**sur**we for
zout	salt *o*	sålt
zoutarm	letsaltet	**lêt**såltet
zoutloos	saltfri, fersk	**sålt**frie, fêrsk
zoutpan	saltpande *f*	**sålt**pånne
zuiden	syd *f*	suuô
zuinig	sparsommelig	spaar**som**melie
zuiver	ren	reen
zuiveringszout	syreneutraliserende salt *o*, Samarin	**suur**eneutralie**see**renne sålt, sama**rien**
zuster	søster *f*	**sus**ter
zuur	sur	soer
zwaar (gewicht)	tung	toeng
zwaar (ernstig)	alvorlig	ål**woor**lie
zwager	svoger *f*	**swoo**wer
zwak (lichamelijk)	svagelig	**swâ**jelie
zwak (kwaliteitsarm)	svag, dårlig	swâ, **dôr**lie
zwanger	gravid, svanger	ghra**wie**ô, **swang**er
zwangerschap	svangerskab *o*	**swang**erskâb
zwart	sort	soort
zweer	byld *f*	buul
zweet	sved *f*	sweeô
zwembad	svømmebassin *o*, svømmehal *f*	**swum**mebassêng, **swum**mehâl
zwembroek	badebukser *mv*	**bâ**ôeboekser
zwemmen	svømme	**swum**me
zwemvest	redningsvest *f*	**ree**ôningswêst

Deens
Nederlands

In deze woordenlijst wordt uitgegaan van het Deense alfabet, waarin de letters æ, ø en å een afzonderlijke plaats innemen (helemaal achteraan, voorbij de z).

A

accceptere - aannemen (accepteren)
adgang - toegang
adgangsbillet - toegangskaartje
adlyde - luisteren (gehoorzamen)
advare - waarschuwen
advarsel - waarschuwing
advarselstrekant - gevarendriehoek
afbestille - afzeggen (reservering)
afbryde - onderbreken
afdeling - afdeling
affald - afval
afføringsmiddel - laxeermiddel
afrejse - vertrek (op weg gaan)
afsejling - afvaart
afsender - afzender
afsides - verlaten (afgelegen), acjteraf
afsigelse - uitspraak (vonnis)
afsluttet - afgesloten (beëindigd)
afspærring - versperring
afsted, tage - vertrekken
aftale - afspreken
aftale - afspraak(je)
aftalt - afgesproken
aften - avond
aftenen, om - 's avonds
aftensmad - avondeten
afvige - afwijken
aksel - as (wiel)
akut behandling - spoedbehandeling

alarmnummer - alarmnummer
albue - elleboog
aldrig - nooit
alene - alleen (zonder gezelschap)
alle - iedereen
almindelig(t) - gewoon (normaal), algemeen
almuekunst - volkskunst
alt - alles
altan - balkon (huis)
altid - altijd
alvorlig(t) - zwaar (ernstig)
anbefale - aanbevelen
anbefalet - aangetekend
anden, andet, andre - ander(e)
anden, en - iemand anders
anderledes - anders (verschillend)
angst - angst
anholde - vasthouden (in hechtenis)
ankeskrift - bezwaarschrift
ankomme - aankomen (ter plekke)
ankomst(tid) - aankomst(tijd)
anmode - verzoeken (vragen)
anmodning - beroep (appel), verzoek
anneks - dependance
ansigt - gezicht
ansvarlig(t) - verantwoordelijk
ansøge - aanvragen
ansøgningsblanket - aanvraagformulier
antage - aannemen (veronderstellen)
antal - aantal

antenne - antenne
antik(t) - oud (kunst)
antikviteter - antiek
antikvitetshandler - antiquair
anvise - aanwijzen
apotek - apotheek
appel - beroep (juridisch)
appelsin - sinaasappel
arbejde - werken (arbeiden)
arbejde - werk
arbejdsgiver - werkgever
arbejdstager - werknemer
ark - blad (papier)
arm - arm (lichaamsdeel)
armbånd - armband
armlæn - armleuning (stoel)
aske - as (sigaret)
askebæger - asbak
at - dat (voegwoord)
automatisk - automatisch
avis - krant

B

babymad - babyvoeding
bade - baden
badebukser - zwembroek
badedragt - badpak
badehåndklæde - badhanddoek
badekar - bad (kuip)
badeværelse - badkamer
bag - achter (ligging)
bagageboks - bagagekluis
bagagenet - bagagerek
bagageopbevaring - bagagedepot
bagagerum - bagageruimte
bage - bakken (brood)
bager - bakker
baglæns - achteruit
bagside - achterkant
bakke - heuvel
balkon - balkon (theater)
ballon - luchtballon
band - band (muziekgroep)

bange - angstig
banke (på døren) - kloppen (op de deur)
barberblad - scheermesje
barbere - scheren
barbermaskine - scheerapparaat
barn - kind
barnebarn - kleinkind
barneseng - kinderbedje
barnestol - kinderstoel
barnevogn - kinderwagen
batteri - accu, batterij
bede - vragen (verzoeken)
bedrage - oplichten (bedriegen)
bedrageri - oplichting
bedre (... end) - beter (... dan)
bedst/e - best(e)
befolkning - bevolking
begge - beide
begribe - verstaan (begrijpen)
begynde - beginnen
begyndelse - begin
behandling - behandeling
beholde - houden (bewaren)
bekendt - kennis (bekende)
bekendtskab, gøre - kennismaken
Belgien - België
belgier - Belg
belgisk - Belgisch
belyse - verlichten (beschijnen)
belysning - verlichting (lampen)
beløb - bedrag
ben - been
benzin(station) - benzine(station)
benzintank - benzinetank
berømt - beroemd
beskadige - beschadigen
beskadigelse - beschadiging
beskadiget - beschadigd
besked - boodschap (bericht)
besked, vide - op de hoogte zijn
beskidt - smerig
bestemmelse - bestemming
bestik - bestek (tafelgerei)

bestille - bestellen (order)
bestilling - bestelling (order)
besvime - flauwvallen
besvimelse - flauwte
besvær - last (hebben van)
besværlig(t) - lastig
besøg - bezoek
besøge - bezoeken
betale - afrekenen
betale - betalen
betingelse - voorwaarde
betinget - voorwaardelijk
betjene - bedienen
betjening (inklusive) - bediening
   (inbegrepen)
betjent - agent (politie)
betyde - betekenen
betændelse - infectie, ontsteking
bevidstløs - bewusteloos
bevis - bewijsje (reçu)
bevis - bewijs
bevogtet - bewaakt
bi - bij (insect)
bid - beet (hap)
bid! - beet (sportvissen)
bide - bijten (hond)
bil - auto
bilkø - file
billede - foto, plaat (afbeelding)
billet - biljet (kaartje)
billig(t) - goedkoop
bilværksted - garage (werkplaats)
bind (gaze-) - verband(gaas)
biograf - bioscoop
bitter(t) - bitter
bivej - binnenweggetje
blad - blad
blaffe - liften
blaffer - lifter
blandet - gemengd
ble - luier
bleg(t) - bleek
blik - blik

blind - doodlopend
blind(t) - blind
blinklys - knipperlicht
blive - blijven
blod - bloed
blomst - bloem (bloesem)
blyant - potlood
blæk - inkt
blæksprutte - inktvis
blænde - verblinden
blød(t) - zacht, week
blå(t) - blauw
blå plet - blauwe plek
bo - wonen
bod - kraampje
bog - boek
boghandel - boekhandel
bold - bal (speelgoed)
bomuld - katoen
bonde - boer
bondegård - boerderij
bord - tafel
bord, om - aan boord
borgmester - burgemeester
bortkomme - kwijtraken
bortkomme - zoekraken
brandbyld - steenpuist
brandmelder - brandmelder
brandsalve - brandwondenzalf
brandsår - brandwond
brandvæsen - brandweer
bred - oever
bred(t) - breed
bredde - breedte
bremse - rem
brev - brief
brevkort - briefkaart
brevpapir - briefpapier
briller - bril
bringe - bestellen, bezorgen, brengen
bro - brug
bror - broer
brovagt - brugwachter

brud - breuk
brudt op - opgebroken (rijweg)
brug - gebruik
brug for, have - nodig hebben
bruge - gebruiken
brugsanvisning - gebruiksaanwijzing
brugt - tweedehands
brun(t) - bruin
brusebad - douche
bryllup - bruiloft
bryst - borst
brække - breken
brænde - verbranden
brændt på - aangebrand
bræt - plank
brød - brood
budding - pudding
bugt - bocht, kromming, inham, baai
bugtet - bochtig
bukser - broek
busk - struik
busstoppested - bushalte
butik - winkel
butikscenter - winkelcentrum
butiksvindue - etalage
by - stad
byde - bieden
bygge - bouwen
bygning - gebouw
byld - zweer
bytte - ruilen
bælte - gordel, riem
bænk - bank (zitplaats)
bære - dragen
bæst - dier
bøde - bekeuring, boete
bøjle - klerenhanger
bønner, brune - bruine bonen
bønner, hvide - witte bonen
børste - borstel
båd - boot
bånd - lint, band

C

campingbutik - campingwinkel, kampwinkel
campingkort - kampkaart
campingplads - kampeerterrein
campingvogn - caravan
cardigan - vest
centralvarme - centrale verwarming
centrum - centrum
chance - kans
charterrejse - chartervlucht
chef - baas, chef
chokolade - chocolade
citron - citroen
cykel - fiets
cykelrute - fietsroute
cykelsmed - fietsenmaker
cykelsti - fietspad
cykeltur - fietstocht

D

dag, i - vandaag
dagen, om - overdag
dagens ret - dagschotel
damer - dames
dametoilet - damestoilet
Danmark - Denemarken
danse - dansen
dansk - Deens
dansker - Deen
dato - datum
datter - dochter
dejlig(t) - fijn, heerlijk
del - deel, gedeelte, onderdeel
demonstration - demonstratie
den - die
denne - deze
der - die, wat, hetgeen, daar
derefter - daarna
derfor - daarom
desinfektionsmiddel - ontsmettingsmiddel

desinficere - ontsmetten
desværre - het is jammer
det - dat
det(te) - dit
diapositiv - dia
diaprojektionsapparat - diaprojector
direkte - direct, rechtstreeks
diæt - dieet
diætkost - dieetvoeding
dobbel(t) - dubbel
dobbeltseng - tweepersoonsbed
dobbeltværelse - tweepersoonskamer
dog - wèl
domkirke - kathedraal
dommer - rechter
domstol - gerecht, rechtbank
donkraft - krik
doven(t) - lui
dreng - jongen
drikke - drinken
drikkepenge - fooi
drikkevand - drinkwater
dronning - koningin
duft - geur
duftende - geurig
dug - tafelkleedje
dukke - pop
dyb(t) - diep
dybde - diepte
dybfrost - diepvries
dygtig(t) - handig, bekwaam
dykke - duiken
dyr - dier, beest
dyr(t) - duur
dyrefoder - dierenvoedsel
dyrskue - veemarkt
dæk - band
dæmning - dam
død - dood
dødelig(t) - dodelijk
dør - deur, portier
dørgreb - deurknop
døv(t) - doof

dårlig(t) - slecht, zwak
dåse - trommel, blik, bus
dåseåbner - blikopener

E

edderkop - spin
eddike - azijn
eftergive - kwijtschelden
efterhånden - langzamerhand
efterligning - imitatie, namaak
eftermiddag - middag
efternavn - achternaam
efterår - herfst, najaar
egn - streek, regio
egnsret - streekgerecht
ejendom - eigendom
ejer - eigenaar
ekspedient - verkoper
ekspres - per expresse
elektrisk - elektrisch
elevator - lift
eller - of
elske - houden van, vrijen
en eller anden - iemand
endestation - eindpunt
endnu - nog
endog - zelfs
eneste - enige (unieke)
engelsk - Engels
England - Engeland
englænder - Engelsman
enhver - iedereen
enkel(t) - eenvoudig
enkeltbillet - enkele reis
enkeltværelse - eenpersoonskamer
ens - gelijk
ensrettet færdsel - eenrichtingsverkeer
et eller andet - iets

F

fabrik - fabriek
fadøl - tapbier
fald - val

falde - vallen
familie - familie, gezin
familie med, være i - familie zijn van
far - vader
fare vild - verdwalen
fare - gevaar
farfar - opa (van vaders kant)
farlig(t) - gevaarlijk
farmor - oma (van vaders kant)
fars - gehakt
fartøj - vaartuig
farve - kleur
farvel - dag! vaarwel!
farveløs - flets
fast - vast
faste - vastent
fastgøre - vastmaken
fattig(t) - arm
feber - koorts
fed(t) - vet
feje - vegen
fejl - fout
fejlfri(t) - foutloos
fejl, tage - zich vergissen
fejltagelse - vergissing
fejre fest - feestvieren
feltflaske - veldfles
ferie - vakantie
feriehus - buitenverblijf
ferskvand - zoetwater
fest - feest
fil - vijl
filipens - puist
film - film, filmrolletje
filtercigaret - filtersigaret
filtpen - viltstift
fin(t) - fijn
finde - vinden
firkant - vierkant
fisk - vis
fiskeben - graat
fisker - visser
fjeder - veer

fjer - veer
fjerkræ - gevogelte
fjern(t) - ver
fjernsyn - televisie
fjernsynsnet - televisienet
flad(t) - plat
flade - vlakte
flag - vlag
flamlænder - Vlaming
flamme - vlam
flamsk - Vlaams
Flandern - Vlaanderen
flaske - fles
flaskepant - statiegeld
flere end - meer dan
flere - meer
flise - tegel
flod - rivier
flodbølges - vloedgolf
flov(t) - flauw
flue - vlieg
flugt - vlucht
fly - vliegtuig
flyde - vloeien
flygtig(t) - vluchtig, oppervlakkig
flygtning - vluchteling
flyrejse - vlucht
flytte - verhuizen
flyve - vliegen
flyveplads - vliegveld
flænge - scheur(en)
flæsk - spek
fløde - room
flødeskum - slagroom
fløjte - fluiten
fod - voet
fodbold - voetbal
fodboldstadion - voetbalstadion
fodgænger - voetganger
fodgængerfelt - zebra(pad)
fodgængersti - voetpad
folk - volk
for - te

foran - voor(aan)
forandre - veranderen
forbavselse - verbazing
forbavset - verbaasd
forbi - over, voorbij
forbigangen(t) - voorbij
forbinde - verbinden
forbindelse - verband
forbindelse med, i - in verband met
forbindskasse - verbandkist
forbud - verbod
forbudt at - verboden te
fordi - omdat
fordybning - kuil
fordærvet - bedorven
foreslå - voorstellen, voorstel doen
forespørge - informeren naar
forestille - voorstellen, uitbeelden
forestilling - voorstelling
forfærdeligt - erg, ernstig
forgiftning - vergiftiging
forgyldt - verguld
forgårs, i - eergisteren
forkert - verkeerd, fout
forkølelse - verkoudheid
forkølet - verkouden
forkørselsret, overholde - voorrang
  verlenen
forlade - verlaten
forlovede - verloofde
forlovelse - verloving
form - vorm
format - formaat
formål - doel
fornavn - voornaam
fornøjelse - genoegen, plezier
forpligtet - verplicht
forrang - voorrang
forside - voorkant
forsikre - verzekeren
forsikring - verzekering
forsikringspolice - verzekeringspolis
forsikringsselskab - verzekerings-

maatschappij
forsinkelse - oponthoud, vertraging
forsinket - vertraagd
forskel - verschil
forskellig(t) - verschillend
forslag - voostel
forstoppelse - verstopping
forstoppet - verstopt
forstyrre - storen
forstørrelse - vergroting
forstå - verstaan, begrijpen
fortid - verleden
fortov - stoep, trottoir
fortrinlig(t) - voortreffelijk
fortsætte - verder gaan
forvekslet - verwisseld
forvente - verwachten
forventning - verwachting
forældre - ouders
forår - lente
fotograf - fotograaf
fotokamera - fototoestel
fotokopi - fotokopie
fra - vanaf, van
frakke - (lange) jas
frankere - frankeren
Frankrig - Frankrijk
fransk - Frans
franskmand - Fransman
fraskilt - gescheiden
fremad - vooruit
fremkalde - ontwikkelen
fremmed - vreemd, buitenlands
fremmedpoliti - vreemdelingendienst
fremragende - uitstekend
fremskyndelse - versnelling
fremspringende - uitstekend (naar buiten)
fri(t) - vrij
frihed - vrijheid
frimærke - postzegel
frisere - kappen
frisk - vers, fris
frisør - kapper

frokost - lunch
frost - vorst (het vriezen)
frostvæske - antivries
fru(e) - mevrouw
frugt - vrucht (fruit)
frugtbod - fruitstalletje
frugtplantage - boomgaard
frugtsaft - vruchtensap
frygte - bang zijn
fryser - diepvriezer
frø - zaad
fugl - vogel
fugthæmmende - vochtwerend
fugtig(t) - vochtig
fuld(t) - vol
fuldkornsbrød - volkorenbrood
fuldmagt - machtiging
fuldstændig(t) - volledig
fundet - gevonden
fylde - vullen
fyldepen - vulpen
fyldt - gevuld
fyrste - vorst
fyrværkeri - vuurwerk
fælde - val
fælde - kappen (van bomen)
færdig(t) - klaar, gereed
færdsel - verkeer
færdselskort - wegenkaart
færdselstavle - verkeersbord
færge - veerboot, pont
færre - minder
færre end - minder dan
fæstning - vesting
fætter - neef (kind van oom/tante)
fødeklinik - kraamkliniek
fødevarer - voedsel
fødselsdag - verjaardag
fødselsdag, holde - jarig zijn
fødselsdato - geboortedatum
født - geboren
føle - voelen
følelse - gevoel

følge - volgen
følsom(t) - gevoelig
før - voor
førende - vooraanstaand
første - eerste
få - krijgen
får - schaap

G

gade - straat
gaffel - vork
galde - gal
gammel(t) - oud
gang - gang
gang, på en - ineens
gangbesværet - slecht ter been zijn
garage - garage (parkeerruimte)
garanti - garantie
garantibevis - garantiebewijs
gardin - gordijn
garn - garen
gas(flaske) - gas(fles)
gave - cadeau, geschenk
gavl - gevel
gear - versnelling
gear, skifte - schakelen
ged - geit
gelænder - leuning
genere - lastig vallen
gennemkørsel - doorgang
gensyn om lidt, på - tot straks
gentage - herhalen
gentagelse - herhaling
gerne - graag
gift - gift, gehuwd
giftig(t) - giftig
give - geven
glad - blij
glas - glas
glat - glad, glibberig
glatføre - gladheid
glemme - vergeten
glæde - blijdschap

gnide - wrijven
gnist - vonk
god(t) - goed
goddag - dag! (bij aankomst)
godtgørelse - vergoeding
grader - graden
grave - graven
gravid - in verwachting, zwanger
gren - tak
grillstege - roosteren
grim(t) - lelijk
grotte - grot
grund af, på - door, op gromd van
grund - grond, reden
gruppe - groep
gryde - pan
græde - huilen
grænse - grens
græs - gras
græsplæne - grasveld
grøft - sloot
grøn(t) - groen
grønthandler - groentehandelaar
grøntsager - groente
grå(t) - grijs
gudstjeneste - kerkdienst
gul(t) - geel
guld - goud
gulerod - wortel
gulv - vloer, grond
gummibånd - elastiekje
gunstig(t) - gunstig
gylden(t) - gouden
gæld - schuld
gæst - gast
gæstfri(t) - gastvrij
gøre - doen
gå - gaan, lopen
gågade - voetgangergebied
gå nedad - afdalen
gård - binnenplaats
gås - gans
gå ud - uitgaan

H

hage - kin
hagl - hagel
haj - haai
hakke - hakken
hals - hals, keel
halstørklæde - das
halt - mank
halv(t) - half
halvdel - helft
hammer - hamer
hast - haast
hastighed - snelheid
hat - hoed
hav - zee
have - tuin, hebben
have på - dragen (kleding)
havn - haven
havvand - zeewater
hed(t) - heet
hel(t) - heel, geheel
helbred - gezondheid
helbredes - herstellen, genezen
helhed - geheel
hellere - liever hebben
helligdag - feestdag
helt - helemaal
hensigt, have til - van plan zijn
hente - halen
her - hier
herhen - hierheen
herre - heer
hest - paard
hestekraft - paardenkracht
hestestald - paardenstal
hilse - groeten doen aan
hilsen fra - groeten uit
hilsen - groet
himmel - hemel
hjælp - hulp
hjemkomst - thuiskomst
hjemme, føle sig - zich op zijn gemak

voelen
hjemme - thuis
hjemmehørende - inheems
hjernerystelse - hersenschudding
hjerte - hart
hjertepatient - hartpatiënt
hjul - wiel
hjørne - hoek
hofte - heup
holdbar(t) - houdbaar
holde - (vast)houden
horn - horens
hos - bij
hoste - hoesten
hovede - hoofd
hovedgade - hoofdstraat
hovedsalat - sla
hovedvej - hoofdweg, voorrangsweg
hud - huid
hudafskrabning - schaafwond
hul - gat
hummer - zeekreeft
hund - hond
hundegalskab - hondsdolheid
hurtig(t) - snel, vlug
hurtigt - gauw, met spoed
hus - huis
husholdning - huishouding
husholdningsartikler - huishoudelijke
  artikelen
husmoder - huisvrouw
husstand - huishouding
hustru - vrouw, echtgenote
hvad - wat
hvedemel - bloem (meel)
hvem - wie
hveps - wesp
hver(t) - elk, ieder
hvidevarer - linnengoed
hvidløg - knoflook
hvile ud - uitrusten, rust nemen
hvile - rusten
hvilken/hvilket/hvilke - welk(e)

hvis - wanneer
hvor - waar (vragend)
hvordan - hoe
hvorfor - waarom
hvorhen - waarheen
hvor længe - hoe lang
hvor mange/meget - hoeveel
hvornår - wanneer (vragend)
hyggelig(t) - gezellig
hygiejnebind - maandverband
hylde - plank
hytte - hut
hæl - hak
høj(t) - hoog, hard, luid, lang
højde - hoogte, lengte (mens)
højdeskræk - hoogtevrees
højre - rechts
højre, til - rechtsaf
højvande - vloed
høne - kip
hønsekød - kippenvlees
høre - horen
høreapparat - gehoorapparaat
hørelse - gehoor (orgaan)
høst - oogst
hånd - hand
håndarbejde - handwerk
håndbremse - handrem
håndklæde - handdoek
håndled - pols
håndtag - (deur)knop
håndtaske - handtasje
håndværk - handwerk, ambachtswerk
hår - haar
hård(t) - hard
hårdhændet - hardhandig
hårlak - haarlak
hårnålesving - haarspeldbocht

i - te (plaatsaanduiding)
ID-kort - identiteitsbewijs
ideel(t) - ideaal

identifikation - identificatie
idræt - sport
idrætsplads - sportterrein
igen - weer
igennem - door(heen)
ild - vuur
ildslukker - brandblusser
imellem - tussen
imod - tegen
importere - invoeren
inddeling - indeling
inde(nfor) - binnen
indelukket - benauwd, bedompt
indenfor - binnen
indenlandsk - binnenlands
indføre - invoeren
indførselstold - invoerrechten
indgangsport - toegangshek
indkøbsvogn - winkelwagentje
indskibe sig - inschepen
indskrive - inschrijven
indvendig(t) - inwendig
indvending - bezwaar
indvolde - ingewanden
influenza - griep
informationskontor - informatiebureau
informere - informeren
ingen - niemand, geen
inklusive - inbegrepen
insektstik - insectensteek
insistere på - staan op
interlokal(t) - interlokaal
international(t) - internationaal
intet - geen, niets
is - ijs
isslag - ijzel
isterninger - ijsblokjes
itu - gebroken

J

jagt - jacht
jakke - jasje
jakkesæt - pak, kostuum

jern - ijzer
jernbanebomme - spoorbomen
jernbanelinie - spoorlijn
jernbaneoverskæring - spoorweg
   overgang
jernbaner - spoorwegen
jod - jodium
jord - grond, aarde
jordbund - bodem, grond
jordstykke - lap grond
justere - verstellen
juvelér - juwelier
jævn(t) - glad

K

kabel - kabel
kadre - kade
kaffe - (filter)koffie
kaffebønne - koffieboon
kaffekande - koffiepot
kage - koek
kahyt - scheepshut
kaj - kade
kakkel - (wand)tegel
kakkelovn - kachel
kakkerlak - kakkerlak
kalvekød - kalfsvlees
kam - kam
kamera - camera
kamp - wedstrijd
kampere - kamperen
kamperingsforbud - kampeerverbod
kamperingstilladelse - kampeer-
   vergunning
kamperingsudstyr - kampeeruitrusting
kanal - kanaal
kande - kan
kant - rand
kanyle - injectienaald
karaffel - karaf
karburator - carburateur
kartofler - aardappels
kasse - loket. kassa, kist

kaste op - overgeven, braken
kat - kat
katolsk - katholiek
kedelig(t) - flauw, saai
kendt - bekend
keramik - aardewerk
kigge - kijken
kind - wang
kindtand - kies
kiosk - kiosk
kirke - kerk
kirkegård - kerkhof
kjole - jurk
klage - klacht, klagen (klacht indienen)
klage sig - klagen
klagebog - klachtenboek
klap - klep
klar(t) - helder
klima - klimaat
klint - klip
klippe - knippen, rots
klippeblok - rotsblok
kloakrør - rioolbuis
klods - klosje
klokke - bel, klok
klokketårn - klokkentoren
kloster - klooster
klostergang - kloostergang
klostergård - kloosterhof
klosterhave - kloostertuin
klud - doek
klump - klontje
klæbe - plakken
klæde - doek
klædeskab - klerenkast
klø - jeuken
kløe - jeuk
kløft - kloof
knallert - bromfiets
knap - knop, knoop (kleding)
knipling - kant
kniv - mes
knogle - bot

knop - knop (bloem)
knude - knoop (in draad)
knæ - knie
knæskal - knieschijf
kobber - koper
kobling - koppeling
kofanger - bumper
kogt - gekookt
kok - kok
kold(t) - koud
kolonialvarer - kruidenierswaren
kom så! - vooruit!
komme ind - binnenkomen
komme - komen
kommunalbestyrelse - gemeenteraad
kommune - gemeente
konditori - café (koffiehuis)
konditorkage - gebakje, taartje
konduktør - conducteur
konfektion - confectiekleding
konfekture - zoetwaren
konge - koning
konserves - blikgroente
konsultationstid - spreekuur
konsultationsværelse - spreekkamer
kontakt - schakelaar
kontinuerlig(t) - voortdurend
kontor - kantoor, bureau
kontorartikler - kantoorbehoeften
kontrollere - nakijken
konvolut - envelop
kop - kopje
kopi - afdruk, kopie
kork - kurk
kors - kruis
kort - plattegrond, (brief)kaart,
    (land)kaart
kort, spille - kaarten (spelen)
kortslutning - kortsluiting
koste - kosten
krabbe - krab
kraftig(t) - stevig
kranbil - kraanwagen

kranvogn - sleepwagen
krave - kraag
krog - haak
krop - lichaam
krukke - kruik
krydderier - kruiden
krydsning - kruising
kuffert - koffer
kuglepen - (bal)pen
kun - alleen, slechts
kundskab - kennis
kunne - kunnen
kunstig(t åndedræt) - kunstmatig(e
   ademhaling)
kunstner - kunstenaar
kupé - coupé
kurs - koers
kurv - mand
kusine - nicht (kind van oom/tante)
kvalitet - kwaliteit
kvalme, have - misselijk zijn
kvart - kwart
kvarter - kwartier, buurt, wijk
kvinde - vrouw
kvittering - kwitantie
kvæg - vee
kvægavler - veehouder
kvæstelse - verwonding
kys - kus, zoen
kysse - kussen
kyst - kust
kystvagt - kustwacht
kæbe - kaak
kæde - ketting
kælder - kelder
kære ... - beste ...
kæreste, have en - verkering hebben
kærlighed - liefde
kærnemælk - karnemelk
købe ind - inkopen doen
købe - kopen
køber - koper
købmand - kruidenier

kød - vlees
køkken - keuken
køleskab - koelkast
kølet - gekoeld
kølig(t) - koel
køligt - fris
køre - rijden
køre ind - inrijden
kørebane - rijbaan
kørekort - rijbewijs
køreplan - spoorboekje, dienstregeling
køresyg - wagenziek
køretur - rit
kål - kool

L

lag - laag
lagen - laken
lagkage - taart
lammekød - lam(svlees)
lammet - lam, verlamd
lampe - lamp
lande - landen (luchtvaart)
landet, på - platteland
landing - landing
landkort - landkaart
landlig(t) - landelijk
landsby - dorp
landskab - landschap
lang(t) - lang
langs - langs
langsom(t) - langzaam
langt - ver
langt borte - in de verte
langvarig(t) - langdurig
last - last
lav - zacht
lav(t) - laag, ondiep
lave - maken
le - lachen
ledsage - vergezellen
ledsaget af - vergezeld van
leg - spelletje

lege - spelen, spelletjes
legemlig(t) - lichamelijk
legeplads - speelplaats
legetøj - speelgoed
legitimationsbevis - legitimatiebewijs
leje - huren, huur
lejebil - huurauto
lejekaserne - flatgebouw
lejlighed - flat
lejr - kamp
lejrbål - kampvuur
lektier - huiswerk
let - licht
letsaltet - zoutarm
lette - verlichten
lettelse - verlichting
leve - leven
levende - levend
levnedsmidler - levensmiddelen
lide, kunne - houden van, lekker vinden
lidt - een beetje
lidt - gering, weinig
lidt, om - zo meteen
lidt - wat, een beetje
lift - lift
lige - net, zojuist
lige - even(tjes)
ligeud - rechtdoor, rechtuit
ligge - liggen
liggeplads - couchette
liggestol - ligstoel
lighter - aansteker
lille - klein
lim - lijm
lime - lijmen
line - lijn, streep
linie - (bus)lijn
linse - lens
liv - leven (zelfst. nw.)
loft - zolder
lomme - zak
lommekniv - zakmes
lommelygte - zaklantaarn

lommetørklæde - zakdoek
loppe - vlo
loppemarked - vlooienmarkt
losse - lossen
love - beloven
luft - lucht
lufte - luchten
luftfart - luchtvaart
lufthavn - luchthaven
luftmadras - luchtbed
luftpost - (per) luchtpost
luftsyg(t) - luchtziek
lukke - sluiten
lukket - afgesloten
lukket - dicht, op slot
lukketid - sluitingstijd
lunge - long
lunken(t) - lauw
lus - luis
lyd - geluid
lygte - lantaarn
lykønske - feliciteren
lynlås - ritssluiting
lyntog - sneltrein
lys - licht
lys(t) - licht
lyst - zin, plezier
lytte - luisteren
lyve - liegen
læbe - lip
læbestift - lippenstift
læg - kuit
læge - dokter, huisarts
lægge - leggen
lægge sammen - optellen
læk - lek
lækker(t) - lekker
læne sig til - leunen op
længde - lengte
længe - lang
lærred - linnen
læse - lezen, leren, stideren
læskærm - windscherm

løbe - (hard)lopen
løfte - belofte, optillen
løg - ui
løn - salaris
løs(t) - los
løsne - losmaken
låne - lenen van
lås - slot

M

mad - eten(swaar)
mad, lave - koken
madpakke - lunchpakket
madras - matras
mager(t) - mager
magnet - magneet
maksimumhastighed - maximum snelheid
maleri - schilderij
maling - verf
mand - man
mangle - ontbreken
mark - veld
markise - zonnescherm
marmelade - jam
marmor - marmer
massiv(t) - massief
mave - buik
mave(pine) - maag(pijn)
mavepine - buikpijn
mavesyre - maagzuur
meddelelse - bericht, mededeling
medicin - geneesmiddel, medicijn
meget/megen/mange, (for) - (te) veel
meget - erg, zeer
mekaniker - monteur
mel - meel
melon - meloen
mene - bedoelen
mening - bedoeling
mere - meer
mere end - meer dan
middag - middageten

midlertidig(t) - tijdelijk
midnat - middernacht
midte - midden
mindre - minder
mineralvand - sodawater
mis - poes
misforståelse - misverstand
miste - kwijt zijn
moden(t) - rijp
modstander - tegenstander
modtage - ontvangen
mole - pier, havenhoofd
mor - moeder
morads - moeras
morfar - opa (van moeders kant)
morgen - morgen, ochtend
morgen, i - morgen (volgende dag)
morgenen, om - 's morgens
morgenmad - ontbijt
mormor - oma (van moeders kant)
morsom(t) - leuk
motorbåd - motorboot
motorcykel - motorfiets
motorhjelm - motorkap
motorstop - motorpech
motorvej - auto(snel)weg
mudder - modder
mulig(t) - mogelijk
mund - mond
mundlig(t) - mondeling
munk - monnik
mur - muur, wand, wal
mus - muis
musik - muziek
muskel - spier
muskelsmerte - spierpijn
muslingeskal - schelp
myg - mug
myre - mier
mægler - makelaar
mælk - melk
mærkelig(t) - vreemd, opmerkelijk
møde - ontmoeten, omtmoeting

mølle - molen
mønt - munt
møntsamler - muntenverzamelaar
mør(t) - gaar
møtrik - moer
mål - doel(punt)
måned - maand
måske - misschien

N

nat - nacht
nationaldragt - klederdracht
nationalitet - nationaliteit
nationalsang - volkslied
nattevagt - nachtwaker
natur - natuur
naturlig(t) - natuurlijk
naturligvis - natuurlijk, vanzelfsprekend
navn - naam
nede - beneden
nederdel - rok
nederst - onderin
nedsætte (sig) - (zich) vestigen
negativ(t) - negatief
negl - nagel
neglefil - nagelvijltje
neglelak - nagellak
neglesaks - nagelschaartje
nem(t) - licht, gemakkelijk
netop - juist
nevø - neef (oomzegger)
niece - nicht (oomzegster)
node - (muziek)noot
nogen - iemand
noget - iets
nogle - enige, enkele
nok - genoeg
nonne - kloosterzuster
nord - noorden
Norden - de Noordse landen
normal(t) - normaal
notere - noteren
nu - nu, tegenwoordig

nummerplade - nummerplaat
ny(t) - nieuw
nyde - genieten
nyhedsblad - nieuwsblad
nyse - niezen
nyt - nieuws
nytte - zin, nut
nyttig(t) - zinvol
nægte - weigeren
næppe - nauwelijks
nærheden af, i - in de buurt van
nærheden, i - dichtbij
næse - neus
næste - volgend(e)
næsten - bijna
nød - noot
nødbremse - noodrem
nødforbinding - noodverband
nødstilfælde - spoedgeval
nødudgang - nooduitgang
nøgen(t) - bloot
nøgle - sleutel
nøglehul - sleutelgat
nøjagtig(t) - nauwkeurig
nål - naald
når - wanneer

O

officer - officier
officiel(t) - officieel
ofte - vaak
også - ook
oksekød - rundvlees
olie - olie
oliven - olijf
olivenolie - olijfolie
omgivelse - omgeving
omkostninger - (on)kosten
omkring - rond, omstreeks, circa
omkørsel - omlegging
område - gebied
omsonst - zinloos
omtrent - ongeveer

omvej - omweg
omvej, køre en - omrijden
omvendt - andersom
ondt (i halsen) - (keel)pijn
ondt, gøre - pijn doen
opbevare - stallen
opdage - ontdekken
opgive - opgeven
opgøre - opmaken (rekening)
opholdssted - verblijfplaats
opholdstilladelse - verblijfsvergunning
opmærksom på, gøre - de aandacht op
  iets vestigen
oppe - boven
oprindelig(t) - oorspronkelijk
oprindelse - oorsprong
opskrift - recept
opstand - opstand
opsyn - bewaking
opsynsmand - bewaker
optaget - vol, bezet
ord - woord
orden, i - in orde!
ost - kaas
ovenpå - over
ovenpå - bovenop
over - over, boven, meer dan
overbefolkning - overbevolking
overblik over - zicht op
overfart - overtocht (zee)
overfor - tegenover
overgive sig - zich overgeven
overhale - inhalen
overhalingsforbud - inhaalverbod
overmorgen, i - overmorgen
overnatning - overnachting, logies
overnatte - logeren
overraskelse - verrassing
overrække - overhandigen
overskyet - bewolkt
overskæg - snor
overskæring - overweg
oversætte - vertalen

oversættelse - vertaling
ovre - over

P

pakke - pak(ket)
pande - voorhoofd
pandekage - pannenkoek
papir - papier
papirer - papieren
par - paar
parallel med - evenwijdig aan
paraply - paraplu
parfume - parfum
parkere - parkeren
parkeringshus - parkeergarage
parkeringslygte - parkeerlicht
parkeringsplads - parkeerplaats
parkeringsskive - parkeerschijf
parkometer - parkeermeter
parlør - taalgids
pas - paspoort
pas på! - voorzichtig!
pasfoto - pasfoto
påskrift - opschrift
passe - passen, zorgen voor
passe på - oppassen
peber - peper
penge, (aftalte) - (gepast) geld
pengeseddel - bankbiljet
pensel - verfkwast, penseel
pensionat - pension
pensioneret - gepensioneerd
perle - parel
personbevis - persoonsbewijs
personlig(t) - persoonlijk
pibe - pijp
pibetobak - pijptabak
pige - meisje
pil - pijl
pille - pilaar, pil
piskefløde - slagroom (niet geklopt)
plade - plaat
plads - plaats

plads, tage - plaatsnemen
pladsbillet - plaatskaartje
plakat - (raam)biljet, affiche
plan(t) - vlak
plante - plant
plast - plastic
plaster - pleister
plet - vlek
pletmiddel - vlekkenmiddel
pludselig - ineens, plotseling
pløk - tentharing
police - polis
politi - politie
politibetjent - politieagent
politierapport - proces-verbaal
politistation - politiebureau
port - poort
portier - portier
portion - portie
pose - zak
post - post
postboks - postbus
postbud - postbode
posthus - postkantoor
postkasse - brievenbus
postkort - ansichtkaart
postpakke - postpakket
potte - pot
pragtfuld(t) - prachtig
praktisk - handig
pris - prijs
prisliste - prijslijst
prismærke - prijskaartje
profession - beroep
prop - kurk . (afvoer)stop
proptrækker - kurkentrekker
protese - kunstgebit
præcis(t) - precies
præmie - prijs, premie
præsentere - voorstellen
præservativ - voorbehoedsmiddel
prøve - passen, poberen, proef
prøveværelse - paskamer

publikum - publiek, gehoor
pudder - poeder
pude - kussen
pudebetræk - kussensloop
pudse - poetsen
puls - pols(slag)
pulver - poeder
pumpe - oppompen, pomp
pung - portemonnee
punkteret dæk - lekke band
pynt - versiering
pæl - paal
pæn(t) - net
pølse - worst
påhængsvogn - aanhangwagen
påkrævet, være - nodig zijn
påkørsel - aanrijding
pålæg - vleeswaren
pålidelig(t) - betrouwbaar

R

rabat - berm, korting
ramme - kader, frame
rart - aangenaam, behaaglijk
rask - genezen
rask, blive - beter worden
rat - stuur
reb - touw
redde - redden
rederi - rederij
redningsbåd - reddingsboot
redningsvest - reddingsvest, zwemvest
redskab - gereedschap
regionaltog - stoptrein
regn - regen
regnfrakke - regenjas
rejse - reizen, gaan, reis
rejse omkring - trekken, rondreizen
rejse sig - opstaan
rejsebureau - reisbureau
rejsefører - (reis)gids
rejseleder - reisleider
ren(t) - schoon, zuiver

renlig(t) - zindelijk
rense - reinigen
renseri - stomerij
rent, gøre - schoonmaken
reparation - reparatie
reparere - maken, herstellen, repareren
repræsentant - agent, vertegenwoordiger
reservedele - reserve-onderdelen
reservehjul - reservewiel
ret - gerecht (maaltijd), schotel, recht, gelijk
ret, have - gelijk hebben
retning - richting
returbillet - retourtje
revne - barst(en)
ribben - rib
ride - rijden
ridetur - rit
rigtig(t) - echt, waar
rigtignok - inderdaad
rindende vand - stromend water
ringe op - (op)bellen
ringe på - (aan)bellen
ringere end - minder dan
ringvej - rondweg
ris - rijst
risikabel(t) - riskant
riste - roosteren
ristet - geroosterd
ro - roeien
robåd - roeiboot
rod - wortel
rolig(t) - rustig
ror - stuur , roer
rose - roos
rotte - rat
ru - ruw
rulle - klosje
rullestol - invalidenwagen
rulletrappe - roltrap
rund(t) - rond
rundfart - rondvaart
rundtur - rondrit

rust - roest
ruste - roesten
rute - route
rutebil - bus
rutine - routine
rydde op - opruimen
ryg - rug
ryge - roken
rygekupé - rookcoupé
ryglæn - rugleuning
rygsæk - rugzak
rød(t) - rood
Røde Kors-post - Rode Kruis-post
rødme - kleuren, blozen
røget - gerookt
rå(t) - rauw
råbe - roepen
rådden(t) - rot
rådhus - gemeentehuis, stadhuis
råkost - rauwkost

S

sadel - zadel
saft - sap
sakkarin - zoetjes
saks - schaar
sal - zaal
salat - salade
salg, til - te koop
salt - zout, hartig
saltfri(t) - zoutloos
saltpande - zoutpan
saltvandsfisk - zeevis
salve - zalf
samme - zelfde
sammen - samen
sammenstød - botsing
samtidig(t) - tegelijkertijd
sand - zand
sand(t) - waar, echt
sandhed - waarheid
sandkage - cake
sandt, det er - het is waar

scene - toneel
se - zien, bezichtigen
se sig for - uitkijken
seddel - briefje, bankbiljet
seddelpenge - papiergeld
sej(t) - taai
sejl - zeil
sejldug - zeildoek
sejle - varen
sejljagt - zeiljacht
sejljakke - zeiljack
sejlsport - zeilsport
sele - riem
selv - zelf
sen(t) - laat
sende afbud - afzeggen
sende - (ver)zenden
seng - bed
sennep - mosterd
serviet - servetje
servitrice - serveerster
seværdighed - bezienswaardigheid
si - zeef
sidde - zitten
siddeplads - zitplaats
side - kant, zijde
side, på den anden - aan de overkant
sidegade - zijstraat
sidelæns - zijdelings
siden af, ved - naast
sidst - laatst
sidste uge - verleden/vorige week
sidste - laatste
sige - zeggen
sikker(t) - veilig, zeker
sikkerhed - veiligheid, zekerheid
sikkerhedsnål - veiligheidsspeld
sikkerhedssele - veiligheidsgordel
sikkert - zeker
sikring - stop, zekering
silke - zijde
sjælden(t) - zelden
skab - kast

skade - schade
skadesløsholdelse - genoegdoening
skak, spille - schaken
skarp(t) - scherp, fel
ske - lepel
skefuld - schep
skib - schip
skibsfart - scheepvaart
skifte - overstappen
skik - gebruik, traditie
skilt - bord(je)
skind - leer, huid
skinke - ham
skive - snee, plakje
skjorte - (over)hemd
skjult - verstopt, verborgen
sko - schoen
skohorn - schoenlepel
skoldes (af solen) - verbranden (door de zon)
skole - school
skomaker - schoenmaker
skopudser - schoenpoetser
skosværte - schoensmeer
skov - bos
skovl - schep
skovvej - bosweg
skraldemand - vuilnisman
skraldespand - vuilnisbak
skride - slippen
skrivebord - bureau, schrijftafel
skrue - schroeven, draaien, schroef
skruelåg - dop(je)
skruetrækker - schroevendraaier
skråning - helling
skulder - schouder
skulle - moeten
skumbad - badschuim
skygge - schaduw
skyldig(t) - schuldig
skynde sig - voortmaken
skæg - baard
skæl - roos (in het haar)

skænderi - ruzie
skænke (i) - (in)schenken
skæv(t) - scheef
skål! - proost!
skåle - toasten (op)
skår - scherven
slags - soort
slagte - slachten
slagter - slager
slagteri - slagerij
slange - slang
slap(t) - slap
slidt - versleten
slik - snoepgoed
slikke - likken
slim - slijm
slingre - slingeren
slips - (strop)das
slot - kasteel, paleis
slukke - blussen
sluse - sluis
slutning - eind(e)
slæbe - slepen
slæbekabel - sleepkabel
sløv - bot
smage - proeven
smal(t) - smal
smerte - pijn
smertefri(t) - pijnloos
smertestillende middel - pijnstiller
smitsom(t) - besmettelijk
smuk(t) - mooi
smykke - juweel, sieraad
smør - boter
smøre - smeren
smøremiddel - smeermiddel
smørrebrød - belegd sneetje brood
småkage - koekje
småpenge - kleingeld
snart - spoedig
snavs - vuil
snavset - vies, vuil
sne - sneeuw

snegl - slak
snit(sår) - snee, snijwond
snor - snoer
snæver(t) - nauw
snørebånd - schoenveter
sodavand - frisdrank
sogn - (kerk)gemeente, parochie
sol - zon
solbad, tage - zonnebaden
solbriller - zonnebril
solbrændt - (ge)bruin(d)
solcreme - zonnebrandcrème
sololie - zonnebrandolie
solskoldning - zonnebrand
solstik - zonnesteek
som - die, welke
sommer - zomer
sommerferie - zomervakantie
sommertid - zomertijd
sort - zwart
sov godt! - welterusten!
sovepose - slaapzak
sovevogn - slaapwagen
sovs - saus
spadsere - wandelen
spadseretur - wandeling
spand - emmer
spark - trap, schop
sparsommelig(t) - zuinig
speciel(t) - bijzonder
spejl - spiegel
spejlæg - spiegelei
spille - spelen
spillekort - speelkaarten
spise - eten
spise op - opeten
spiselig(t) - eetbaar
splint - splinter
springbræt - duikplank, springplank
springe - springen
springvand - fontein
sprit - spiritus
sprog - taal

sprøjte - sproeien
spytte - spuwen
spænde - gesp
spændende - spannend
spænding - spanning
spørge - vragen
spørgsmål - vraag
stakit - hek
stald - stal
standse - stelpen
stank - stank
starte - starten, beginnen
stativ - statief
statue - standbeeld
stave - spellen
stearinlys - kaars
sted - plaats, plek
sted, (på) et andet - ergens anders
sted, et eller andet - ergens
stedse (mere) - steeds (meer)
stege - braden, bakken
stegt - gebakken, gebraden
stejl(t) - steil
stel - chassis, montuur
stemme - stemmen, stem
stemmer, det - het klopt
stemple - stempelen
sten - steen
stenet - rotsachtig
sti - pad
stige om - overstappen
stige ind - instappen
stik - stekker
stikke - steken
stikkontakt - stopcontact
stille - stil
stinke - stinken
stiv - stijf
stof - stof
stofskifte - spijsvertering
stok - stok
stol - stoel
stoppe - stoppen, halt houden

stoppested - halte
stor(t) - groot
storm - storm
stormagasin - warenhuis
stormlygte - stormlamp
straks - direct, onmiddellijk
stram(t) - strak
strandstol - strandstoel
stribe - streep
stribet - gestreept
stryge - strijken
strygebræt - strijkplank
strygejern - strijkijzer
strøm - stroming, stroom
strømme - stromen, vloeien
strømpebukser - panty
strømper - kousen
studium - studie
stueetage - begane grond, gelijkvloers
stuepige - kamermeisje
stykke - stuk, reep
stykker, i - kapot, defect
styr - stuur
styrke - sterkte
styrthjelm - valhelm
stærk(t) - sterk
stærkt - hard
støj - lawaai
støjende - lawaaierig
støjforurening - geluidshinder
størrelse - grootte, maat
støv - stof
støvle - laars
stå - staan
stå op - opstaan
stål - staal
ståltråd - ijzerdraad
sukker - suiker
sukkerskål - suikerpot
sukkersyge - suikerziekte
sulten, være - honger hebben
sund(t) - gezond
supermarked - supermarkt

suppe - soep
sur(t) - zuur
svagelig(t) - zwak
svamp - paddestoel, spons
svangerskab - zwangerschap
svar - antwoord
svare - antwoorden
sved - zweet
svejse - lassen
svimmelhed - duizeligheid
svin(ekød) - varken(svlees)
svoger - zwager
svømme - zwemmen
svømmehal - zwembad
sy - naaien
syd - zuiden
syg(t) - ziek
sygdom - kwaal, ziekte
sygeforsikring - ziektekostenverzekering
sygehus - ziekenhuis
sygekasse - ziekenfonds
sygeplejer - verpleger
sygeplejerske - verpleegster
syn - gezicht (zintuig)
synes - vinden, menen
synlig(t) - zichtbaar
synshæmmet - slechtziend
syreneutraliserende salt - zuiveringszout
sæbe - zeep
sælge - verkopen
sælsom(t) - zeldzaam
særskilt - gescheiden
sæson - seizoen
sætning - zin
sætte - neerzetten
sø - meer
sød(t) - zoet, lief
sødsur(t) - zoetzuur
søge (efter) - zoeken (naar)
sølv - zilver
søm - spijker
søn - zoon
sørge for - zorgen voor

søster - zuster
søsyg(t) - zeeziek
søvn - slaap
så - zo
sådan - zo
sål - zool
sår - wond
såret - gewond

T

tab - verlies
tabe - verliezen, achterlopen (klok)
tablet - tabletje
tabt - verloren
tagbagagebærer - imperiaal
tage - (in)nemen
tage på - aankomen (in gewicht),
   aantrekken
tak - dank
takke - bedanken
takst - tarief
tal - getal
tale (om) - (be)spreken
tallerken - bord
tam(t) - tam
tandbørste - tandenborstel
tandlæge - tandarts
tandpine - kiespijn
tanke - tanken, gedachte
tape - plakband
tarm - darm
tarmbetændelse - darminfectie
taske - tas(je)
tavle - (school)bord, tabel
taxaholdeplads - taxistandplaats
teater - toneel, schouwburg
teaterforestilling - toneelvoorstelling
tegn - teken
tegne - tekenen
tegnebog - portefeuille
telefonbog - telefoonboek
telefonboks - telefooncel
telefonere - telefoneren

telt - tent
teltdug - tentzeil
teltline - scheerlijn
teltunderlag - grondzeil
temmelig - nogal
termokande - thermoskan
terrasse - terras
teske - lepeltje
tid - tijd
tidevand - getij
tidlig(t) - vroeg
tidligere - vroeger
tidsalder - tijdperk
tidsskrift - tijdschrift
til - voor
tilbage - terug, achteruit
tilbagekomst - terugkeer
tilbagerejse - terugreis
tilbud - aanbieding
tilbyde - aanbieden
tilfreds (med) - tevreden (met)
tilgodeseddel - tegoedbon
tillade - toestaan
tilladelse - toestemming, vergunning
tillæg - toeslag
tiltrække - aantrekken (aanlokken)
time - uur
ting - ding
tjner - ober
tjenestemand - ambtenaar
tobak - tabak
tobaksbutik - tabakswinkel
tog - trein
togbillet - spoorkaartje
told - douane
tom(t) - leeg
tomat - tomaat
tommelfinger - duim
torv - (markt)plein
trafiklys - stoplicht
trafikprop - opstopping
trappe - trap
trappesten - stoepje

travlt, have - het druk hebben
tromme - trommel
trusser - slipje
tryk - druk
trykke - drukken
træ - hout, boom
træk - tocht
trække - trekken
trækker, det - het tocht
trækul - houtskool
træt - moe
tråd - draad
tung(t) - zwaar
tunge - tong
tunghør(t) - slechthorend
tur - tocht, reis
turde - durven
turistbus - reisbus
tvilling - tweeling
tvingende nødvendig - dringend
tygge - kauwen
tyggegummi - kauwgom
tyk(t) - dik
tynd(t) - dun
tys! - stilte!
tysk - Duits
tysker - Duitser
Tyskland - Duitsland
tyv - dief
tyveri - diefstal
tænding - ontsteking
tændstik - lucifer
tændstikæske - luciferdoosje
tæppe - deken
tæt ved - vlak bij
tæt - dicht
tøj - kleding, kleren
tøjklemme - wasknijper
tøjsnor - waslijn
tømmermænd - kater
tømmes (for luft) - leeglopen
tømning - lichting (post)
tør(t) - droog

tørmælk - melkpoeder
tørre - drogen
tørstig, være - dorst hebben
tå - teen
tåge - mist
tålmodighet - geduld
tårn - toren

U

ubevogtet - onbewaakt
ud - uit
udelukkende - alleen
udenfor - buiten
udflugt - uitstapje
udfylde - invullen
udgang - uitgang
udlandet - buitenland
udleje - verhuren
udlejet - verhuurd
udlejningsfirma - verhuurbedrijf
udlænding - buitenlander, vreemdeling
udløbet - verlopen (ongeldig)
udlåne - lenen aan, uitlenen
udsalg - opruiming, uitverkoop
udsigt til - uitzicht op
udsigt over - gezicht op
udskifte - vervangen
udstilling - tentoonstelling
udstyr - uitrusting
udstyre - uitrusten
udsyn - zicht
udsættelse - uitstel
udtale - uitspraak, uitspreken
udvendig(t) - uitwendig
udvikle - ontwikkelen
ufarbar(t) - onberijdbaar
uge - week
ugift - ongehuwd
ugunstig(t) - ongunstig
uheld - pech
uhøflig(t) - onbeleefd
uld - wol
ulempe - bezwaar. nadeel

ulige - oneven
ulykke - ongeluk
ulykkelig(t) - ongelukkig
umulig(t) - onmogelijk
under - onder
underbukser - onderbroek
underjordisk - ondergronds
underkop - schotel
underside - onderkant
underskrift - handtekening, onderschrift
underskrive - ondertekenen
undersøgelse - onderzoek
undertrøje - (onder)hemd
undervise - leren, onderwijzen
undskyld - pardon!
undskyldning - excuses
undtagen - behalve
ung(t) - jong
ungdomsherberg - jeugdherberg
unge - jong
ungkarl - vrijgezel
ur - klok, horloge
uret, have - ongelijk hebben
urværk - uurwerk
uskyldig(t) - onschuldig
utilpas - ongesteld
utilstrækkelig(t) - onvoldoende
utøj - ongedierte
uvejr - onweer
uærlig(t) - oneerlijk

V

vable - blaar
vaccinere - inenten
vand - water
vandfald - waterval
vandhane - (water)kraan
vandmand - kwal
vandrerhytte - trekkershut
vandski, stå på - waterskiën
vane - gewoonte
vanskelig(t) - moeilijk
vanskeligheder - panne

vare - duren
varighed - (tijds)duur
varm(t) - warm
varme - verwarming
vase - vaas
vaske - wassen (wasgoed)
vaske sig - zich wassen
vaskebenzin - wasbenzine
vaskekumme - wastafel
vaskemaskine - wasautomaat
vaskemiddel - wasmiddel
vaskerum - wasruimte
vaskeskind - zeem
vasketøj - wasgoed
vat - watje
ved - bij
vegetabilsk - plantaardig
vej - weg
vejbelægning - wegdek
veje - wegen
vejen, gå/køre over - de weg oversteken
vejledning - handleiding
vejomlægning - wegomlegging
vejr - weer
vejrmelding - weerbericht
vejviser - wegwijzer
vekselkontor - wisselkantoor
veksle - wisselen
velkommen! - welkom!
ven - vriend
venlig(t) - vriendelijk
venstre, til - links(af)
vente - wachten
venteværelse - wachtkamer
verden - wereld
vest - westen
vid(t) - wijd
vide - weten
videre - verder
vidne - getuige
vige - uitwijken
vigtig(t) - belangrijk
vikariere - vervangen

vild(t) - wild
vildt - wild (gerecht)
ville - willen
vin - wijn
vind - wind
vindfløj - windvaan
vindjakke - jack
vindkraft - windkracht
vindue - raam
vinkort - wijnkaart
vinkælder - wijnkelder
vinter - winter
virke - werken
vise - wijzen
visitkort - visitekaartje
vogn - wagen, kar, rijtuig
vold - (vesting)wal
vove - wagen
vred, være - kwalijk nemen
vugge - wieg
væde - vocht
vægt - gewicht
væk - weg
vaske - wassen
væk!, gå - (ga) weg!
vække - wekken
vækkeur - wekker
vælge - kiezen
værdi - waarde
værdiløs(t) - waardeloos
være - zitten
værelse - kamer, vertrek
værsågod - alstublieft
vær så venlig - alstublieft
vært - gastheer
værtinde - gastvrouw
væske - vloeistof
våd(t) - nat

W

warme - warmte

Y

Y-kryds - wegsplitsing
yoghurt - yoghurt

Z

zoologisk have - dierentuin

Æ

æble - appel
æblemost - appelsap
æg, hårdkogt - ei (hard gekookt)
æg, blødkogt - ei (zacht gekookt)
ægtefælle - echtgenoot
ægteskab - huwelijk
ændre - wijzigen
ængstelig - ongerust
ærinder, gå - boodschappen doen
ærlig(t) - eerlijk
ærme - mouw
æsel - ezel
æske - doos

Ø

ø - eiland
øje - oog
øjeblik - ogenblik
øjenlæge - oogarts
øl - (flessen)bier
ønske - wens(en)
øre - oor, Deense munt
øst - oosten

Å

åben(t) - open
åbne - openen
åndedræt - adem
åndedrætsproblemer - benauwdheid
åndenød - ademnood
år - jaar
åre - (roei)riem
århundrede - eeuw
årlig(t) - jaarlijks

a.d.	anno domini	in het jaar onzes heren
adr.	adresse	adres
afg.	afgang	vertrek
afs.	afsender, afsendt	afzender, verzonden
agro.	agronomiae	landbouwkundig (cand.agro. - drs. landbouwkunde)
alm.	almindelig	algemeen
ank.	ankomst	aankomst
ApS	anpartsselskab	besloten vennootschap
A/S	aktieselskab	naamloze vennootschap
atm.	atmosfære	atmosfeer
bek.	bekendtgørelse	bekendmaking
bio	biograf	bioscoop
bl.	blandet	gemengd
bl.a.	blandt andet	onder andere
ca.	cirka	cirka
cand.	candidatus	academische titel, ongeveer drs.
DBU	Dansk Boldspil Union	Deense Voetbalbond
DFDS	Det Forenede Dampskibsselskab	Verenigde Stoomvaartmaatschappij
do.	ditto	idem
DR	Danmarks Radio	Deense radio/televisie
ds.	dennes	van deze maand (datum)
DSB	Danske statsbaner	Deense spoorwegen
d.v.s.	det vil sige	dat wil zeggen
d.å.	dette år	dit jaar (bij data)
e.b.	efter befaling	per order (voor handtekening onder brief)
edb	elektronisk databehandling	automatische gegevensverwerking
EF	De Europæiske Fællesskaber	Europese Gemeenschap
e.Kr.	efter Kristus	na Christus
el	elektricitet, elektrisk	elektriciteit, elektrisch
evt.	eventuel(t)	eventueel
fa.	firma	firma
FDM	Forenede Danske Motorejere	Verenigde Deense Autobezitters (zusterclub ANWB)
f.eks.	for eksempel	bijvoorbeeld
ff.	flere følgende	en verdere/volgende
fhv.	forhenværende	voorheen, gewezen
f.Kr.	før Kristus	voor Christus
FN	Forenede Nationer	Verenigde Naties
fr.	fru, frøken	mevrouw, mejuffrouw (bij adressering)

frk.	frøken	mejuffrouw (idem)
fx	for eksempel	bijvoorbeeld
gl.	gammel(t)	oud
hhv.	henholdsvis	respectieve
HF	højere forberedelseseksamen	examen voorbereidend hoger onderwijs
hrs.	højesteretssagfører	advokaat hoogste gerechtshof
HT	Hovedstadsområdets Trafikselskab	Hoofdstedelijk Openbaar Vervoer (Kopenhagen)
ID-kort	identitetskort	identiteitskaart
ifl.	ifølge	volgens
inkl.	inklusive	inclusief
i.h.t.	i henhold til	ingevolge
I/S	interessentskab	vennootschap onder firma
jfr.	jævnfør	zie ook
jur.	jura, juridisk	recht, juridisch
kgl.	kongelig	koninklijk
kl.	klokken	uur (om 2 uur = kl. 2)
kr.	krone	kroon (munteenheid)
lrs.	landsretssagfører	advokaat met bepaalde bevoegdheid
mag.	magister	universitaire titel
MB	medlem af borgerrepræsentationen	gemeenteraadslid
mb.	millibar	millibar
MF	medlem af folketinget	parlementslid
m.h.t.	med hensyn til	met betrekking tot
mia.	milliard	miljard
m.v.	med videre	enzovoort, en verder
nr.	nummer	nummer
nr.	nørre	noordelijke
o.s.v.	og så videre	enzovoort
p.a.	pro anno	per jaar
pr.	per	per
p.t.	pro tempore, for tiden	tijdelijk (adres)
red.	redaktion, redaktør, redigeret	redactie, redacteur, geredigeerd
sdr.	sønder	zuid
sign.	signeret	getekend
skt.	sankt	sint
stud.	studiosus	student (bijv. stud.jur. - student in de rechten)
s.u.	svar udbedes	beantwoorden a.u.b. (R.S.V.P.)
tlf.	telefon	telefoon
vedr.	vedrørende	betreffende
VM	verdensmesterskab	wereldkampioenschap

DE DANNEBROG

De vlaggen van alle Noordelijke landen hebben dezelfde opbouw: een 'liggend' kruis op een effen ondergrond. Die uniformiteit is een overblijfsel uit de lange periode waarin de Scandinavische staten (en Finland) met elkaar verenigd waren. Die verbintenissen liepen niet gelijk op, dan weer waren Noorwegen en Denemarken verbonden, dan weer Zweden en Finland, dan weer Denemarken en Zweden.

De Deense vlag is rood, het kruis is wit. U ziet hem overal want geen volk is zo op zijn vlag gesteld als het Deense. Hij heeft zelfs een eigen naam: Danebrog. Mogelijk is het woord van Friese herkomst - de Denenbroek (in het vakjargon van de vlaggendeskundigen heet het deel van de vlag bij de mast nog altijd 'broek').

Die naam is niet zo maar uit de lucht komen vallen, maar de vlag zelf wel. Zo wil althans de legende. Op 15 juni 1219, tijdens een moeizame oorlog met het heidense Estland, daalde uit de hemel een rode vlag met een wit kruis neer op de troepen van Valdemar de Overwinnaar. Een beter bewijs van goddelijke steun aan de kruistocht kon men zich niet wensen. Die vlag werd de nationale vlag van Denemarken, waarschijnlijk de oudste nog bestaande staatsvlag ter wereld.